NÉ D'AUCUNE FEMME

Franck Bouysse est né en 1965 et partage sa vie entre Limoges et sa Corrèze natale. *Grossir le ciel* a rencontré un succès critique et public et a obtenu le prix SNCF du polar en 2017 ainsi que le prix *Sud Ouest /* Lire en poche, le prix polar Michel-Lebrun, le prix Calibre 47 et le prix Polars pourpres. Franck Bouysse est également l'auteur aux éditions de La Manufacture de livres de *Plateau*, Prix des lecteurs de la foire du livre de Brive, *Glaise*, prix Libr'à nous 2018, et de *Né d'aucune femme*, prix *Psychologies magazine* du roman inspirant, Grand Prix des lectrices de *Elle*, Prix des libraires, prix Babelio, Prix de la maison du livre de Rodez et Prix passion passerelles.

Paru au Livre de Poche :

GLAISE
GROSSIR LE CIEL
PLATEAU
VAGABOND

FRANCK BOUYSSE

Né d'aucune femme

LA MANUFACTURE DE LIVRES

© La Manufacture de livres, 2019.
ISBN : 978-2-253-04480-2 – 1re publication LGF

« La nature ne fait pas rimer ses enfants. »

Emerson

« Si encore il s'agissait de mots, s'il suffisait de jeter un mot sur le papier et qu'on pût s'en détourner, dans la calme certitude d'avoir entièrement empli ce mot avec soi-même. »

Franz Kafka

« Ce n'est pas devant toi que je me suis prosterné, mais devant toute la douleur humaine. »

Fedor Dostoïevski

L'homme

Il se trouvait quelque part plus loin que les aiguilles de ma montre.

Cela n'a pas encore eu lieu. Il ne sait rien du trouble. Ce sont des odeurs de printemps suspendues dans l'air frais du matin, des odeurs d'abord, toujours, des odeurs maculées de couleurs, en dégradé de vert, en anarchie florale confinant à l'explosion. Puis il y a les sons, les bruits, les cris, qui expriment, divulguent, agitent, déglinguent. Il y a du bleu dans le ciel et des ombres au sol, qui étirent la forêt et étendent l'horizon. Et ce n'est pas grand-chose, parce qu'il y a aussi tout ce qui ne peut se nommer, s'exprimer, sans risquer de laisser en route la substance d'une émotion, la grâce d'un sentiment. Les mots ne sont rien face à cela, ils sont des habits de tous les jours, qui s'endimanchent parfois, afin de masquer la géographie profonde et intime des peaux ; les mots, une invention des hommes pour mesurer le monde.

À l'époque, je m'attendais à plus rien dans ma vie.

Taire les mots. Laisser venir. Il ne resterait alors rien que la peau nue, les odeurs, les couleurs, les bruits et les silences.

Ça faisait longtemps que je me racontais plus d'histoires.

Les histoires qu'on raconte, celles qu'on se raconte. Les histoires sont des maisons aux murs de papier, et le loup rôde.

J'avais renoncé à partir... Pour aller où, d'abord ?

Les retours ne sont jamais sereins, toujours nourris des causes du départ. Que l'on s'en aille ou que l'on revienne, de gré ou bien de force, on est lourd des deux.

Le soleil était en train de chasser la gelée blanche.

Le soleil-monstre suinte, duplique les formes qu'il frappe en traître, traçant les contours de grandes cathédrales d'ombre sans matière. C'est la saison qui veut ça.

Je le voyais pas. Comment j'aurais pu deviner ?

Il connaît cet endroit autrement qu'en souvenir. Quelque chose parle dans sa chair, une langue qu'il ne comprend pas encore.

Comment j'aurais pu imaginer qui il était ?

Il est grand temps que les ombres passent aux aveux.

L'enfant

Il s'avance dans le parc, pieds nus, bras légèrement décollés du corps, se tenant voûté, démarche faite d'hésitations ; progressant droit devant, comme dans un corridor tellement étroit qu'il lui est impossible de dévier d'une ligne imaginaire. Il n'a pas encore cinq ans, son anniversaire est dans sept jours. La date est soulignée sur un calendrier dans le grand salon.

Frêle silhouette réchauffée aux rayons d'un soleil qu'on lui a toujours interdit, «pour préserver ta peau», répète la vieille dame sans plus d'explications ; mais les interdits ne sont-ils pas faits pour être franchis, et même saccagés, piétinés, détruits, afin que d'autres apparaissent, encore plus infranchissables et surtout plus enviables ? Il n'échappe pas à la règle en marchant dans l'allée. Au début, il grimace lorsque des graviers s'incrustent dans la tendre plante de ses pieds, puis il finit par ne plus rien sentir, trop accaparé par cette liberté dont il rêve à longueur de journée, campé en temps normal derrière de grandes fenêtres closes aux vitres parfaitement transparentes, donnant le change, avec à la main un livre d'images ou quelque objet de nature à tromper son ennui.

L'ombre des arbres ne l'atteint pas. Cela le rend heureux de sentir frissonner sa peau au contact d'une lumière sans filtre. Les femmes ne l'ont pas vu sortir de la vaste demeure aux allures de château. C'est la première fois qu'il échappe à leur vigilance ; il s'y est longuement préparé, pour ne pas manquer son coup. Il ne se retourne pas, craignant de voir apparaître quelqu'un qui accourrait vers lui, le visage barbouillé d'affolement, quelqu'un qui le sermonnerait et le ramènerait séance tenante dans ce ventre de pierres qui l'étouffe. Elle, la vieille dame. Alors, il ne se retourne pas, invoque quelque dieu enfantin pour qu'il la tienne à distance, le temps qu'il accomplisse ce qui gonfle son cœur. Bien sûr, il est trop jeune pour concevoir l'espace et le temps ; ne conçoit que la liberté et ce qui s'ouvre devant lui : une porte immense, sans battants, ni ferrures, ni gonds, ni verrou, ni même l'ombre d'une porte.

Il est presque arrivé, n'a plus qu'à tendre le bras pour ouvrir ; une vraie, celle-là, faite de bois solide. « Mon Dieu, si tu me permets d'aller jusqu'à lui, je t'appartiendrai pour toujours » ; il en fait serment à voix haute. Et, comme il s'apprête à pousser la porte, son cœur cesse de battre. Un bruit au-dessus, décuplé par la peur. Roucoulement. Ce n'est rien qu'un pigeon qui va et vient sur une dalle en quête de débris accumulés par la pluie durant la nuit. Son cœur pompe de nouveau le sang, et le recrache bonifié. Le temps et tout ce qui se passe à l'intérieur prennent un sens, même le désordre a du sens.

Il relève la clenche et tire la porte à lui de toutes ses forces, avec ses deux petites mains aux ongles manucurés, de sorte à ménager un entrebâillement tout juste fait pour y glisser le profil de son corps. Il pénètre dans ce large couloir qui distribue une série de stalles faites de bardeaux dans leur partie inférieure, prolongées d'épaisses grilles en fer; il en compte huit au total. Émergeant de la pénombre floutée par la lumière du dehors, des chevaux s'ébrouent en regardant l'enfant d'un air hautain, quémandant pour la forme une mesure de fourrage par des mouvements de tête, plus curieux de l'apparition que de ce qu'ils pourraient obtenir d'elle, ne croyant pas vraiment qu'un si petit être puisse satisfaire leur demande. L'enfant observe les animaux, cherche celui qui, plus que tout autre, emballe son cœur de gamin chaque fois qu'il le voit parader derrière les vitres sous la carcasse aguerrie de l'homme qu'on lui interdit aussi d'approcher; deux silhouettes épousées, convolant dans les allées du parc, l'une chérie et la seconde enviée. Le voici. Animal vénéré. L'enfant laisse filer du temps, il veut que le cheval le reconnaisse comme il l'a reconnu lui au premier regard qui fit galoper son cœur jusqu'à l'épuisement, jusqu'à l'instant précis de la rencontre. Janus, il sait son nom, car il l'a entendu prononcer par la vieille dame, le préféré de son fils, a-t-elle dit un jour en écrasant une larme vénéneuse. L'enfant attend encore une poignée de secondes. Une douce peur frémit sous sa peau, une de ces peurs délicates qui mènent à l'inconnu. Il ouvre la porte de la stalle, entre, la repousse et s'en tient là. Le cheval renâcle, recule, se calme un peu et s'immobilise contre le mur du fond; il ressemble à une pierre de jais enfoncée dans un banal rocher, une enveloppe démoniaque où brûlent des feux. L'enfant n'est rien face à l'animal ; il le sait, et pourtant il marche vers lui, ses pieds nus foulent la paille maintes fois tassée par la bête prodigieuse, qui dresse fièrement la tête sans jamais l'abaisser tout à fait. Debout désormais sous la gorge, l'enfant lève un bras, le tend au maximum, et de la pointe des doigts ne parvient qu'à effleurer la naissance du poitrail.

Janus, réputé pour sa fougue et sa part indomptable, héritage de la sauvagerie de ses ancêtres, soulève un sabot, le repose et le soulève de nouveau, toujours plus haut, toujours plus fort, observant ardemment l'enfant ; et les martèlements dévorent l'espace qui les sépare à peine. Il ne s'agit pas d'exprimer une véritable colère, plutôt l'esquisse d'une puissance animale. À cet instant, l'enfant devrait être terrifié. Il ne l'est pas. Ses yeux brillent de fierté, déclament un bonheur silencieux. Puis il baisse la tête, ferme les yeux. Attend. Attend que naisse enfin l'inconcevable lien, le temps de donner à l'animal l'occasion de l'épargner ou de lui offrir le néant. Peu importe ce qui se passera ensuite. Cela doit être.

Gabriel

J'ai avancé en âge, traversé le temps en voyageur obéissant et attentif ; et me voici toujours entre les mains du Seigneur, paré de confusion. En vérité, je ne les ai jamais quittées, même s'il me semble qu'en maintes occasions il n'a su que faire de moi. Par mes actes au moins, je ne l'ai jamais trahi.

Je me souviens du jour où me fut octroyé l'insigne honneur de servir l'Église, sous l'égide du chanoine D. en la cathédrale du T., bercé par le *veni creator* en fond sonore de ma profession de foi ; en pensées et en paroles, une main sur les Évangiles en guise de paraphe : *Que Dieu me soit en aide et ses saints Évangiles*. J'embrassai ensuite la froide pierre de l'autel, offrant mon cœur à la Passion du Christ. Ce baiser dont je garde encore le goût lorsque me vient le désir du souvenir, comme tout homme qui souffre du présent.

Mes parents auraient désiré que je m'élève plus haut dans la hiérarchie ecclésiastique, en tout cas plus haut qu'une simple charge pastorale. Ils ne sont plus là pour m'en faire grief, ni me pousser à plus d'ambition que je n'en recèle ; disparus trop tôt, comme l'on dit en pareille circonstance. J'imagine que, s'ils m'ont appelé Gabriel, c'est qu'ils avaient l'idée de tracer à l'avance une voie qui me mènerait directement au sacerdoce. Je pense encore souvent à eux, différemment que de leur vivant, bien sûr. Nos conversations sont désormais apaisées et je dois reconnaître qu'ils n'avaient pas tort sur tout, ni raison non plus.

Je ne crois pas avoir jamais douté de la sainte parole. Ce n'est pas de Dieu qu'il est question, mais des hommes et des femmes que j'ai eu à côtoyer tout au long de mon existence. Peut-être aurais-je dû me faire moine, pour ainsi moins endurer leur contact, les tourments de leur âme. Je me serais baigné dans mon propre silence, occupé à prier, méditer, lire les textes sacrés, examiner ma conscience au creux du grand mystère. Une forme de liberté, à mon sens bien supérieure à celle qui m'apparaît aujourd'hui comme asservie par ma foi ; et ce divin impôt que j'ai toujours payé, jour après jour, ne m'a jamais semblé aussi pesant que maintenant, dans cette conjonction où l'humain et le sacré ne veulent se mêler.

Faut-il vieillir pour voir grandir le doute de n'avoir pas été à la hauteur de ma mission ?

Vieillir, est-ce la seule façon d'éprouver durablement la foi ?

Je ne suis pas un ange ; même le plus vertueux des hommes n'est qu'un homme et ne peut prétendre à plus que cela. Je n'ai rien de commun avec la représentation cloquée des chérubins qui ornent la voûte de l'église. Ce n'est pas l'idée que je me fais d'un enfant. Ces petits anges qui perdent leurs ailes en grandissant, avec leur chevelure opulente, leur corps trop adulte, leur indécente nudité, ne ressemblent pas aux miens. J'attends chaque jour que la peinture s'effrite encore un peu, et tombe en lambeaux. Je ne ferai rien contre. Je n'ai jamais voulu fouiller ce trouble.

C'est un élan que je prends, rien de plus. J'ai besoin d'entendre les mots sortis de ma bouche ; comme si, au détour de mes paroles, je souhaitais percevoir un signe, ou quelque symbole enfoui me ramenant à Dieu. Moi qui me tais si souvent, qui tais même l'abominable, parce que j'ai juré, oui, juré de m'alléger de ce corps terrestre, afin d'épurer mon âme de tout le mal qui m'est confié, sans jamais m'absoudre de la souffrance d'autrui, comme cette terrible histoire que je garde en moi et qui me ronge depuis tant d'années, que je n'ai jamais pu partager avec quiconque, car pour cela il m'aurait fallu un grand ami et n'être pas curé. Le dévouement que je porte au Seigneur étouffe les sentiments dont se parent les gens de commune nature. Obligé par la foi, on ne peut pas offrir aux autres ce que l'on ne peut recevoir en retour. J'ai vu bien des humains ne pas survivre à ça.

Tu m'as donné pour vie une largeur de main. Mon temps est néant devant toi... Tout homme est un souffle, une image vouée à disparaître, une ombre qui s'agite. J'ai appris que seules les questions importent, que les réponses ne sont que des certitudes mises à mal par le temps qui passe, que les questions sont du ressort de l'âme, et les réponses du ressort de la chair périssable. J'ai appris que chaque histoire est grande de son propre mystère, surtout lorsqu'elle dérive vers la douleur, et que l'on aura moins à souffrir auprès de Dieu, qu'il s'en porte garant. J'ai voulu repousser ma propre douleur, pour mieux endosser celle des autres. Il aura suffi de la souffrance d'une femme.

Je ne me suis pas engagé à contrecœur dans le renoncement. Ce ne fut jamais un effort d'être sanctifié en adoptant cette vie faite de prières, de méditation, de lectures spirituelles, de visites et de retraites. J'y étais préparé. Je voulais transmettre la sainte parole, la relayer, la rendre compréhensible, en être l'interprète en quelque sorte. Le véritable effort, l'immense difficulté, a toujours été d'écouter mes paroissiens, de simplement les écouter. Avant de les entendre en confession, je n'imaginais pas la mission si difficile à mener à bien. J'ai toujours fait face aux fautes, aux mensonges avoués, aux trahisons, aux douleurs intimes ; je les ai assumés sans jamais trahir mes vœux, n'ai commis nulle action de nature à infléchir le destin de quiconque. Ou presque.

« Pardonnez-moi, mon père, parce que j'ai péché… » Des paroles maintes fois entendues, autant de douces sentences à prononcer. J'ai parfois songé à les juger plus durement, je l'avoue, me souvenant aussitôt qu'il n'est pas dans mes attributions de pardonner en mon nom, que seul le Seigneur a le pouvoir de racheter tous les péchés. Je ne fais qu'écouter de petits secrets traduits en fautes particulières qui viennent jour après jour s'accumuler dans la fosse commune, avec les autres péchés du monde. Puis je récite ma leçon.

« Pardonnez-moi, mon père, parce que j'ai péché… », une injonction qui déjà porte un pardon. Aucune de leurs voix ne m'est plus inconnue, si bien que, lorsque, me promenant au village, je croise celui-ci ou celle-là, le regard honteux de lire ou de croire lire sur mon visage ce que je sais d'eux et que je m'efforce de cacher, je les vois baisser la tête, comme s'ils me demandaient de nouveau pardon, nullement certains qu'une seule confession ait pu suffire à les absoudre de leurs si grandes fautes. Aucune voix, dis-je? Non, ce n'est pas vrai, il fut une exception, une terrible exception.

Je me souviens de ce «Mon père...», mais pour la première fois, il n'y eut pas de *Pardonnez-moi*; il n'y eut plus rien pendant un temps, sinon le souffle chaotique d'une respiration. «Je vous écoute», dis-je. «Mon père...», encore, et ce fut tout. J'eus beau chercher dans ma mémoire, cette voix fluette m'était inconnue. Une femme, sans nul doute. Elle, donc, répéta plus distinctement le «mon père», comme si elle jetait une eau forte ayant la faculté de ronger la matière pour figer une scène; ce «mon père» vint alors se graver en un endroit inaccessible de mon cerveau. Elle avala de la salive, son souffle s'accéléra. Je percevais l'émotion dans sa voix, la fatigue physique, ou quelque poids spirituel dont je ne savais encore rien. Les yeux fixés sur la cloison ajourée, j'attendais qu'elle libère les tensions, dans un silence démesuré au creux duquel je tentais de dessiner un profil entre les losanges marquetés, devinant une paupière battant à intervalles irréguliers, l'arête d'un nez plantée dans une ombre, un menton irisé de bribes désordonnées de lumière, des lèvres tremblantes que j'imaginais bousculées par trop de mots à trier, pour dire l'essentiel, noyer les inutiles afin de sauver tous les autres. «Mon père...», toujours, prononcé d'une voix plus apaisée, non comme si l'inconnue enfonçait de nouveaux clous dans la cloison qui nous séparait, mais plutôt comme si elle tentait d'en retirer certains. Je détournai le regard, afin de me concentrer sur la voix, cette voix à peine voilée par le désir de n'être entendue que de moi, ou peut-être et sûrement de celui qui parlerait bientôt par ma bouche. Je me trompais. «Mon père, on va vous demander de bénir le corps d'une femme à l'asile.» Puis elle se tut. Je l'entendis reprendre son souffle. J'eus peur qu'elle ne parte et m'approchai de la cloison.

— Et alors, qu'y a-t-il d'extraordinaire à cela? demandai-je, sans comprendre pourquoi un tel aveu semblait lui coûter tant d'efforts.

— Ce n'est pas…

Elle s'interrompit. Je plissai les yeux pour creuser un peu mieux la pénombre. Sa peau semblait éteinte, comme si la pâle lumière provenant de l'église eût glissé le long des pentes douces de son visage, à la manière d'une rivière brusquement asséchée.

— Sous sa robe, c'est là que je les ai cachés, parvint-elle à dire.

— De quoi parlez-vous?

— Les cahiers…

— Quels cahiers?

— Ceux de Rose, ajouta-t-elle comme si c'était une évidence.

— Qui est cette femme?

Elle ne m'écoutait pas.

— Je veux pas être la seule à savoir.

— Pourquoi ne pas m'avoir apporté ces cahiers, s'ils sont si importants à vos yeux?

— Ils nous fouillent chaque fois que nous sortons. Vous, ils n'oseront jamais…

Un bruit de pas se fit entendre sur les dalles. L'inconnue se figea. Quelques secondes s'écoulèrent dans une tension palpable.

— Vous ferez ce que je vous demande ? questionnat-elle d'une voix étouffée.

— Attendez !

— Vous le ferez ?

— Ne partez pas encore.

— Dites-moi que vous le ferez.

— Je le ferai.

Le rideau s'entrouvrit, elle jeta un regard dans l'église, puis sortit en toute hâte. Le visage collé à la cloison, j'eus à peine le temps d'apercevoir, entre deux balancements du tissu, une silhouette encapuchonnée s'éloigner à vive allure sans se retourner. Je sortis du confessionnal aussi vite que je pus. Plus aucune trace de la femme. Angèle était agenouillée sur un prie-Dieu, le visage enfoncé dans ses mains aux allures de coquillage voué à la préserver de toute distraction. Il me semblait sortir d'un rêve. Je retournai m'asseoir dans le confessionnal, cherchant vainement une preuve de la présence de cette femme, me demandant si la conversation avait réellement eu lieu. Les événements futurs allaient bien vite m'apporter une réponse irrévocable.

*

J'avais vingt-huit ans à cette époque. Je m'apprêtais à bénir des animaux, des arbres à fruits, des récoltes sur pied, et pas un seul humain. C'était le lendemain de la visite de l'inconnue, trois jours avant l'Ascension, le premier des Rogations. Charles, mon sacristain,

21

quelques enfants du catéchisme et moi-même partîmes à pied au lever du jour.

Nous battîmes la campagne, allant de ferme en ferme, invoquant la protection du ciel pour les récoltes à venir, à grand renfort de litanies, recevant pour toute réponse un *ora pro nobis* de circonstance. Braves gens de la terre, ils avaient toujours quelque chose à nous offrir, le boire ou le manger, et, certains même, ce qu'ils ne possédaient pas. En cette période de prières champêtres, il ne s'agissait pas d'être suffisamment présomptueux pour imaginer libérer le monde du malheur, mais simplement de communier; de sorte que, si une catastrophe se produisait dans le futur, il était *a posteriori* toujours possible d'en imaginer de pires. Les souffrances placées sur notre route sont faites pour être endurées, une manière d'éprouver les âmes éraflées. J'en ai toujours été conscient. Les âmes. Les Pères m'ont enseigné qu'elles ne se vernissent pas, qu'elles se traitent en profondeur, qu'il est bien plus charitable de pardonner l'homme ballotté par le malheur que de courtiser celui qui par naissance et fortune en est préservé. La vertu sans mérite n'est rien d'autre qu'un déguisement de carnaval.

Je portais ainsi la bonne parole, sans jamais faiblir. Lorsque nous en eûmes terminé, nous rentrâmes au village. Les enfants rejoignirent l'école en piaillant comme de jeunes poulets libérés d'une volière. Il était temps de préparer la basse messe en compagnie du sacristain. Charles et moi nous connaissions depuis un an qu'il était à mon service. C'était un jeune homme intelligent, énigmatique par bien des aspects, d'une fidélité irréprochable, orphelin, et muet de surcroît. Il avait appris à lire sur les lèvres et communiquait grâce à une ardoise enfouie dans une besace qu'il ne quittait jamais. Peu après son arrivée, il m'avait confié que ses parents étaient morts de la tuberculose quand il était enfant, et qu'il avait ensuite été placé chez les Jésuites. J'avais alors voulu lui poser d'autres questions concernant ses origines, mais j'y avais bien vite renoncé en le voyant se refermer sur lui-même. Je le surprenais parfois, perdu dans ses pensées, absent au monde qui l'entourait, méditant peut-être, me donnant simplement à voir une enveloppe triste.

Nous n'avions pas encore terminé les préparatifs, qu'un homme se présenta à l'église, vêtu de l'uniforme gris des employés de l'asile situé en limite de ma paroisse. Il me demanda si je pouvais venir bénir un corps. La nuit et la matinée passées m'avaient presque fait oublier la visite de l'inconnue la veille, et l'homme venait de brutalement réveiller ma mémoire. Après un moment d'hésitation, je lui dis que je me rendrais à l'asile dès que possible dans l'après-midi.

La basse messe terminée, je déjeunai de quelques noix et d'un morceau de pain frais avec du fromage. Peu après, Charles vint me prévenir que le boghei était attelé et que nous pouvions nous mettre en route dès que je le souhaitais.

Nous quittâmes le presbytère à l'aplomb du soleil. Habituellement, je profitais du trajet pour admirer le paysage, mais cette fois-ci, ressassant les paroles de l'inconnue, je n'étais pas enclin à la contemplation. Bientôt, la flèche d'ardoise de la grande chapelle apparut au détour d'un virage, émergeant de l'abondante végétation, plantée dans un ciel clair.

L'asile était un ancien monastère sécularisé, reconverti depuis une trentaine d'années en établissement pour aliénés mentaux, perdu au milieu d'une vaste forêt, cerclé par de hauts murs d'enceinte qui lui donnaient l'allure d'une forteresse. Tout avait débuté au XIIIe siècle, sous le règne de Philippe-Auguste et le pontificat de Grégoire IX. Un seigneur sans scrupules des environs, qui vivait dans un château dominant les gorges de la Vézère, tua de sang-froid un religieux d'une abbaye voisine. L'homme d'Église avait eu l'impudence de s'opposer à l'élection comme abbé de l'un de ses neveux. Peu de temps après, le pape, ayant eu vent de la fâcheuse affaire, ordonna au noble d'expier son crime « d'éclatante manière ». Ce dernier obtempéra de bonne grâce en faisant ériger une chartreuse en pleine forêt, comme preuve de sa rédemption et aussi de sa toute-puissance. Il fit d'abord construire une église au centre de l'édifice, prolongée par un grand cloître reliant douze cellules identiques destinées à accueillir les moines. Le pape en fut satisfait et accorda son pardon. L'affaire était réglée. La chartreuse prospéra et se développa ainsi durant un peu plus d'un siècle, accueillant toujours plus de moines, qui trouvaient en ce lieu l'écrin parfait à la méditation. La folie meurtrière des hommes allait pourtant se propager bientôt jusqu'en ce havre. Les guerres se succédèrent. Le monastère fut détruit, puis reconstruit à maintes reprises. Prévenus de l'imminence des attaques par les paysans de la région, les moines se réfugiaient en hâte dans les nombreux souterrains creusés au fil des ans, qui débouchaient au cœur de la forêt, et certains même, aux abords des villages voisins. En s'enfuyant, ils emportaient leurs reliques les plus précieuses. Puis, les pillages terminés et les soudards enfin éloignés, les religieux regagnaient le monastère en ruine, le rebâtissant inlassablement. Leur lot pendant cinq cents ans. Au début du XIXe siècle, l'ordre ne pouvant subvenir à l'entretien du monastère, les derniers chartreux quittèrent les lieux, la mort dans l'âme. Un riche bienfaiteur, sensibilisé aux comportements déviants, à cause des graves troubles mentaux dont l'un de ses enfants était atteint, le racheta aussitôt pour en faire un lieu de recherche destiné à développer cette branche encore balbutiante de la médecine.

Ayant toujours été féru d'histoire, je m'étais passionné, dès mon arrivée, pour cette région et la destinée du monastère. J'avais ainsi pu glaner une multitude de documents lors de mes nombreux déplacements aux archives du diocèse et dans les communes avoisinantes. L'année écoulée, avec mon sacristain, nous avions même réussi à matérialiser le réseau complexe des souterrains désormais condamnés, de sorte que nous avions fini par reconstituer le monastère et ses alentours au temps de sa splendeur.

Le gardien avait été prévenu de notre venue. Il nous ouvrit la lourde porte à deux battants, puis nous pénétrâmes dans l'établissement. À chacune de mes visites, je me sentais minuscule, particule d'un tout qui n'avait plus cours, comme écrasé par un grand mystère enfoui. Charles poussa l'attelage dans l'allée principale, longeant la chapelle et les anciennes cellules de moines, avant de s'arrêter devant un bâtiment massif. Depuis le temps, je connaissais parfaitement le protocole à suivre. Je descendis seul, et gravis la volée de marches étroites creusées en leur milieu qui débouchaient dans le bâtiment des soins, là où se trouvait le bureau du médecin aliéniste qui dirigeait l'asile. Je m'engageai ensuite dans un couloir sentant le bois ciré, puis frappai à la porte du maître des lieux. J'entendis le son à peine audible d'une voix. J'entrai. L'homme se leva vivement de son fauteuil.

— Bonjour, monsieur le curé.

— Bonjour, docteur, dis-je tout en m'approchant du bureau encombré de piles de dossiers.

— Vous avez fait vite.

— Comme toujours.

Il esquissa un sourire et amena les mains dans son dos. Il ne m'offrit pas de m'asseoir, demeurant debout lui aussi. C'était un homme replet, d'une quarantaine d'années, engoncé dans un costume fait de trois pièces parfaitement ajustées. Il portait également une chemise éclatante de blancheur boutonnée au col, surmontée d'un foulard qui laissait voir, côté droit, l'extrémité d'une vilaine cicatrice ressemblant à la serre d'un oiseau de proie. De son visage creusé de traits profonds émergeaient deux petits yeux vifs d'un bleu très pâle, presque transparent, qui semblaient ne jamais vous laisser de répit dès qu'ils se posaient sur vous. Malgré sa petite taille, l'homme en imposait par son assurance.

— Puis-je voir la défunte ? demandai-je.

— Bien sûr, attendez-moi là, je reviens, dit-il.

Le docteur se dirigea vers la porte, l'ouvrit et disparut sans la refermer. Il revint quelques secondes plus tard, accompagné d'une infirmière. Elle me salua d'une révérence, puis me conduisit jusqu'à une petite pièce prolongeant l'infirmerie, qui tenait lieu de morgue occasionnelle. Un cercueil reposait sur une table. Je m'approchai en faisant le signe de croix, et découvris le corps d'une grande femme aux cheveux blancs vêtue d'une robe noire. Elle n'avait pas l'air vraiment âgée. On aurait dit que ses cheveux avaient prématurément blanchi, comme, paraît-il, sous le coup d'une intense émotion, ou bien d'une grande frayeur. La robe lui descendait aux chevilles et ses pieds décharnés en émergeaient comme deux petites excroissances incongrues. Elle avait l'air de dormir d'un sommeil paisible. Pendant que je l'observais, l'infirmière se tenait face à moi, de l'autre côté du cercueil.

— Pourriez-vous me laisser un moment avec elle ? demandai-je.

Elle prit une longue inspiration avant de me répondre.

— Bien sûr, mon père.

La voix me transperça, celle entendue la veille dans le confessionnal, j'en eus la certitude. Je contins mon trouble du mieux que je le pus, les yeux rivés sur la défunte.

— Tout va bien ?

Je me retournai vivement, découvrant le directeur dans l'embrasure de la porte. J'en avais oublié sa présence.

— Oui, tout va bien.

Il jeta un regard sans équivoque à l'infirmière.

— Vous pouvez disposer, lui dit-il sèchement.

Elle contourna le cercueil, tête baissée. Le directeur pénétra dans la pièce pour lui céder le passage.

— J'aimerais rester seul avec elle, dis-je.

Il eut un instant d'hésitation, effleurant une nouvelle fois sa cicatrice.

— Bien entendu, dit-il au bout d'un moment.

Il sortit à contrecœur, laissant la porte ouverte. J'attendis qu'il s'éloigne. Il n'était plus temps de tergiverser. Je fis le tour du cercueil. Désormais sur mes gardes, face à la porte, je ne risquais pas d'être surpris une seconde fois au cas où le docteur réapparaîtrait. Je saisis délicatement le pan inférieur de la robe en prenant soin de ne pas toucher la dépouille. Je relevai lentement le tissu, dénudant les jambes. Il me semblait commettre un sacrilège, mais le désir de savoir était plus fort. Les cahiers m'apparurent alors, comme enfantés, pliés en deux et calés entre les genoux. Sans même les ouvrir, je les attrapai et m'empressai de les dissimuler sous mon aube, les arrimant à l'aide de ma ceinture. Je remis aussitôt le vêtement de la défunte en place, puis épongeai mon front d'un revers de manche.

Je tentai ensuite de me concentrer sur ma prière, malgré la multitude de conjectures qui s'épanouissaient à l'intérieur de ma pauvre tête, résultat des événements improbables qui venaient de se succéder en à peine vingt-quatre heures. Après ce temps, qui me permit aussi de reprendre mes esprits, je quittai la pièce en jetant un dernier regard à la mystérieuse femme. Un rayon de lumière égaya son visage paisible, comme si elle me remerciait d'un sourire.

Le docteur m'attendait dans la pièce attenante. Me voyant approcher, il effleura plusieurs fois sa cicatrice de l'index, et prit appui sur ses talons, puis sur la pointe de ses pieds, dans un geste de balancier, avant de revenir à l'équilibre.

— Quand voulez-vous faire transporter le corps, pour l'enterrement ? demandai-je.

Il écarta les pans de sa veste et fourra ses pouces dans les poches latérales de son gilet, me regardant désormais d'un air peiné qui sonnait faux.

— Je ne crois pas qu'il y aura d'enterrement religieux, ajouta-t-il.

Il balança sa tête en faisant la moue, avant de poursuivre d'un air sentencieux :

— Elle a tué son enfant.

Durant quelques secondes, je demeurai interdit devant cet aveu. Je savais que la nature humaine pouvait parfois se révéler impitoyable, mais je n'avais encore jamais eu affaire à un infanticide.

— Pourquoi ne pas me l'avoir dit tout de suite ?

— Pour respecter une dernière volonté faite devant témoin.

— Comment est-ce arrivé ? demandai-je.

— Tout ce que je sais, c'est qu'elle l'a tué de ses propres mains, et que la folie ne l'a plus jamais quittée.

L'attitude du docteur m'agaçait. Je ne voulais pas le laisser s'en tirer à si bon compte, après la manière qu'il avait eue de me manipuler.

— Nous avons un carré pour accueillir ce genre de cas, dis-je.

Le docteur ramena ses mains derrière le dos tout en me dévisageant curieusement.

— Vous êtes sûr ?

— Quand pouvez-vous faire transporter la dépouille ?

Il réfléchit un moment, comme s'il attendait que je change d'avis.

— Comme vous voudrez, demain matin.

— Il me faudra un nom à inscrire sur la pierre tombale.

Il soupira, baissa la tête.

— Il n'est peut-être pas utile de la baptiser.

— Que voulez-vous dire ?

— Qui sommes-nous, l'un comme l'autre, pour priver une âme de son anonymat ? Une personne qui perd la raison, ou la conscience d'elle-même, est déjà sur le chemin des âmes, et il n'est pas en mon pouvoir de l'en détourner de quelque façon que ce soit. La science ne peut pas tout, contrairement à votre Dieu.

Il naviguait avec un plaisir palpable, cherchant à percer mes réactions de ses petits yeux brillants.

— Il semblerait que nous fassions cause commune, alors, dis-je.

— Je n'en suis pas si sûr. On ne tient pas rigueur à Dieu de ses manquements, seuls les échecs des hommes demeurent visibles.

— Certes, mais il me semble que nous nous éloignons de ma demande.

Les traits sur son visage se relâchèrent, pareils à des cordages tendus qui viendraient de lâcher.

— Elle n'a plus aucune famille, ne serait-il alors pas louable, et même charitable, de faire disparaître ce qui la relie à sa faute…, ce nom, précisément ?

L'homme était terriblement vif d'esprit, toujours à faire un pas de côté pour se dégager d'un embarras.

— Je ne partirai pas sans savoir.

— Rose, elle s'appelait Rose, c'est tout ce que je sais, finit-il par avouer avec dépit.

— Pourquoi faire tant de mystères d'un simple pré-nom ?

— Je crains que vous ne confondiez mystère et pudeur, monsieur le curé.

D'un geste empressé, il tira une montre de sa poche de gilet, regarda l'heure.

— Des impératifs professionnels, si vous voulez bien m'excuser, dit-il avant de me raccompagner à la porte.

Un souffle d'air frais m'accueillit au-dehors. Charles m'attendait en caressant le cheval. Je lui fis signe que nous devions nous mettre en route aussitôt. Il me laissa monter le premier, m'observant avec insistance de son regard sombre, puis s'assit à côté de moi. Nous nous dirigeâmes vers la sortie. En traversant le monas-tère, j'eus l'inconfortable sensation d'être un voleur emportant un butin au nez et à la barbe de tous. Un butin dont je n'avais aucune idée de la valeur.

Nous avions à peine parcouru une pleine lieue quand je parvins enfin à me détendre un peu. Charles avait perçu mon trouble et me jetait de fréquents regards interrogateurs, que je m'empressais de fuir.

À l'entrée du village, je demandai à Charles de me laisser là, ajoutant que je rentrerais à pied. Je me rendis chez le fossoyeur pour lui dire de creuser la tombe au plus vite. De retour au presbytère, je m'en-fermai dans ma chambre, m'assis sur le lit et sortis les cahiers de leur cachette. Ils étaient numérotés 1 et 2. J'attendis de longues minutes avant d'ouvrir le premier, comme s'il me fallait encore ce temps pour me convaincre de leur réalité, et ainsi surseoir au bouleversement considérable qui allait balayer des vies. Puis je lus enfin les premiers mots inscrits sur le papier jauni, je me les rappelle par cœur : « Tout est calme. Il y a plus de temps à perdre. Voilà. C'est temps de sauter dans l'eau froide. Mon nom, c'est Rose. C'est comme ça que je m'appelle… » Je poursuivis ma lecture jusqu'à ce que la nausée et la fatigue me plongent dans un sommeil empli de démons sans visage. Moi qui avais jusqu'alors considéré le bien et le mal comme des concepts rassurants pour lesquels j'avais forgé quelques armes, il allait bientôt me falloir glisser d'autres fers dans les braises.

À mon réveil, les cahiers étaient toujours près de moi. Quelque chose de vivant à l'intérieur m'appelait, me conjurait même de continuer sur-le-champ, mais une peur incontrôlable me fit encore hésiter. J'entendis le grincement d'un essieu. Je délaissai alors l'histoire de Rose, écartelé entre l'impatience de connaître la suite et le soulagement d'abandonner pour quelques heures l'innommable vérité qui se dessinait sous mes yeux.

Un fourgon était immobilisé devant le presbytère, avec deux hommes sur le strapontin. Charles était déjà là. Nous accompagnâmes le convoi jusqu'au portail du cimetière, nos pas rythmés par le bruit des sabots et des roues cerclées de métal. Nous aidâmes ensuite les hommes à décharger la bière et à la transporter dans le cimetière.

Nous apercevant, le fossoyeur se précipita pour me soulager de ma charge, prétextant que ce n'était pas à moi de faire ça. Je suivis donc les porteurs jusqu'à la fosse fraîchement creusée. Ils déposèrent le cercueil sur deux planches disposées en travers du trou, au milieu de tombes identiques, matérialisées par un simple bourrelet de terre et une pierre en forme de borne. Sans un mot, le fossoyeur glissa deux larges courroies sous le cercueil, puis il me regarda, joignant les mains pour m'inviter à prononcer mon oraison.

Je ne connaissais encore qu'une part de la vie de cette femme, sa terrifiante destinée en marche. Mes paroles se perdirent dans le ciel laiteux du matin, des paroles qui avaient à voir avec la disparition du corps et l'invisibilité de l'âme. Lorsque j'en eus terminé, je me reculai d'un pas. Le fossoyeur saisit une des courroies à deux mains, donnant des indications pour répartir les hommes aux extrémités libres. Ils firent ensuite descendre le cercueil dans le trou, chacun une jambe en étai de l'autre et tout le corps en résistance. Je vis lentement disparaître le bois clair, comme avalé par une bouche sombre et silencieuse. Mis à part nous, il n'y avait personne pour accompagner la défunte. Nul ne la pleurait, comme me l'avait affirmé le docteur. Un sentiment d'abattement m'envahit. Quoi qu'elle eût fait par le passé, quelles que fussent les circonstances qui l'avaient poussée à commettre l'acte terrible dont elle s'était rendue coupable, quelqu'un avait pourtant bien dû la chérir à un moment de sa vie. Quelqu'un devait posséder au moins une larme sincère à verser, me disais-je, sinon cela n'avait aucun sens. Et pourtant, dans ce cimetière où l'immobilité des pierres contrastait avec la volubilité des âmes, nul ne l'avait connue, et encore moins aimée pour en concevoir une légitime peine. Quelques présences compassées n'étaient pas suffisantes.

Aussitôt après que le cercueil eut touché le fond dans un craquement lugubre, le fossoyeur récupéra les courroies, les enroula entre épaule et avant-bras, et les posa sur le sol. Puis il cracha dans ses mains en regardant au loin, comme s'il souhaitait nous faire comprendre qu'il était temps de partir et de le laisser seul à son travail. Il saisit une pelle et se mit à jeter de la terre, qui frappa le bois dans un bruit de galop.

Les employés de l'asile repartirent. Pendant que l'attelage s'ébranlait, je me tins encore un moment au bord de la tombe. Charles me faisait face de l'autre côté; les mains croisées, il priait. Le convoi désormais éloigné, un grincement de ferraille se fit entendre. Nous relevâmes la tête de concert, découvrant l'homme massif qui venait de pousser le portail et qui s'avançait dans notre direction, un bâton écorcé couleur d'os ancien à la main. Il marchait lentement dans l'allée enherbée, pas même hésitant, pas même soucieux de notre présence. Il bifurqua sur une allée transversale. Après quelques pas, il ralentit, mais ne s'arrêta pas, et regagna l'allée centrale. Je m'attendais à le voir quitter le cimetière, mais il s'approcha de nous, et s'immobilisa devant la fosse à demi comblée, toujours sans un regard pour quiconque. Il retira son chapeau. Toutes sortes de traits s'entrecroisaient sur son visage tanné, et quelques poils de barbe, oubliés au rasage, ressemblaient à des fragments de chaume après la moisson. L'ample velours côtelé tremblait un peu à ses jambes. Il ramena sa main libre sur celle qui tenait le chapeau, respirant avec difficulté, comme si ses poumons ne fonctionnaient que dans un sens, visiblement à l'aller, et qu'ensuite l'air était trop vicié pour qu'il pût l'expulser sans encombre.

Je résistai à l'envie de le déranger dans sa prière. En cet instant, son regard semblait empreint d'une sorte de lassitude n'ayant rien à voir avec une peine de circonstance, ni avec les stigmates qui l'accompagnent habituellement. Quelque chose comme un renoncement douloureux. À l'issue de son recueillement, il tourna les talons sans plus de considération pour nous, et s'en alla. Je lui laissai quelques mètres d'avance, avant de le suivre, abandonnant le fossoyeur à ses gestes d'ensevelissement, et Charles à son étonnement. J'interpellai l'homme après le portail.

— Vous la connaissiez ? dis-je tout fort.

Il s'arrêta, se retourna, les yeux posés sur son bâton qu'il faisait naviguer devant lui.

— Non, je crois pas que je la connaissais, dit-il au bout d'un moment.

— Pourquoi êtes-vous ici, alors ?

Il releva vivement le menton. Il désigna l'entrée du cimetière avec son bâton.

— Vous y êtes bien, vous aussi !

— C'est mon rôle.

— Qu'est-ce que vous savez du mien ?

— Vous n'avez pas à vous méfier de moi.

Il rabaissa son bâton, prit un temps, et d'un air grave il dit :

— Toute ma vie, j'ai eu à me méfier des autres.

— Qui êtes-vous ?

Il me jeta un regard dans lequel je ne décelai nul mépris, mais plutôt une forme de détermination farouche.

— Quelqu'un que vous êtes pas près d'attraper dans vos filets, dit-il.

Sans attendre d'éventuelle relance de ma part, il se remit en marche. Je ne le suivis pas cette fois, le regardant se déplacer avec une étonnante légèreté, ni courbé en avant ni penché de côté, progressant résolument, bien campé sur ses jambes, et le bâton ne lui servait à rien. Parvenu au bas de la rampe qui débouchait sur la route, il leva de nouveau son bâton en l'air, s'attarda dans cette position, désignant visiblement quelque endroit fondamental du ciel, et sans se retourner il ajouta :

— Vous me semblez bien tendre, curé, faites attention à Ses manigances, il a plus d'un tour dans son sac.

Je n'avais aucun doute de qui il parlait. Il accéléra le pas, faisant désormais naviguer le bâton devant lui, comme s'il défrichait des broussailles pour se frayer un chemin.

— Vous connaissiez cette femme, n'est-ce pas ?

Il ralentit, comme s'il luttait contre le vent.

— J'ai rien à vous dire de plus.

Je le vis s'éloigner lentement, puis disparaître. Je n'avais plus qu'une envie désormais, poursuivre la lecture des cahiers.

*

C'était il y a quarante-quatre ans et je me souviens de tout. La flamme vacille à l'extrémité de la bougie torsadée. Elle ressemble à une petite danseuse prise dans la cire. Sa chevelure de fumée balaye une limaille de lettres agglutinées en mots autour de l'axe de l'histoire, cette confession dont me voici le dépositaire. Lorsque ma respiration s'accélère, puis se ralentit, je parviens à modifier le voyage des ombres mortifères sur le papier terni, et un visage inconnu m'apparaît, comme un rinceau sur un tombeau. Cette femme que je n'ai jamais rencontrée de ma vie, mais dont il me semble pourtant tout connaître, cette femme avec qui je n'ai pas fini de cheminer, avec qui je n'en aurai jamais fini. Alors, je me résous à laisser aller mon regard sur la première feuille, afin que disparaissent les ombres trompeuses, pour en faire naître de nouvelles, que je me prépare à découvrir, au risque de les assombrir plus encore. Ces ombres en éclats d'obscurité qui n'épargne rien ni personne, sinon dans la plus parfaite des nuits qu'est la mort, avant le grand jugement.

J'ai recopié patiemment l'histoire de Rose, corrigeant simplement quelques fautes, rien de plus. Les cahiers ne sont plus en ma possession, je les ai remis à qui de droit, il y a des années. J'ai beau savoir ce qu'ils contiennent, il me faut revenir une dernière fois à l'immonde vérité dont je sens déjà le poison sourdre en moi ; comme si je vivais une autre existence que la mienne ; comme si j'avais à la revivre indéfiniment, habité par la folle illusion de donner le temps à de nouveaux mots d'imprégner le papier.

Je me laisse envahir par les bruits qui voilent le silence, une musique faite de la course effrénée des rongeurs sur le parquet usé, des craquements du bois, des lointaines voix d'animaux nocturnes. Me voici aussi obéissant qu'un chien rappelé par son maître. Il est temps que Rose me parle une dernière fois ; elle a tant de choses à me dire, auxquelles je ne peux me soustraire. Tant à m'apprendre encore, maintenant que me voilà au seuil de la demeure éternelle.

Rose

Tout est calme. Il y a plus de temps à perdre. Voilà.
C'est temps de sauter dans l'eau froide.

Mon nom, c'est Rose. C'est comme ça que je m'appelle, Rose tout court, le reste a plus rien à voir avec
ce que je suis devenue, et encore, ça fait du temps que
quelqu'un m'a plus appelée Rose. Quand je suis seule,
que tout le monde dort, des fois je répète mon prénom à voix haute, mais pas trop fort, juste pour m'entendre, de plus en plus vite. Au bout d'un moment,
il y a plus de début ni de fin, alors je m'arrête et ça
continue dans ma tête, comme si j'avais démarré une
machine du diable. Si on m'entendait, j'aurais sûrement droit à un traitement spécial et tout serait fichu
par terre.

Je pensais que ça serait plus difficile, d'écrire. J'ai
passé tellement d'années à attendre ce moment, j'en
ai tellement rêvé. Je me suis préparée tous les jours
à mettre de l'ordre, à trier mes idées, en espérant le
moment où je pourrais enfin poser mon histoire sur
du vrai papier. Et voilà que le grand soir est arrivé,
celui où j'ai décidé de me jeter dans la grande affaire
des mots. Sûrement que personne me lira jamais.

C'est pas ce qui est important. Ce qui compte, c'est que pour une fois j'aille au bout de quelque chose sans qu'on m'en empêche. Je reculerai pas. Pour que ça soit possible, il a fallu que je croise Génie, une bonne âme. Je parlerai d'elle plus tard. J'ai beaucoup réfléchi à ce que j'écrirai en premier, par quel bout démarrer, évidemment pas le vrai début de ma vie, un autre début, le moment où j'ai compris que je quittais un monde pour un autre, sans qu'on me demande mon avis.

Je venais d'avoir quatorze ans. Je vivais à la ferme, avec mon père, ma mère et mes trois sœurs. Les Landes, que ça s'appelait. D'ailleurs ça doit bien toujours s'appeler pareil, étant donné que les endroits changent pas facilement de nom, même quand les gens s'en vont. On était quatre filles, nées à un an d'écart. J'étais l'aînée. Les filles valent pas grand-chose pour des paysans, en tout cas, pas ce que des parents attendent pour faire marcher une ferme, vu qu'il faut des bras et entre les jambes de quoi donner son nom au temps qui passe, et moi et mes sœurs, on n'a jamais rien eu de ce genre entre nos jambes. Si j'ai pas entendu mille fois mon père dire que les filles c'est la ruine d'une maison, je l'ai pas entendu une seule. Il se cachait même pas de nous quatre pour le dire bien fort, comme si on était seules responsables du malheur qui lui pesait, nous, ses propres filles fabriquées avec son propre sang et celui de ma mère qui écoutait en tordant le nez, mais qui disait jamais rien, qui a jamais tenté de le contredire, ou alors, si c'est arrivé un jour, j'étais pas là.

Au moins, on s'entendait bien, mes sœurs et moi. On se serrait les coudes sans rechigner au travail. Malgré tout ce qu'on abattait, mon père nous faisait comprendre que ça suffisait pas, que ça suffirait jamais. Du mieux et du plus qu'on faisait, ça changeait rien. Alors, on se débrouillait à trouver des moments pour s'amuser entre nous, en cachette. On riait souvent. On n'était rien que des gamines sans le souci du demain. Ma mère, je l'ai jamais vue rire, pas vraiment sourire non plus, mon père une seule fois, le lendemain de mes quatorze ans, à la foire de L., il avait tenu à ce que je l'accompagne, mais c'était pas une mimique qui mène à la joie, pour sûr, plutôt une grimace. Oui, un drôle de sourire qu'il avait ce jour-là, pendant qu'il éclusait des verres dans l'auberge avec ce type qui les payait, et lui jamais. Avec le recul des années, je sais que c'était pas un vrai sourire, ni une vraie grimace, mais sa façon à lui de se convaincre qu'il lui fallait devenir quelqu'un d'autre pour aller au bout de ce qu'il avait entrepris.

Ils étaient assis à une table au milieu de la salle pleine de clients. Moi, je me tenais debout à l'entrée, là où on m'avait dit de rester, à les regarder discuter sans pouvoir entendre ce qu'ils disaient. Le type, il buvait moins que mon père et, de temps en temps, il me jetait un coup d'œil qui me froidissait comme un vent d'hiver. Il était gros et large, visiblement un peu plus jeune que mon père, avec des habits pas comme nous autres, pas coupés pareil et pas faits du même tissu, de ceux qui coûtent autrement cher. Je me suis demandé comment mon père pouvait connaître quelqu'un comme ça. Au fur et à mesure qu'ils parlaient, je voyais bien que la conversation prenait une drôle de tournure. Le visage de mon père se refermait de partout, et il a fini par devenir aussi grave que celui du type. J'ai compris plus tard qu'ils étaient en train de marchander, et que c'était pas simple d'arriver à un accord, vu que personne voulait lâcher le morceau. Je le savais pas encore, mais le morceau en question, c'était moi.

Le gros type s'est énervé. Il a voulu se lever pour partir, mais mon père l'a attrapé par le bras, même que ça a pas eu l'air de lui plaire, et mon père l'a relâché de suite. Le type s'est quand même rassis. Mon père a hoché la tête, ils ont topé, et une bourse a changé de main en douce, et aussi un baluchon, dans l'autre sens. Le type avait l'air pressé d'en finir, il a attrapé le baluchon avec dégoût et mon père a fourré la bourse dans sa veste. J'ai pas eu l'impression qu'elle était bien garnie. Mon père m'a regardée d'un air sévère. Je savais pas bien s'il m'en voulait d'une chose, ou s'il voulait s'excuser d'une autre. Je comprenais pas ce qu'il y avait dans ce foutu regard que je lui connaissais pas plus que le sourire d'avant. Aujourd'hui, je le sais. Et puis il a baissé les yeux. Le type s'est approché de moi en me tendant le baluchon. Son gros ventre, gonflé comme celui d'une vache prête à vêler, débordait de son pantalon. D'une voix pas aimable, il m'a dit à l'oreille de le suivre, qu'il avait quelque chose à me montrer, que mon père et lui venaient de s'entendre là-dessus. J'ai voulu demander sur quoi ils avaient bien pu s'entendre, en quoi ça me concernait. Il m'a pas répondu. J'ai regardé mon père, qui a fait un mouvement de la tête pour dire d'obéir, et il s'est jeté un grand verre de vin dans la bouche, puis il s'est resservi aussi sec. Il m'a plus regardée. Alors, j'ai suivi le type en me retournant souvent, parce qu'on m'avait toujours appris à obéir aux hommes sans discuter. Personne se souciait de nous. C'est une fois qu'on est arrivés devant une carriole bâchée attelée à un beau cheval noir tout luisant, qu'il m'a expliqué qu'on allait chez lui, qu'il avait du travail pour moi. Quand il me parlait, j'avais l'impression qu'on lui retirait des échardes piquées dans sa bouche. J'ai pris peur, je comprenais pas pourquoi mon père m'avait rien dit. Je voulais pas suivre l'inconnu. Je savais même pas encore qu'il venait de m'acheter.

Faut que j'aille dire au revoir à papa, j'ai dit les yeux gonflés de larmes. J'ai commencé à repartir, mais le type m'a de suite agrippé une épaule en me tirant en arrière. C'est pas une bonne idée, qu'il a dit d'une voix qui avait rien d'amical. Il m'a poussée contre une roue et soulevée pour me forcer à monter. J'étais pas capable de résister. J'ai escaladé le marchepied et je suis retombée sur le siège. Le type est monté à son tour et j'ai bien cru que l'attelage allait basculer sous son poids, puis il s'est assis à côté de moi, a passé un bras autour de ma taille et a attrapé les brides. Mon cœur dansait la gigue dans ma poitrine. Laissez-moi au moins lui dire au revoir, je vous en prie, monsieur, après je reviens, j'ai dit en tremblant. Le type a pas moufté, il a fait claquer les brides bien fort sur le dos du cheval, et on est partis. J'arrêtais pas de trembler comme une feuille. Je pouvais même pas pleurer. Je pensais qu'à sauter, mais je pouvais pas. Où on va, j'ai demandé. Il m'a pas répondu.

On a quitté le village au trot et je me suis mise à imaginer toutes sortes de choses qui seraient jamais à la hauteur de ce que j'allais endurer. C'était le début du printemps. Il faisait beau. Les routes avaient été défoncées par la neige d'hiver et les pluies qui avaient suivi. Le type décochait toujours pas un mot, il me regardait juste de temps en temps, un drôle d'air malsain sur sa grosse figure, et sûr que c'était pas pour voir si j'étais bien installée. À un moment, la route est devenue moins large. On est rentrés dans une forêt. Les arbres se touchaient au-dessus de nous, comme un ciel vert foncé qui cachait presque entièrement le vrai ciel. Le soleil, je le voyais par côté, entre les troncs. On aurait dit qu'il nous suivait à la course pour jouer à me faire peur, et ça marchait plutôt bien, vu que j'avais jamais fait l'expérience du soleil de cette façon, ni à cette allure-là. Il faut dire qu'à pied ou dans une charrette tirée par une vache, on voit pas les choses filer de la même manière. La forêt devenait de plus en plus touffue. J'aurais voulu me débarrasser du soleil, mais il trouvait toujours un moyen pour se faufiler. Je crois bien que, s'il avait pu me dévorer, je me serais laissé faire.

Je saurais pas dire le temps que le voyage a duré, mais c'était interminable. Je me suis juste un peu relâchée quand le type a fait ralentir les chevaux dans un passage difficile. J'ai senti l'odeur des fleurs d'acacia que ma mère cueillait une fois l'an pour nous faire des beignets à mes sœurs et moi, de bons beignets bien gras qu'on adorait. J'ai encore eu envie de pleurer, mais les larmes sont pas venues. Ensuite, on a traversé un pont qui enjambait une rivière, puis on a tourné sur un chemin. Les fossés étaient bien entretenus. On est arrivés devant un portail grand ouvert, accroché à deux piles d'au moins quatre mètres de haut reliées entre elles par une sorte de grille en fer, qui faisait comme deux lignes de cahier entre quoi on pouvait lire Les Forges. J'ai machinalement baissé la tête en passant dessous pour déboucher sur une allée gravillonnée. On a fait le tour d'un grand massif d'arbustes avec des fleurs de toutes les couleurs, et on s'est arrêtés devant une sorte de château entouré de plein de bâtiments.

Le gros type s'est alors tourné vers moi avec un drôle de sourire. À partir de maintenant, tu m'appelleras maître, et tu obéiras à tout ce qu'on te demande, il a dit sur un ton sec. Je savais pas encore ce que représentait ce on. Il est descendu le premier et je suis restée assise. Qu'est-ce que tu attends, il m'a demandé. J'ai obéi. Une de mes socques a ripé sur le marchepied et j'ai atterri sur les fesses. Tu ne m'as pas l'air bien dégourdie, n'oublie pas tes affaires sur le siège. Je me suis relevée. J'ai attrapé mon baluchon. J'avais les fesses en compote et les jambes qui tremblaient.

Quand je me suis retournée, une vieille femme, maigre comme un coucou, se tenait toute droite en haut des marches du château. Elle portait une longue robe noire que le soleil faisait briller à des endroits et ses cheveux gris étaient attachés en chignon retenu par un filet en dentelle noire. Elle me fixait avec un air supérieur et aussi de la curiosité, il m'a semblé. J'ai dit bonjour. Elle a fait un signe de tête au maître. Il a monté les marches, et moi je suis restée en bas vu qu'on m'avait rien demandé. Une fois qu'il a été en haut, il m'a regardée moi, et puis la vieille après, en soupirant, comme si j'étais rien. Il faut décidément tout te dire, tu attends peut-être le déluge pour venir. J'ai obéi. La femme est entrée la première dans la maison, le maître derrière, et puis moi. On est arrivés dans une grande pièce très haute de plafond, avec des poutres énormes d'un seul tenant, et au fond il y avait une cheminée où on aurait pu faire rôtir un bœuf en entier. Une longue table en bois traversait la pièce, assez grande pour y manger au moins à trente sans serrer les coudes. La vieille a dit que j'étais sous le toit du maître de forges, et que, donc, je lui appartenais à partir de maintenant. Elle a regardé le maître. Il a balancé sa grosse tête de haut en bas. Elle a ensuite continué en déroulant ce qu'on attendait de moi, que je devrais m'occuper de tenir la maison et faire la cuisine, qu'elle ne tolérerait aucun manquement sous peine de sanction, qu'elle y veillerait chaque jour que Dieu ferait. J'ai retenu ses paroles. Puis elle m'a demandé mon prénom. Juste pour savoir, elle a dit, vu qu'elle m'appellerait ma petite, et que dans sa bouche ça avait rien d'une gentillesse.

Si tu as des questions, c'est tout de suite, elle a ajouté. J'ai alors voulu demander si j'étais seule pour m'occuper du château. La vieille s'est mise à glousser. Le château, elle a répété. Celle que tu remplaces se débrouillait très bien sans aide. Ils se sont alors regardés d'un air de s'entendre que j'ai pas aimé. Puis ils se sont tournés vers moi, comme si c'était la même mécanique qui les faisait bouger. Je vais te montrer ta chambre, a dit la vieille. Le maître a pas bougé. Elle s'est avancée jusqu'au fond de la pièce, a ouvert une porte à droite de la cheminée. Je me suis dépêchée de la suivre. On a ensuite monté un escalier, passé deux paliers, avant de se retrouver sous les toits. Elle a ouvert une petite porte qui donnait sur une chambre, avec un lit poussé contre un mur, une commode à trois tiroirs, une chaise en paille, et à peine de quoi passer entre tout ça, et pourtant on peut pas dire que j'aie jamais été bien épaisse. Sur le lit, il y avait une robe noire étalée, un tablier blanc et une coiffe blanche. Voici ta tenue, elle devrait t'aller, a dit la vieille, qui était restée à la porte, une main dans une autre. Elle a jeté un coup d'œil à mon baluchon qui pendait au bout de mon bras, puis elle m'a regardée droit dans les yeux avec un sourire en coin qui déformait rien d'autre que sa bouche sans lèvres sur sa figure fanée, et qui en disait long sur la façon dont elle me considérait. Je t'attends dans dix minutes en bas, cela devrait suffire pour déballer tes affaires et passer ta tenue. Ensuite il te faudra préparer le repas, elle a dit, avant de tourner les talons.

Je suis restée seule, plantée dans la chambre, écoutant les pas dans les escaliers. Une porte a claqué et j'ai repris mes esprits. À ce moment-là, je pensais pas à ma famille, je pensais rien qu'à ces étrangers qu'il me fallait maintenant servir. Ils me feraient pas le moindre cadeau, j'en étais certaine. J'ai dénoué mon baluchon en vitesse sur le lit. Dedans, il y avait un quignon de pain de seigle plié dans du papier journal, un gilet en laine, deux culottes, trois paires de chaussettes, une robe d'hiver, et la petite poupée en chiffon que ma mère avait fabriquée quand j'étais bébé. Tout ce que je possédais en plus de ce que je portais sur moi tenait dans ce mauvais baluchon. Un seul tiroir suffisait grandement à tout ranger. Le temps passait et, comme j'avais pas envie de me faire disputer dès le premier jour, j'ai enfilé la robe et le tablier par-dessus, coiffé le bonnet, et je suis descendue.

Quand je suis arrivée en bas, le maître était plus là. La vieille m'attendait, pleine d'impatience. Tu en as mis du temps pour te préparer, elle m'a dit sèchement. J'ai fait aussi vite que possible. Ne réponds pas lorsqu'on te fait une remarque. Bien, madame. Elle m'a montré la cuisine en premier. J'établirai les menus la veille pour le lendemain et tu les suivras à la lettre. On t'apportera tout ce qu'il faut chaque matin pour préparer les repas, elle a dit. Je me suis retenue de demander qui était ce nouveau on dont elle parlait. Ça pouvait pas la désigner elle, ni son fils, qui d'autre alors, vu qu'elle m'avait dit qu'il y avait pas d'autres gens de maison pour m'aider. J'allais pas tarder à savoir.

Tu sais lire au moins, elle m'a demandé. Lire et écrire, à peu près, j'ai répondu en relevant la tête. Tu me demanderas, si tu ne comprends pas quelque chose. D'accord, madame. Sur la table, il y avait un panier rempli de carottes, de pommes de terre, et un chou, et aussi un gros morceau de salé qui trempait dans une bassine. Petit salé et légumes, ce sera ton baptême du feu. Rien de bien compliqué, j'ai pensé en regardant les légumes. Nous dînons à sept heures trente précises, elle a encore dit en montrant une pendule accrochée au mur. Nous ne sommes que deux à prendre les repas dans la salle à manger. Elle a marqué une pause avant de continuer, comme si elle voulait se forcer à paraître triste. Il faut que tu saches que la femme du maître est souffrante depuis quelques semaines. C'est moi seule qui lui porte ses repas, elle a dit en appuyant bien sur le seule. Les couverts et tous les ustensiles dont tu auras besoin se trouvent dans le grand bahut qui est au fond. Surtout, ne casse rien. Si tu as des questions, c'est maintenant. Je me suis mordu les lèvres, mais j'ai pas pu m'empêcher. Et pour mes gages, j'ai demandé. Elle a ouvert des grands yeux de chouette. J'ai vite compris que je venais de dire une énormité que j'allais regretter. Contente-toi de faire ce que l'on te demande pour l'instant et de mériter ta pitance et ta couche, nous reparlerons de tes gages quand il sera temps, elle a dit en gloussant. Elle ressemblait plus du tout à une chouette, mais plutôt à une vieille dinde mauvaise. Elle est sortie là-dessus.

Une fois seule dans la cuisine, je suis directement allée ouvrir le grand bahut pour passer en revue ce qu'il y avait à l'intérieur. Côté ustensiles, je manquerais de rien. J'ai choisi une des casseroles en cuivre pendues au mur et je l'ai posée sur le fourneau. J'ai allumé la cuisinière avec du fagot et je l'ai nourrie avec les bûches entreposées à côté. J'ai de suite versé de l'eau de la bassine dans la casserole, et je me suis mise à éplucher les légumes, que je plongeais au fur et à mesure dans l'eau. C'est à ce moment-là que ça m'est tombé dessus sans prévenir. Ma famille est revenue, et les larmes se sont mises à couler d'un seul coup, pendant que je réalisais ce que j'allais devenir sans elle, loin de ma liberté, parce que, même miséreuse, il y avait quand même de la liberté dans ma vie aux Landes. J'en voulais à mon père, et aussi à ma mère. Je les maudissais de m'avoir fait naître, vu que tout ce qu'ils avaient à m'offrir, c'était d'être l'esclave de gens qui m'étaient rien et qui avaient tout l'air de vouloir m'en faire baver. Je continuais de pleurer tout en épluchant les légumes, et je tremblais, à pas pouvoir sortir le malheur de ma tête. Des bulles remontaient du fond de la casserole, comme si elles prenaient leur élan pour sauter en l'air, et j'aurais bien aimé qu'elles s'écrasent sur mes larmes, au lieu d'éclater pour rien à la surface. J'ai fini par me calmer au bout d'un moment, mais les mauvaises pensées ont pas arrêté de tourner pour autant.

Tout était prêt quand ils sont arrivés. Ils se sont assis à table sans un mot et je les ai servis. Le maître s'est mis à manger de suite. La vieille a longuement reluqué son assiette avant de goûter. À voir leur mine, ça avait l'air bon, mais ils m'ont pas fait de compliments quand même. Moi, je savais que c'était réussi, vu que la cuisine, je la faisais avec ma mère depuis belle lurette. Le maître s'est resservi pendant que la vieille picorait comme un pinson. À un moment, elle a posé ses couverts de chaque côté de son assiette comme si c'étaient des reliques. Elle a soulevé un verre et l'a fait tourner dans tous les sens devant ses yeux d'un air mauvais. Ces verres ne sont pas transparents. Tu devras les essuyer avec un torchon avant chaque repas. À l'avenir, je ne tolérerai plus de boire dans des verres qui ne seront pas totalement propres, elle a dit. Je suis désolée, ça se reproduira pas, madame. J'ai vite compris qu'en vrai, il fallait toujours qu'elle trouve quelque chose à redire.

Ils ont pas décroché un mot de tout le repas. La vieille a quitté la table sans avoir terminé son assiette.

Elle a souhaité une bonne nuit au maître. Ensuite, sans me regarder, elle a dit que le petit déjeuner devrait être prêt à partir de sept heures. Le maître me quittait pas des yeux pendant qu'elle me parlait, comme si j'avais toujours été là et que ça le surprenait que sa mère me rappelle l'heure du petit déjeuner. Petit déjeuner, déjeuner, dîner, des mots que j'avais jamais utilisés, vu qu'à la ferme, on mangeait et des fois on cassait la croûte, et que le but était toujours de se remplir au mieux l'estomac avec ce qu'on avait sous la main.

Le maître est parti se coucher pas longtemps après la vieille, et je suis restée seule. L'attitude de ces gens, en plus de la nuit qui tombait, me faisait froid partout. Ce qui me frappait, c'était la tristesse qui semblait se dégager du château, une grande tristesse, et aussi quelque chose d'autre, qui me mettait déjà mal à l'aise avant même d'en savoir plus sur cette famille. J'ai essayé d'avaler une bouchée de légumes froids, mais j'étais tellement tendue que j'ai recraché. Alors, j'ai fait la vaisselle et tout rangé, en espérant avoir mémorisé la place des couverts et des ustensiles. Puis je me suis assise sur une chaise. J'étais vidée. Je me suis remise à pleurer. Je suis montée dans ma chambre en pleurant toujours, et j'ai pleuré encore sur mon lit en pensant que je m'arrêterais plus jamais de pleurer, même quand les larmes couleraient plus, et en même temps je répétais, mon nom c'est Rose, c'est comme ça que je m'appelle, Rose.

Onésime

Il marchait sur le chemin rocailleux. Depuis qu'il avait quitté le village, un observateur attentif aurait perçu l'hésitation de son pas, n'ayant que peu à voir avec l'alcool qu'il avait bu, dont les effets s'étaient atténués depuis, comme s'il cherchait à s'arrêter à chaque foulée et, ne s'y résolvant pas, continuait de gravir la pente douce menant à sa ferme au creux de la pâle lueur du soir. Rien ne lui parvenait du bruit de ses sabots. Tout était silence dans sa tête, un silence retenu malgré lui, ce silence haï par-dessus tout, bien plus pesant que la maigre bourse qui lestait sa poche. Le prix de la vie de sa fille.

Il arriva chez lui, traversa la cour déserte, entendant au passage les voix de ses trois autres filles occupées à cette heure à la traite des vaches dans l'étable. Avant d'entrer dans la maison, il espéra que sa femme ne s'y trouvait pas. Puis il la vit debout, dressée comme un arbre mort dans l'unique pièce. Il s'avança jusqu'à la table, posa sa casquette sur le montant d'une chaise ; ses pas se turent. Le silence qui suivit n'en finissait pas de mourir et de renaître dans l'écho de sa trahison. Il ne la regardait pas et elle le fixait tout en essuyant ses mains sur son tablier, passant l'endroit puis l'envers sur le tissu rêche.

— Qu'est-ce que t'as fait ? dit-elle.

Il ne la regardait toujours pas, fixait ses mains, comme s'il voulait en choisir une plus que l'autre pour mener à bien une mission dont il ne savait pouvoir s'acquitter dignement autrement qu'en jetant ces quelques mots :

— C'qu'y fallait, pauvre femme.

Il plongea une main dans sa poche, sortit la bourse, la soupesa brièvement avant de la poser sur la table dans un bruit de pacotilles bousculées sous la toile moirée. Il n'y avait pas la moindre trace de fierté sur son visage, mais une incommensurable marque de culpabilité. Elle se pencha au-dessus de la bourse, sans même songer à la toucher.

— D'où tu sors cet argent ?

— Ça représente de quoi tenir un peu.

— C'est pas ce que je te demande.

Il releva les yeux sur elle, mais ne dit rien.

— On n'avait pas le choix.

— De qui tu parles, là ?

— De nous, pardi !

Elle jeta son buste en avant et ses talons ne décollèrent pas d'un pouce.

— Dis-moi que t'as vendu une de nos bêtes. Dis-moi quelque chose que je peux entendre.

— On n'a rien à vendre comme ça, tu le sais bien.

Elle s'interrompit, avala de la salive et se remit à lisser frénétiquement ses mains sur le devant de son tablier. Il leva un bras et poussa la bourse un peu plus loin sur la table.

— Elle sera mieux où elle est maintenant, ajouta-t-il.

— Mieux où ça ?

— Je peux pas te le dire, j'ai signé un papier.

— Je suis ta femme.

— Je sais qui t'es.

Elle projeta une main en l'air d'un geste ample, comme si elle semait des graines dans un champ.

— Un foutu bout de papier vaut plus que ta propre fille, c'est ce que t'es en train de me dire ?

— On risquerait de tout perdre sans ça.

— Qu'est-ce que tu veux que ça me fasse !

À ce moment précis, dans cette maison battue par des vents inconcevables, comme s'il venait de se souvenir d'une chose définitive de nature à rallier sa femme à sa cause, et sans même prendre le temps de réfléchir, il dit :

— Il faut penser à notre famille, maintenant.

Elle laissa retomber son bras, et une colère démesurée sembla enflammer ses yeux.

— De quelle famille tu parles ?

Il repoussa à peine la bourse avec le dos de sa main.

— Il m'a donné le double de ce qu'était prévu.

— T'avais qu'à travailler plus pour nous sortir de la misère.

Il encaissa, sachant que tout ce qu'il pourrait dire pour se défendre ne servirait à rien. Un silence s'installa. Elle essayait de rassembler ses idées, ne se souciant pas de ses mots injustes, ni du mal qu'ils faisaient à son mari, voulant simplement trouver une note d'espoir, au moins une.

— Quand c'est qu'on pourra aller la voir ?

Il éloigna sa main de la bourse.

— Pas tant qu'il l'aura pas décidé, c'est entendu comme ça.

Elle s'approcha de lui, poings fermés, et le frappa violemment au torse en criant :

— Sois maudit !

— On n'avait rien à lui offrir de mieux, dit-il sans même essayer d'esquiver les coups.

Elle arrêta de frapper, se recula, et ses bras retombèrent le long de son corps, comme un drapeau brusquement privé de vent contre un mât.

— Et les autres, t'as l'intention de les vendre aussi ? demanda-t-elle en défiant la porte fermée.

— Bien sûr que non.

— Qu'est-ce que j'en sais, moi, si tu vas pas les vendre jusqu'à la dernière.

— T'as ma parole.

— Rose, je l'ai portée dans mon ventre... Qu'est-ce que tu peux comprendre à ça ?

Elle pencha légèrement la tête de côté pour soulever le regard fuyant d'Onésime, le piéger, non pour y trouver un quelconque réconfort, ni même une réponse, mais pour y instiller toute la haine contenue dans le sien.

— Fallait pas me les faire, dit-elle.

Rose

Il était six heures. Le jour pointait tout juste. J'ai senti l'odeur du tabac en descendant les escaliers. Je me suis dit que le maître s'était levé plus tôt que d'habitude et que j'allais sûrement me faire disputer pour mon retard. Quand je suis arrivée dans la grande pièce, il y avait personne. Mon cœur s'est accéléré en apercevant de la lumière autour de la porte fermée de la cuisine. Je me suis avancée tout doucement. J'étais pas fière en ouvrant.

Une lampe était posée sur la table. Il était assis sur une chaise près de la cuisinière, une jambe passée par-dessus l'autre, en train de regarder brûler le bout de sa cigarette. C'était pas le maître, c'était un autre homme, ni vieux ni jeune, entre les deux, à coup sûr le On chargé de porter les légumes et la viande pour les repas. J'étais encore accrochée à la poignée, en train de le regarder, toute peureuse. Il bougeait pas, il disait rien, et moi je le quittais pas des yeux. J'attendais qu'il parle enfin, mais il l'a pas fait de suite. Ce qui me surprenait le plus dans son visage, c'étaient ses paupières qui battaient presque jamais. Il me faisait penser à un lézard posé sur un mur en plein soleil. Alors, c'est toi, la nouvelle, reste pas plantée là, tu vas prendre racine, il a dit au bout d'un moment, sans lever les yeux. Je suis entrée et je suis restée debout contre la paillasse, à distance respectable. Vous êtes qui, j'ai demandé, pas à l'aise. Le jardinier et le palefrenier, entre autres, voilà qui je suis. Il a levé les yeux sur moi et les a de suite baissés. Tu m'as l'air bien jeune, il a dit. Je me suis demandé comment il pouvait dire une chose pareille, vu qu'il m'avait à peine regardée. En vrai, il me paraissait pas bien méchant. Pas tant que ça, j'ai répondu en reprenant du poil de la bête. Il s'est tourné vers moi. Un sourire a illuminé son visage et s'est de suite éteint, comme si quelqu'un venait de jeter un seau d'eau dessus. T'as pas de parents ? Bien sûr, j'ai des parents, j'ai répondu bravement. Il a pris un air sérieux qui a fait gondoler la peau sur son front. Tu devrais pas être là, alors, si t'as des parents. Vous croyez peut-être qu'on m'a demandé mon avis, c'est eux qui m'ont envoyée ici. Je serais toi, je retournerais vite fait d'où je viens. Peut-être bien que c'est pas guère mieux d'où je viens. Ça m'étonnerait. Qu'est-ce que vous en savez, d'abord, que ça vous étonnerait. Il a changé la position de ses jambes, celle qui était en dessous est passée par en dessus. Il a calé ses coudes sur ses cuisses. La cigarette continuait de brûler entre ses doigts. La cendre grandissait en se recourbant sans tomber et ça me fascinait qu'elle tombe pas. Tu devrais quand même m'écouter, petiote. J'ai haussé les épaules. Je comprends pas, vous faites le bien des gens, en plus du reste, c'est ça. C'est toi qui as pas l'air de comprendre. Il est pas encore trop tard, il a dit en étouffant sa voix. Vous voulez me faire peur ou quoi, dites ce que vous avez à dire. T'as déjà peur, qu'il m'a balancé en décollant son dos de la chaise. Sûrement pas, il m'en faut plus, j'ai été élevée à la dure, que j'ai répondu pas vraiment confiante. Il s'agit pas de ça. Et vous alors, pourquoi vous êtes là, si c'est si terrible. Moi, c'est pas pareil. Et la bonne qui était avant, qu'est-ce qu'elle est devenue. Il a dressé un doigt, de la fumée s'est enroulée autour, puis il a retourné une main en coupe pour faire tomber la cendre dedans, et il l'a regardée un joli moment avant de refermer le poing. Elle est partie, il a dit. Sa voix était presque éteinte en bout de phrase. Je suppose qu'elle vous a écouté, elle, j'ai dit d'un air moqueur. Ses lèvres bougeaient, mais les mots avaient du mal à sortir de sa bouche, comme s'ils lui coûtaient rudement cher. Je crois pas qu'elle a fait ça, il a fini par dire. Vous lui avez peut-être pas demandé de partir, à elle. Il a soupiré. Ses yeux sont revenus à moi et les miens se sont pas défilés. Quel âge tu as, petiote. Seize ans, j'ai menti. Il a plissé les yeux. Qu'est-ce qu'on sait à seize ans. Sûrement plus que vous croyez. Et sûrement moins que ce que t'as l'air de penser.

Une porte a claqué dans les étages. Le type s'est levé, comme si la chaise venait de prendre feu sous ses fesses. Il me dominait de deux bonnes têtes. Du menton, il a désigné la desserte. J'ai posé des œufs pour l'omelette du maître, avec le journal, faut que j'y aille, maintenant. Palefrenier, c'est pas votre nom, j'imagine, j'ai demandé avant qu'il passe la porte. Ça l'a fait sourire tristement, mais ce sourire-là non plus s'est pas accroché longtemps sur sa figure. Edmond, il a dit. Moi, c'est Rose. J'ai alors vu son visage se décomposer. Comment tu dis. Rose, j'ai répété, pourquoi, ça vous plaît pas. Il m'a pas répondu, il me regardait avec ce que j'aurais pu prendre pour du dégoût, si j'avais jamais vu la peur dans d'autres yeux avant, puis il est sorti, avec la cendre et le mégot enfermés dans son poing.

Je suis restée un moment avec les pensées emmêlées dans ma tête, à pas savoir par où commencer mon travail. L'odeur de la cigarette se baladait dans la cuisine, et mes yeux revenaient toujours se poser sur la chaise vide et la grosse ombre encore assise dedans. Une deuxième porte a claqué. Je me suis vite ressaisie en entendant les pas lourds du maître au-dessus de ma tête, puis dans les escaliers. Les pieds d'une chaise ont ensuite ripé sur le sol de la salle à manger. J'ai de suite porté le journal au maître. Il l'a attrapé sans dire un mot, et je suis retournée préparer l'omelette.

Le maître était en train de manger en lisant le journal, quand la vieille est arrivée. Elle s'est assise en face de lui. Pendant que je la servais, elle reluquait chacun de mes gestes en pinçant la bouche. Le maître s'est mis à commenter les nouvelles à voix haute et la vieille hochait la tête en même temps. Je crois pas qu'elle l'écoutait. Elle a goûté un morceau d'omelette du bout des lèvres en tordant le nez. Ce n'est pas assez salé, elle a dit en haussant la voix. Je savais pas combien il en fallait, j'ai répondu. Apporte la salière, au lieu de discuter. Je suis allée chercher la salière à toute vitesse. Je la lui ai tendue et elle me l'a arrachée de la main. C'est plus facile d'en ajouter que d'en enlever, j'ai dit sans réfléchir. Elle s'est mise à me crier dessus de me taire, que j'avais plus jamais intérêt de répondre, que j'étais rien qu'une incapable, une effrontée, et j'en passe que je saurais pas écrire. Le maître a levé le nez de son journal en nous regardant d'un air amusé, pas un brin fâché après moi, on aurait dit. Quand la vieille a été calmée, il m'a demandé de lui apporter le pain et le fromage. Il avait rien trouvé à redire sur mon omelette, lui, à voir son assiette raclée. En passant devant la vieille, je crevais d'envie de lui demander si je devais saler aussi le fromage, mais j'avais eu ma dose. J'ai repensé à ce que m'avait dit Edmond un peu avant dans la cuisine. J'étais peut-être tombée chez des fous, avec le maître qui ressemblait à un ogre, sa dame souffrante, que j'avais toujours pas aperçue, ni entendue, et la vieille qui avait tout l'air d'un démon. De retour dans la cuisine, le silence revenu m'a frappée comme un coup de bâton derrière la tête. Je réalisais qu'il y avait pas d'enfant dans cette maison et, sans savoir pourquoi, ça m'a glacé le sang de pas en voir ou en entendre au moins un dans ce décor.

Pendant la matinée, la vieille m'a fait visiter la maison pour m'expliquer comment m'occuper du ménage dans le détail. J'avais jamais vu de maison avec autant de pièces. Elle avait établi un ordre précis pour les briquer toutes, avec dedans une horloge à remonter chaque fois. Arrivée au deuxième étage, elle s'est arrêtée devant une porte, en me disant que je devais jamais essayer d'entrer dans la chambre où se reposait la dame du maître, tant qu'elle était pas remise. J'ai pensé que ce serait toujours ça de moins à m'occuper. Avant de me lâcher la bride, la vieille a cru bon d'ajouter qu'elle passerait vérifier chaque jour si mon travail était bien fait. Depuis l'histoire des verres et du sel, je savais que, quoi que je fasse, elle trouverait matière à me disputer. Plus tard, en briquant les meubles, je me suis demandé à quoi ça pouvait bien servir de posséder une aussi grande maison pour abriter juste trois personnes, en plus de moi, vu qu'Edmond avait pas l'air d'habiter ici.

J'ai passé la journée à faire le ménage, à préparer les repas et à faire la vaisselle. Au moins, pendant que je trimais, je pensais à rien d'autre.

C'est vraiment une fois remontée dans ma chambre ce soir-là, le deuxième passé au château, que j'ai réalisé ce qui m'était arrivé, que mon propre père m'avait vendue à un étranger, que ma mère était forcément au courant, et qu'elle avait rien fait pour l'empêcher. Assise sur mon lit, j'ai de nouveau fondu en larmes, mais c'étaient pas les mêmes larmes que la veille, celles-là, elles me brûlaient les yeux. Je revoyais mes sœurs et tous les moments de bonheur que j'avais eus avec elles, rien que ces moments-là, comme si j'avais pas d'autre choix que de bien appuyer sur mon malheur. Pourtant, du malheur, on en avait eu notre lot à la ferme, mais ce malheur passé, il était rien à côté de la grande peine qui me tordait. J'ai fermé les yeux, et mes sœurs se sont mises à tourner autour de moi dans la chambre en riant, leur image, rien que ça, tout ça à la fois. Je pleurais toujours, mais l'image de moi riait avec elles, comme si je m'étais coupée en deux, et que le mauvais morceau plongeait le bon dans l'eau pour le noyer, et que ce morceau se démenait pour pas mourir, et je savais même pas si c'était bien ou pas qu'il meure. Le dur travail à la ferme, c'était bien plus enviable que d'obéir à ces gens, si loin de ma famille.

Quand j'ai rouvert les yeux, j'ai eu le sentiment que ma vie d'avant s'arrêtait, ce soir-là, à quatorze ans, dans une grande maison étrangère, avec des étrangers, que les larmes qui coulaient seraient les dernières, que j'aurais plus jamais de larmes à pleurer pour quelque chose ou quelqu'un qui m'était cher. Je me suis alors juré que je retournerais jamais à la ferme. Même si j'en avais la possibilité un jour, j'y reviendrais pas, puisque tout le monde était en train de mourir dans mon cœur, que l'image de mes sœurs finirait bien par disparaître elle aussi, que c'était la seule façon de m'en sortir, de survivre à tout ça. Parce que je voulais pas mourir de désespoir si jeune, et que, pour pas mourir, il fallait que je détruise la fille de quatorze ans, que je la tue d'une manière ou d'une autre, sans savoir encore qui était celle de l'autre côté de ces quatorze ans. Parce que ça pouvait pas se terminer pour moi de cette façon. Alors, dans ce grand chamboulement, j'ai appelé Jésus-Christ notre Seigneur. J'ai prié pour qu'il me vienne en aide, trouver une explication aux épreuves qu'il m'imposait. J'ai senti un courant d'air, et la flamme de la lampe a faibli. J'ai voulu croire que c'était Sa façon de me répondre qu'il fallait que je compte d'abord sur moi, qu'Il serait à mes côtés seulement si je décidais de me battre. Je me battrais, je me le suis promis en protégeant la flamme avec ma main pour la raviver.

Toute la nuit, je me suis enfoncée dans une détresse toute molle. Au petit matin, j'étais complètement épuisée. J'avais tant pleuré, tout pleuré ce que je contenais de larmes, que j'avais touché le fond, et en le touchant, j'avais senti quelque chose de solide sous moi. Plus le jour pointait, plus ma détresse se transformait en une colère dure et froide, de quoi bien prendre appui dessus. Je savais pas encore ce qu'il y avait au-delà de la colère, ni où ça me mènerait. Si je l'avais su, j'imagine que j'aurais tenté de m'enfoncer encore un peu plus.

Onésime

Rachel ramassait les branches abandonnées en sous-bois par l'hiver. Elle les rassemblait au sol en petits fagots que son père nouait ensuite avec un rameau d'osier, puis qu'il chargeait dans une charrette attelée à une vache cagneuse. La gamine était vêtue d'une robe de drap écru qui frottait sur ses sabots. Elle portait un bonnet de coton assuré sous le cou par deux lanières surpiquées. Les vêtements du père étaient aussi faits de drap usé : pantalon, veste et gilet marron, et la chemise d'un blanc jauni dépassait des manches de la veste, tels des bracelets de force tachés de mousse et de lichen. Posées sur des brindilles, des mésanges curieuses agitaient leurs têtes charbonnées en observant la scène qui ressemblait à une toile d'un de ces peintres hollandais, maîtres du clair et de l'obscur, capables d'éterniser le geste dans une aura mélancolique.

Il faisait encore frais. Le soleil débroussaillait péniblement la forêt, peinant à creuser la brume pour se frayer un chemin entre les branches et les feuilles naissantes. Onésime escalada les rayons d'une roue, positionna un ultime fagot, puis avisa le chargement. La vache mâchait paisiblement la brume. Rachel se tenait maintenant contre son flanc, observant son père tout proche, comme on contemplerait un crépuscule d'hiver. C'était le matin, et plus l'hiver. Onésime descendit de son perchoir, fuyant le regard de sa fille, s'affairant au départ pour ne pas l'affronter. Il savait par avance que les questions viendraient tôt ou tard et qu'il lui faudrait y faire face, mais il croyait, par le travail, maîtriser le moment.

— Papa !

Tout en testant l'arrimage du brancard, il dit :

— Quoi ?

— Elle est où, Rose ?

Il contourna la charrette, de sorte qu'il se retrouva séparé de sa fille par la masse osseuse de la vache immobile. Il se mit à vérifier l'autre brancard, tirant sur la bride, puis se baissa sans véritable raison, et se releva.

— Partie, dit-il enfin.

— Où ça ?

Onésime se tenait maintenant bien droit, aussi figé que l'animal, ne fuyant désormais plus le regard de sa fille, auquel il savait ne pas pouvoir échapper. De nouvelles ornières se formèrent autour de ses yeux, plus profondes que celles qui habitaient son visage en temps normal. Cette fois, ce fut Rachel qui ne put soutenir ce regard perdu qu'elle ne reconnaissait pas. Alors, elle baissa les yeux sur ses sabots, n'importe quoi aurait fait l'affaire, pourvu que ce ne fût pas les yeux de son père. Contretemps des désirs de chacun. Onésime respirait fort, s'évertuant à cracher le maximum d'air vicié à chaque expiration, et s'il avait pu il aurait rejeté la totalité contenue dans ses poumons, afin qu'il ne restât rien des saletés qu'ils convoyaient, comme ces mots pas encore prononcés. Il aurait pu donner sa vie pour préserver sa fille d'une douleur qui ne lui appartiendrait jamais.

— Qu'est-ce que tu crois ? dit-il.

Rachel releva les yeux, aussi lentement qu'on retire un pansement souillé d'une plaie.

— Je vous ai vus partir tous les deux. Comment ça se fait qu'elle était plus avec toi quand t'es revenu ?

— T'as vu ça, toi ?

— J'ai pas pu faire autrement.

— Je lui ai trouvé du travail ailleurs, elle est en âge.

Elle étendit ses deux petits bras autour d'elle.

— Y en a bien du travail, ici.

— Pas du qui rapporte des sous.

— Ça se mange pas, les sous, c'est ce que t'as toujours dit.

— Bien sûr que ça se mange pas, mais on peut pas faire sans, de nos jours.

Du haut de ses douze ans, Rachel connaissait suffisamment la vie pour imaginer l'absence, mais pas encore la perte. Elle voulait entendre la voix de son père, qu'il refoule ce qu'elle ne pouvait concevoir et aussi se convaincre seule du reste ; tout ce qu'il ne lui dirait jamais et qu'elle recouvrirait du peu d'enfance qui demeurait en elle.

— Elle reviendra quand ?

— Je peux pas le dire encore.

Elle prit un air implorant, ramenant les bras le long de son corps.

— Je le répéterai pas, tu sais.

— Je sais que tu le répéterais pas, mais j'en sais rien.

— Ceux chez qui elle est, ils veulent pas qu'on la dérange, c'est ça?

— C'est ça, si tes sœurs demandent après elle, tu leur diras pas autre chose, d'accord?

Elle hésita, puis, comme si elle réalisait brusquement toute la confiance que son père plaçait en elle, presque à contrecœur, elle dit :

— D'accord!

La brume s'était maintenant levée. La lumière du soleil se reflétait sur les troncs et le sous-bois ressemblait à un cimetière où s'élevaient des monuments épars à la gloire d'un dieu païen.

— On y va, dit-il.

Elle ne bougea pas sur le moment, les yeux rivés sur ce père qui ne laissait rien paraître au-dehors. Ce père qu'elle n'avait jamais su nommer que d'une seule manière jusqu'à présent, et qui, désormais, serait moins que cela, moins que ce père d'avant, lorsqu'elle penserait à sa sœur disparue.

— Papa!

— Quoi encore?

— Elle va me manquer, Rose.

Onésime n'ajouta rien. Il saisit la baguette en noisetier qui reposait en travers des brancards, tapota le dos de la vache, qui plia aussitôt un antérieur, puis l'autre. Les roues décollèrent du sol, et la charrette avança en faisant geindre le métal et le bois. Il pensa : *à moi aussi, elle me manque.* Les mots enflèrent dans sa tête, prenant toute la place, mais il ne put les laisser sortir, incapable de se libérer d'un tel poids sans se croire jugé faible par ses ancêtres, et aussi par cette gamine de douze ans qu'il avait engendrée.

Edmond

Il a ramené une gamine, hier.

Elle s'appelle Rose.

Bon Dieu, ça peut pas être le hasard.

Rose.

Elle est belle comme un jour de soleil.

Elle dit qu'elle a seize ans.

Je crois qu'elle ment, même si elle est déjà formée et qu'elle a l'air de savoir s'y prendre dans le travail.

Elle a des yeux noirs avec de l'or autour.

On peut pas passer à côté de son regard.

Je connais ce genre de regard, capable de lire dans les autres regards, comme si c'étaient rien que des livres ouverts avec des mots à lire.

Bon Dieu, je connais.

Elle sent pas la mousse.

Elle sent la terre juste retournée.

Ça lui va bien.

Du moment qu'il s'agit pas de l'odeur de la mousse.

Je sais pas où il l'a trouvée.

Elle a pas voulu me dire.

Ils vont lui mener la vie dure, lui et la reine mère, c'est sûr.

Il y a pas grand-chose qui peut les arrêter, je suis bien placé pour le savoir.

Ici, le malheur, il est caché partout.

J'ai dit à la fille qu'elle ferait mieux de repartir.

Je crois pas qu'elle m'écoutera sans preuve.

Elle a l'air futée, mais en même temps trop fière pour que ça lui serve à quelque chose.

Bon Dieu de bon Dieu.

Ça me regarde pas.

Elle est rien pour moi, cette Rose.

Faut que j'arrête de m'en faire pour elle.

Quand je l'ai laissée, je suis allé dans la forêt.

Y a que ça qui m'apaise quand j'ai la tête mal tournée, être seul au milieu des bois.

J'ai marché longtemps.

Et puis je me suis arrêté et j'ai fermé les yeux.

J'ai senti l'odeur de la mousse en premier.

Et puis l'odeur de la terre l'a recouverte.

J'ai alors vite rouvert les yeux en panique.

Faut pas que je mélange les odeurs.

Bon Dieu, pas tout mélanger.

Rose, elle s'appelle.

Rose, bon Dieu.

Rose

Une semaine avait passé. Par mon âme, il fallait pas que j'aie les deux pieds dans le même sabot. Aucune journée dépassait d'une autre. La vieille les organisait du lever au coucher du soleil, réglées comme du papier à musique. Au moindre écart que je faisais, elle me loupait pas, et ça arrivait au moins une fois par jour, toujours pour une broutille, inventée au besoin.

Tous les matins, Edmond portait des légumes, une volaille ou un lapin, et le journal. Il était déjà passé quand je descendais. En une semaine, je l'ai croisé qu'une seule autre fois dans la cuisine, et encore, il avait l'air rudement pressé de sortir. J'ai essayé de lui parler avant qu'il s'en aille, comme on s'était parlé la première fois. Il a secoué la tête sans répondre, sans même me regarder, comme s'il m'avait dit tout ce qu'il avait à me dire et vu tout ce qu'il avait à voir. Ma présence semblait vraiment le déranger. J'ai pas insisté. Je l'ai laissé filer. J'ai essayé d'imaginer pourquoi il faisait comme si j'étais pas là. Peut-être qu'il m'en voulait de pas lui avoir obéi. Pour qui il se prenait, que je me suis dit. Il avait même pas été capable de me dire ce que j'aurais à gagner de partir. Si c'était un jeu de faire semblant que l'autre existe pas, il allait se rendre compte que j'étais pas la dernière pour la comédie.

Je commençais à me faire une idée précise de ce petit monde. Au début, j'avais cru que le maître et sa mère se comportaient comme des étrangers, et puis j'ai vite compris qu'ils avaient pas besoin de se parler beaucoup pour se comprendre. Vu de l'extérieur, ça donnait pas vraiment une famille, plutôt des gens posés les uns à côté des autres, avec Edmond qui était devenu subitement muet et la dame du maître que j'avais toujours pas vue, tellement que je me demandais si c'était pas un fantôme inventé par eux.

Le soir du huitième jour d'après mon arrivée au château, ils se sont rien dit de tout le repas, comme souvent, mais ils arrêtaient pas de se jeter des coups d'œil en douce. De temps en temps, la vieille me regardait moi en insistant bien, comme si elle attendait quelque chose sans craindre que ça arrive pas. J'étais pas bien à l'aise, parce que dans ses yeux il me semblait y voir de l'envie, quelque chose dans ce goût-là. Je trouvais pas ça normal chez quelqu'un comme elle, d'avoir ce regard pour quelqu'un comme moi. J'ai pensé que je devais me tromper et qu'elle allait vite revenir à sa vraie nature.

À la fin du repas, ils sont partis se coucher à quelques minutes d'écart, sauf que cette fois c'est la vieille qui est montée la dernière. Je me suis dépêchée de tout ranger, pressée d'aller me reposer. Maintenant que je savais où chaque chose se trouvait, j'allais beaucoup plus vite et ça rallongeait mes nuits. J'ai retiré mes chaussures pour pas faire de bruit en montant les marches. Le silence était pesant. Arrivée au premier palier, je me suis approchée de la porte de la chambre interdite, tenant la bougie dans une main et mes chaussures dans l'autre. Je crevais d'envie de savoir à quoi ressemblait la dame du maître, si elle était comme eux, si j'aurais pu m'en faire une alliée. Un frisson m'a alors secoué le corps sans raison et je me suis pas attardée plus. Arrivée en haut, j'ai ouvert la porte. J'ai sursauté en apercevant une silhouette assise sur la chaise. J'en ai lâché la bougie et la silhouette a disparu presque entièrement.

Dépêche-toi de ramasser avant de mettre le feu à la maison, a dit la vieille. Je me suis mise à genoux. J'ai attrapé la bougie en me brûlant avec la cire. La frousse que je venais d'avoir m'empêchait de ressentir la douleur. J'ai tendu la bougie qui s'était pas éteinte devant moi pour diffuser le maximum de lumière. La vieille avait pas bougé, collée à sa grande ombre chétive sur le mur. Les contours flottaient autour d'elle, comme si elle brûlait d'un feu tout noir, aussi parce que ma main tremblait. J'étais incapable de lui demander ce qu'elle faisait là. Sur le coup, j'ai même pas vraiment cru à sa présence, alors j'ai fermé les yeux, et quand je les ai rouverts elle était toujours assise sur la chaise, mais penchée en avant maintenant, en train de tapoter du plat de la main l'édredon sur le lit.

Assieds-toi, n'aie pas peur, je ne te veux aucun mal, elle a dit d'une voix mielleuse que je lui avais jamais entendue avant. C'est que je m'attendais pas à vous trouver dans ma chambre, j'ai dit. Mes pieds étaient lourds comme des enclumes. Assieds-toi, elle a répété avec un peu d'agacement cette fois. J'ai obéi. Tu te sens pas bien parmi nous. Je comprenais pas pourquoi ça lui importait subitement, que je me sente bien. J'ai hésité avant de répondre sur le ton le plus convaincant que je pouvais. Si, madame, je me sens très bien, je mange à ma faim et j'ai un toit au-dessus de la tête, qu'est-ce que je pourrais demander de plus. Ta famille ne te manque pas trop. J'ai serré les dents. Des fois, j'ai dit. C'est normal, ça s'estompera avec le temps. Quel âge as-tu. Seize ans. On a déjà sûrement dû te dire que tu étais très jolie. Non, madame, jamais. Jolie et déjà bien faite. Sa voix grinçait quand elle parlait, comme une porte qu'on n'a pas ouverte depuis long-temps. Elle avait à coup sûr plus une goutte de miel dans la bouche.

Tu as tout ce qu'il te faut, sinon il faut nous le dire. J'ai pas besoin de plus. Bien, bien. Si tu continues comme ça, nous pourrons bientôt parler de tes gages. Elle s'est mise à sourire et j'ai pas aimé ce sourire. Je peux te poser une question plus personnelle. Vous avez pas à me demander l'autorisation, madame. Peut-être, mais nous parlons d'égale à égale en ce moment, elle a dit en fronçant les sourcils et en laissant filer le sourire. D'égale à égale, j'ai répété sans pouvoir m'en empêcher, avec une envie nerveuse d'éclater de rire. Elle m'a regardée, comme si elle était surprise de ma réaction. Je voyais pas où elle voulait en venir, je vou-lais juste qu'elle en termine vite et qu'elle parte. J'al-lais pas mettre longtemps à comprendre qu'elle avait tout préparé pour m'endormir, en me faisant croire des choses qui étaient pas vraies.

Est-ce que tu as connu des garçons, qu'elle m'a demandé. J'ai que des sœurs, j'ai répondu comme ça me venait. Un amoureux, je veux dire. J'ai senti la chaleur me monter aux joues en même temps qu'une gêne désagréable. Non, madame, sûrement pas. Tu ne me mentirais pas. Jamais je ferais ça, madame. Ce serait pourtant de ton âge, les garçons. Je devais être rouge comme une pivoine, mais elle pouvait pas le voir, à cause du peu de lumière de la bougie. Elle a décollé ses fesses, juste de quoi tirer la chaise en avant pour se rapprocher encore de moi. Elle me regardait par en dessous. J'avais l'impression qu'elle voulait déchausser mes yeux pour les amener dans les siens. Voyant que je résistais, elle a posé une main sur mon genou. Le contact m'a fait l'effet d'une grosse pierre qui appuyait dessus pour l'écraser. À moins que tu ne mentes sur ton âge, elle a dit. Ça me servirait à quoi de vous mentir, j'ai dit, fixant sa main que j'aurais voulu détruire. C'est bien vrai, ma petite, cela ne te servirait à rien. Elle s'est redressée. Sa main a quitté mon genou et elle a levé le bras en l'air. J'ai cru qu'elle voulait me toucher la tête, mais elle s'est arrêtée en chemin, le genre de geste que ferait un curé pour bénir quelqu'un. Elle a semblé réfléchir un moment. Bon, je te laisse dormir, maintenant, elle a dit en soupirant.

Elle s'est levée pour sortir. Son ombre l'a suivie, et elles ont disparu toutes les deux. Pendant qu'elle descendait l'escalier, j'entendais sa robe frotter sur les marches et pas le bruit de ses chaussures. J'avais pas remarqué ce qu'elle portait aux pieds. Peut-être bien qu'elle portait rien du tout, je me suis dit. Je pouvais pas me débarrasser de l'image de la vieille, pieds nus dans la maison. Et même plus tard dans mon lit, quand j'ai eu fermé les yeux, elle était encore là, assise sur la chaise, à me fixer de ses petits yeux vicieux qui me fouillaient, qui me faisaient me sentir moins qu'une personne, avec ses mots aussi, qui tournaient dans ma tête en faisant des nœuds de plus en plus compliqués, impossibles à défaire.

Le matin, quand je suis arrivée dans la cuisine, les œufs étaient déjà sur la desserte, près d'un lapin écorché. J'ai senti une odeur de tabac, mais je l'ai pas reconnue. J'ai entendu tousser dans la salle à manger. Sans réfléchir, je me suis précipitée en pensant que c'était Edmond qui était encore là. Malgré ce que je m'étais promis à son sujet, j'avais envie de lui parler, de lui raconter la visite de la vieille dans ma chambre, pour savoir ce qu'il en pensait. Je me disais qu'il pourrait pas se défiler. J'ai été coupée net dans mon élan en découvrant le maître qui fumait une pipe en lisant le journal, debout à côté de la cheminée. J'ai dû reprendre mon souffle avant de parler.

Je suis désolée, je me serais levée plus tôt, si j'avais su. Il a souri. Ce n'est pas grave, je n'arrivais pas à dormir. Je me dépêche de préparer votre omelette. Attends, il a dit en montant la voix. Il s'est approché de moi. Il respirait fort, et un sale sourire quittait pas sa grosse figure rouge. Tu te sens bien chez nous. Sa question m'a clouée sur place. Ça pouvait pas être le hasard que la vieille m'ait posé la même. Je comprenais pas ce que ça signifiait, ni où ils voulaient en venir tous les deux. Pourquoi ils s'inquiétaient de comment je me sentais.

Tu ne réponds pas. J'ai pas à me plaindre, j'ai dit en fuyant son regard. Nous ne te voulons aucun mal. Nous aimerions que tu te sentes un peu comme dans une famille. Une famille, j'en avais qu'une et il faisait partie de ceux qui m'avaient forcée à la quitter. Et ce qu'il faisait semblant de m'offrir, c'était sûrement pas la famille dont je rêvais. Les mots sonnaient faux dans sa bouche. Je savais qu'on pouvait pas avoir deux familles dans une seule vie, que les rêves sont rien plus que des rêves, et que ceux qu'on nous vend sans qu'on les rêve soi-même, il faut les fuir à tout prix. Je suis rien que votre bonne, j'ai dit. Bien sûr, que tu es à notre service, mais les choses peuvent évoluer, ce n'est qu'une question de confiance mutuelle. Je sentais que j'allais m'effondrer si je parlais pas. Qu'est-ce que vous attendez de moi. Il a pris un temps. Il me reluquait. J'avais pas besoin de le regarder pour sentir ses yeux posés sur moi. Sais-tu combien ton père t'a vendue. J'ai dû prendre du temps pour encaisser, avant de répondre. J'ai relevé la tête. Combien vous m'avez achetée, vous voulez dire. Son sourire s'est élargi. Si tu veux, qu'il a dit. J'aimerais mieux pas le savoir, si ça vous fait rien. Il a alors pris un air gentil qui sonnait faux, comme tout le reste. Tu lui en veux. On a toujours été pauvres, et y a pas tant de façons que ça d'en sortir un peu, de la pauvreté. Tu ne réponds pas à ma question. Si, je crois bien que c'est ce que j'ai fait. Tu vois, moi, même si j'étais le plus pauvre des hommes, je ne crois pas que je vendrais ma propre fille, il a dit, avec une mine qui se voulait peinée. C'était pas un bon acteur, ni pour la peine ni pour la gravité, ou alors, il faisait exprès de pas bien jouer. J'avoue que j'étais perdue. Vous avez jamais été pauvre, j'ai dit. Non, c'est vrai. Je, nous voulons simplement ton bonheur, tu sais, Rose. C'était la première fois que je l'entendais m'appeler par mon prénom. Ses lèvres ont disparu dans sa bouche et elles sont ressorties tout humides. Ton bonheur, tu comprends ce que ça signifie, il a ajouté. Le bonheur, j'ai répété en haussant les épaules, c'est sûrement pas un mot qui me concerne. Tout le monde y a droit, pour peu qu'on sache le saisir. Si vous le dites, j'ai dit pour couper court. Je voulais qu'il termine vite, comme la vieille la veille au soir. Depuis le début de la conversation, j'avais l'impression qu'il parlait à quelqu'un d'autre de quelqu'un d'autre. Il a alors tendu une main, comme la vieille l'avait fait avant de sortir de ma chambre. Je savais pas ce qu'il voulait faire avec, et je crois bien que lui non plus, vu qu'il l'a laissée retomber au bout de son bras en soupirant, comme la vieille. Va, maintenant, il a dit.

J'ai filé dans la cuisine sans demander mon reste. Quand je suis revenue servir l'omelette, le maître était assis. Je le voyais pas derrière le journal déplié. C'était comme si la conversation passée avait jamais eu lieu, et peut-être bien qu'elle avait jamais eu lieu comme je l'avais cru, je me suis dit pour me rassurer. J'ai fait glisser l'omelette de la poêle à son assiette. Je l'ai regardé. En vrai, c'était pas lui que je regardais. Ce qui me fascinait, c'était le journal avec les mots de différentes tailles qui dansaient dessus et qui avaient l'air de m'appeler, des colonnes de lettres qui montaient sur la page comme des bulles d'air. Je sais pas ce qui s'est passé dans ma tête, pourquoi à ce moment-là, une sorte de fringale qui avait rien à voir avec celle qui triture le ventre, non, un autre genre de faim qui en finirait plus de grandir. Une faim de mots.

Onésime

Rien n'y faisait, pas plus les efforts consentis que la puanteur de la soue qu'il avait entrepris de curer, afin d'y mettre la portée de quatre porcelets à sevrer. Le remords était de sang et cognait à ses tempes, comme de grands coups de bec frappés au revers de son crâne. Cette misère qu'il avait cru combler un peu, grâce au contenu d'une bourse que personne n'avait encore déliée, ni même touchée, n'était rien au regard de ce remords qui le jugeait chaque instant pour avoir commis l'irréparable. Ainsi, elle se déployait inlassablement depuis le jour où il avait reçu l'argent maudit ; une humaine misère celle-là, rien plus qu'humaine.

Même dans les pires moments, il entendait souvent les pépiements de ses filles, et aujourd'hui il ne les entendait pas, ne les entendrait plus jamais comme avant. Malgré les trois qui demeuraient à ses côtés, il en manquait une, et cela faisait toute la différence ; Rose soustraite de son fait au compte de la famille. Et sa femme, qui ne lui parlait même plus, qui ne le regardait même plus, absente et pourtant là, comme si elle se tenait au bord de ce monde dans lequel elle avait ouvert les yeux au jour de sa naissance, dans lequel elle avait déversé durablement quatre *drôlesses* et enfanté six fois en tout ; quatre femelles survivantes, petits êtres fendus, sans grand rapport, si ce n'est celui du cœur. Le cœur, dérisoire métaphore d'un sentiment diffus, empêché, parce que, quelque interprétation que l'on en fasse, le cœur n'est pas d'or, il sert à peu de chose, pour ne pas dire à rien. Le cœur, dans le meilleur des cas, il parade les jours de fête, le temps du premier baiser ; mais après, la disette s'étend, épouse, s'incruste sur les flancs malingres du destin, et il n'y a plus que le sang qui parle et se déverse. Un sang noir.

Avec de grands gestes rageurs, Onésime raclait la merde séchée des deux porcs abattus l'hiver précédent, la rage jusque sur son visage tordu de grimaces, insensible à l'effort, à la peine exagérément recherchée. Il entendait les couinements des porcelets dans la stalle voisine, attroupés autour de la truie. Mère aux mamelles blessées par la denture tranchante de l'engeance, qui observait ses petits combattants souillés de lisier ; déchirée entre l'envie d'en être séparée et celle que la parenthèse maternelle dure encore un peu, avant de redevenir femelle, de sentir de nouveau la masse du verrat peser sur elle, qu'il la perfore, s'active sur sa croupe, la prenne, et gicle, afin d'agrafer la semence dans ses entrailles de truie.

Après qu'il eut raclé le fumier desséché, Onésime l'entassa devant la porte. Il le transporterait plus tard à l'aide du tombereau tiré par sa vache, pas même un bœuf, jusqu'aux arpents d'Espalion, où, déployant d'amples arcs de cercle avec sa pelle cabossée, il le jetterait à la volée et sans foi sur la terre qu'il retournerait ensuite, afin d'y semer quelques graines de foin destinées à contrecarrer la pousse des mauvaises herbes.

La truie se rebiffa lorsqu'il entra chercher les porcelets, grogna, jetant sa grosse tête en avant pour la forme. Onésime fit face, la provoquant d'essayer seulement d'approcher encore un peu, histoire de montrer jusqu'où elle était prête à aller dans l'affrontement, et lui aussi. La bête baissa la tête, se rencogna, dos arrondi, comme si elle eût voulu offrir à cet homme plus de surface à frapper, comme si la soumission eût été son lot et qu'elle n'eût pu l'intégrer que par la violence, qu'elle n'eût pas pu faire sans la violence pour se résigner, et qu'elle n'eût pas pu faire sans la résignation non plus.

Onésime transporta un à un les porcelets dans ses bras jusqu'à la soue nettoyée, les tenant comme des bébés, sans se soucier de l'odeur, ni des cris perçants, ni même des gesticulations et des coups de tête donnés contre son plexus. Chaque fois qu'il se saisissait d'un nouveau porcelet, il regardait la truie avec rage : *Essaye un peu pour voir, t'en prive pas,* semblait-il lui dire. La bête ne bougeait pas.

La petite Suzanne, onze ans, la plus jeune fille d'Onésime, sa préférée, avait proposé de venir l'aider. Il n'avait pas voulu, prétextant l'odeur, la saleté et le danger, mais en réalité pour fuir les questions qu'elle aurait pu lui poser, tout comme Rachel l'avait fait dans la forêt. La solitude passagère ne le guérissait de rien, mais il la préférait pourtant à toute autre présence, même silencieuse, et cela pour ne pas vomir sa rage contre un autre que lui, puisque les animaux se retenaient de le provoquer.

Le dernier porcelet déposé dans la soue, Onésime observa la truie par-dessus le montant, pendant que les bestioles ferraillaient, cognant ses jambes avec leur groin dur, à la recherche d'hypothétiques mamelles. Elle releva une dernière fois sa tête ridicule dans sa direction, puis se mit à tourner lentement sur place, comme une toupie en fin de course, s'immobilisa enfin et se coucha pesamment dans un râle. À quelques mètres d'elle, le verrat grognait, jetant son mufle contre la cloison de bois, impatient des chaleurs qui ne le quittaient jamais, et qui le ramèneraient au seul rôle que l'on attendait de lui, le seul pour lequel il fut jamais créé au regard des hommes. Instinct contrarié par le manque, qui le rendait toujours un peu plus fou.

Onésime repoussa les porcelets avides à coups de pied et sortit. Le ciel se décantait, projetant en altitude un bleu d'azur vide d'oiseaux. D'une manche crasseuse, il épongea son front en nage, laissa pénétrer un peu de lumière dans ses yeux, puis longea les cours à cochons, puis l'étable, jusqu'à parvenir devant la porte de la maison. Après une brève hésitation, il entra dans l'unique pièce où l'on se retrouvait pour manger, dormir et quelquefois se mélanger les chairs à souffles tus, à plaisirs contenus. Car s'aimer aurait été un bien grand mot pour exprimer cette faim-là, et ce qu'il en coûtait toujours de l'assouvir.

Rose

Avant de monter me coucher, j'ai emporté le journal, planqué sous ma robe, pour le cas où je croiserais le maître ou la vieille. Chaque fois que j'ouvrais la porte de ma chambre, je m'attendais à la trouver assise sur la chaise, mais elle était pas revenue. Je pensais qu'elle avait eu toutes les réponses qu'elle cherchait. Je voulais y croire. Elle me souriait des fois, pour rien que je comprenais, des sourires qui me mettaient encore plus mal à l'aise que ses colères et qui me faisaient baisser les yeux. Je cherchais bien à comprendre ce qui avait pu se passer pour que son attitude change, même de temps en temps, mais j'arrivais à rien. Ça lui ressemblait pas de minauder. Au moins, je me disais que, tant qu'elle était pas sur mon dos avec des reproches, c'était toujours ça de pris.

Je passai une partie de la nuit à déchiffrer le journal. J'avais jamais été à l'école, mais ma mère nous avait donné quelques leçons en nous forçant à lire et à recopier des passages des Évangiles. Ça me dérangeait pas, contrairement à mes sœurs. J'ai toujours eu l'envie d'apprendre. Je me débrouillais plutôt bien. Quand je connaissais pas un mot, je demandais à ma mère, sauf les jours où elle était mal lunée, et ça arrivait de plus en plus souvent à la fin. Alors, le sens des mots venait souvent tout seul et, s'il venait pas, j'inventais, je fabriquais au mieux pour tomber juste.

Les soirées à lire le journal sont devenues des moments de bonheur que j'aurais pas cru vivre au château. Plus rien d'autre existait alors. Le monde du dehors s'invitait dans ma petite chambre sous les toits, et je le laissais grandir. Ce monde-là, il avait fini par m'appartenir. Mon seul bien sur cette terre.

Et puis, il y a eu ce matin. Je suis arrivée en bas la première, j'ai remis le journal sur la pile des anciens, pour que personne se rende compte que je l'avais pris, comme d'habitude. Ensuite, j'ai préparé le petit déjeuner. Le maître est arrivé à sept heures. Il s'est attablé sans rien dire. Je l'ai servi. Il avait pas encore terminé de manger qu'un homme est entré sans frapper, comme s'il était chez lui. Pas bien grand, habillé d'un joli costume bien propre et bien repassé, avec un foulard autour du cou. Visiblement surpris de me trouver là, il m'a longuement observée derrière ses lunettes rondes. Puis il a posé une mallette en cuir sur la table. Il a regardé le maître d'un air de l'interroger et il s'est assis à table. Le maître a demandé que je lui serve un café. J'ai senti leurs regards insister sur mon dos pendant que j'allais à la cuisine. Quand je suis revenue avec une tasse de café, ils étaient en train de parler de la santé de la dame du maître, sans se soucier de ma présence. J'ai vite compris que l'homme était le docteur de la famille. Il a bu son café d'une traite, s'est levé, a attrapé la sacoche. Je monte la voir, il a dit. Je suis restée plantée à regarder le maître terminer son assiette, avec une question qui me brûlait les lèvres. Il a relevé la tête au bout d'un moment. Je rêvassais toujours.

Qu'est-ce que tu attends, tu as quelque chose à me dire. Votre dame, qu'est-ce qu'elle a au juste, j'ai demandé, comme si j'avais le droit de poser une telle question. Il m'a foudroyée du regard, a replié ses doigts. J'ai bien cru qu'il allait me faire payer mon effronterie en me frappant, mais il l'a pas fait, au contraire, il a déplié ses doigts, s'est radouci. Je voyais bien qu'il prenait sur lui pour me répondre. Elle est de constitution fragile, le médecin parle de grande lassitude, il n'y a pas grand-chose à faire d'autre que la veiller en attendant que les crises passent, il a dit, comme s'il répétait une leçon. Crises, c'était le mot qu'il avait employé. Moi, je voyais pas bien ce que ça voulait dire, parce que je l'avais jamais entendue crier cette femme, et que, pour moi, une crise allait pas sans des cris. J'espère la voir bientôt en bonne forme, j'ai alors dit, en espérant toujours qu'elle soit pas comme eux. C'est ce que nous souhaitons tous, a dit le maître sans bien de conviction.

Quand le docteur est revenu, le maître et lui se sont enfermés dans le bureau un joli moment. Puis ils sont ressortis. Le maître a ensuite accompagné le docteur jusqu'à sa voiture. Je les regardais discrètement par la fenêtre de la cuisine. À voir sa mine et les grands gestes qu'il faisait, le docteur avait pas l'air content du tout. Ils ont encore discuté devant la voiture. Le docteur arrêtait pas de se gratter le cou, comme si quelque chose le gênait sous son foulard. Il m'a semblé que le maître avait pas fini de parler, quand l'autre est monté sur le siège et a lancé son cheval au galop. Le maître est revenu à la maison. La vieille est arrivée juste après. Il lui a dit que le docteur était passé. Elle a demandé comment il l'avait trouvée ce matin. Le maître a répondu que ça suivait son cours, rien de plus. J'entendais tout depuis la cuisine. La vieille m'a rejointe ensuite. Elle a secoué la tête, sans un mot, comme si elle savait l'avenir pas réjouissant, puis elle est ressortie. Le maître est parti. Je me suis retrouvée seule, bien contente de retourner à mes affaires.

Plus tard dans la matinée, je me suis mise au ménage. Une fois rendue au premier étage, j'ai vérifié que la vieille traînait pas dans les parages, avant de m'approcher de la chambre interdite. J'ai collé mon oreille à la porte, mais j'ai rien entendu, pas même un bruit, un souffle, quelque chose. J'ai alors tourné la poignée tout doucement. Fermée à clé, évidemment. J'ai trouvé curieux qu'on ferme à clé la porte d'une malade. Ça signifiait forcément que le docteur en avait une, puisqu'il était monté tout seul la voir. Je me suis dit que peut-être la dame du maître était atteinte d'une maladie contagieuse et que c'était pour ça qu'on l'enfermait. Ils avaient tellement l'air de bien mentir dans cette maison. Pourquoi tant de mystères.

Quand j'ai eu terminé le ménage, je savais que le maître était à la forge et la vieille dans ses appartements, comme elle disait. Elle en ressortirait pas avant le repas de midi. C'était une folie cette envie de savoir, une folie que je pouvais pas contrôler. J'ai fait le tour de la maison pour repérer la fenêtre qui donnait sur la chambre interdite. Facile, vu qu'il y en avait qu'une seule avec les volets fermés. Je savais où trouver une

échelle accrochée sous un appentis qui servait à remi-
ser les outils de jardinage. J'ai encore vérifié que personne était dans le coin, puis j'ai dépendu l'échelle,
et je l'ai transportée jusqu'au mur. J'avais la frousse
qu'on me surprenne, mais la curiosité était plus forte
que tout le restant. J'ai dressé l'échelle contre le mur,
pile sous la fenêtre, et je suis montée en me retournant à chaque barreau. Une fois en haut, j'ai regardé
à travers la fente entre les deux volets, pas plus large
que l'épaisseur d'une lame de couteau. Forcément, il
faisait sombre à l'intérieur, sûrement pas le meilleur
moyen pour se sentir mieux, à tremper de la sorte
en permanence dans le noir, j'ai pensé. Pendant que
j'attendais que mes yeux s'habituent un peu plus, j'ai
entendu de drôles de bruits sourds qui résonnaient
tout proches. Je me suis collée à l'échelle en agrippant
les montants, me prenant pour une de ces bestioles
qui se mettent à ressembler à de la pierre quand elles
sont sur de la pierre, et à autre chose quand elles sont
sur autre chose. Une coulée de sueur a glissé le long
de mon dos, avant que je réalise que c'était mon cœur
qui se baladait dans ma poitrine en faisant un boucan du diable. Soulagée, j'ai recollé mon œil à la fente.
Je distinguais à peine un lit, et une forme humaine
dedans.

Descends de là, malheureuse. Mon sang a fait qu'un
tour, en entendant la voix qu'on essayait d'étouffer.
La peur m'a attrapée au ventre. J'ai manqué basculer
en arrière. Serrant les montants, j'ai pas osé regarder
de suite qui me parlait. Descends, je te dis. J'ai fini
par pencher la tête entre deux barreaux. Edmond se
tenait au pied de l'échelle, en train de me faire des

grands signes avec les mains. Descends, descends, bon Dieu de bon Dieu, qu'il répétait sans arrêt. Je suis descendue au ralenti. Mes jambes étaient en coton. Quand j'ai été en bas, Edmond a saisi l'échelle et s'est dépêché d'aller la remettre à sa place, pendant que je restais contre le mur, incapable de bouger. Puis il est revenu. Il m'a attrapée par les épaules en me secouant. Ses mains étaient tellement larges que j'avais l'impression qu'elles m'enveloppaient en entier. Le plus bizarre, c'était que ça me dérangeait pas qu'il me tienne de cette façon, au contraire, même. Je me sentais protégée. Si je m'étais écoutée, je me serais laissée aller contre lui et j'aurais posé ma tête sans rien faire d'autre que pas penser, mais je l'ai pas fait. Je me suis raidie pour résister à la tentation. Il aurait pas compris ce que je comprenais pas moi-même.

T'as perdu la tête, petite. Ce petite sonnait pas du tout pareil dans sa bouche, que le ma petite dans celle de la vieille. Je suis désolée, je sais pas ce qui m'a pris, vous leur direz pas, hein, j'ai dit avec la voix qui tremblait. Il m'a lâchée, a levé les yeux en direction de la fenêtre. T'as vu quoi, là-haut. Rien, j'ai rien vu du tout, il fait trop noir. Tu sais pourtant que c'est interdit. Oui, je sais bien, je suis désolée, je sais pas ce qui m'a pris, je recommencerai plus, je le jure sur la tête de Jésus mort sur la croix, j'ai répondu comme ça me venait, vu que je voyais pas mieux pour qu'Edmond me croie sincère. Pourquoi tu m'as pas écouté quand je t'ai dit de t'enfuir, pourquoi tu l'as pas fait, sacrée tête de mule. Il y avait maintenant de la colère dans sa voix. Je me suis dit que je la méritais pas et qu'il avait pas à me faire la morale pour autre chose que d'être montée sur une échelle. Et vous, pourquoi vous en avez tant après eux, pourquoi vous êtes encore là. Il m'a regardée un long moment. Sa bouche a fait comme un soufflet, avant que des mots se forment dedans. Bon Dieu, je peux pas te le dire, il a dit en se radoucissant. Je savais pas bien à quelle question il répondait, sûrement aux deux. On a ça en commun, alors, parce que moi non plus, je peux pas partir, et où que j'irais, d'abord. Il a tendu les bras vers moi, comme s'il voulait me toucher, mais il est resté une main entre nous deux, invisible celle-là. Ses yeux ont doucement flanché par côté, comme les bords d'un chapeau qui prend la pluie. Tu pourrais retourner dans ta famille, et recommencer ta vie d'avant, je t'aiderai, si tu veux, il a insisté. J'ai serré la mâchoire tant que j'ai pu en entendant parler de ma famille, et puis c'est sorti tout seul. Mon père m'a vendue contre une bourse qui avait pas l'air bien garnie, qu'est-ce je retournerais faire dans une famille comme celle-là. Il a réfléchi avant de répondre. Tu pourrais te faire engager ailleurs. Je comprends pas pourquoi vous voulez tellement que je parte, ça serait pas plutôt vous que je dérange en vrai. Tais-toi, tu sais pas de quoi tu parles, il a dit en retenant du mieux qu'il pouvait son agacement revenu. Alors, il faut me donner une bonne raison de vous écouter, pourquoi vous me la donnez pas, ici, j'ai un toit, je mange à ma faim, et ils sont moins durs avec moi qu'au début, qu'est-ce que je pourrais espérer de mieux ailleurs. Il s'est mis à me fixer durement avec les deux minuscules fentes noires qui avaient contenu ses yeux avant. Méfie-toi d'eux, surtout de la reine mère, c'est la pire. Pourquoi je vous croirais sur parole, qui me dit que c'est pas de vous que je dois me méfier en premier. Il a hoché la tête en signe de défaite, prenant le temps de mieux contrôler sa respiration qui s'était emballée en parlant de la vieille. Il a ensuite plongé une main dans une poche de sa veste et en a sorti un couteau. Il m'a saisi le poignet, m'a déplié les doigts un par un, puis il a déposé le couteau dans ma main, et a replié mes doigts par-dessus, tous à la fois ce coup-ci. Je me suis laissé faire. Il a lâché mon poignet. Je savais pas quoi dire. Je comprenais pas ce que signifiait ce cadeau qu'il me faisait, pas un outil, plutôt une arme pour me défendre, et ça m'a noué encore un peu plus la gorge. C'est pas de moi qu'il faut te méfier, petiote, c'est pas de moi, il a répété avant de tourner les talons. Je l'ai regardé s'éloigner au milieu des ombres du chemin qui menait au jardin, toujours sur le même rythme lent. Et puis je l'ai plus vu.

J'ai subitement senti une froidure me prendre aux épaules, une gêne qui venait d'ailleurs que la conversation d'avant, un poids qui avait rien à voir non plus avec le couteau que je tenais dans ma main. Je me suis retournée d'instinct pour chercher d'où ça venait. Mon regard a grimpé machinalement le long du mur, et s'est s'arrêté au-dessus de la fenêtre de la dame du maître, pile sur la lucarne ronde qui donnait sur le grenier, là où se tenait la vieille, comme une sauvagine à l'affût. Elle s'est aussitôt reculée en voyant que je la regardais. Son visage a disparu. J'ai eu l'impression qu'on retournait un médaillon à l'envers, et que de l'autre côté il y avait toujours son visage, mais celui-là, incrusté pour toujours dans la lucarne. J'étais terrifiée à l'idée qu'elle ait vu ce que j'avais fait. J'ai tenté de me rassurer un peu en me disant qu'au moins elle avait pas pu entendre ce qu'on s'était dit, Edmond et moi. J'ai senti le couteau que je serrais fort dans ma main. Les trois rivets qui dépassaient un peu du manche en corne se sont enfoncés dans ma chair. Pour la première fois depuis mon arrivée aux Forges, j'ai vraiment ressenti de la terreur dans tout mon corps.

Quand je suis entrée dans la maison, il y avait pas un bruit à l'intérieur. Je m'attendais à voir la vieille débouler pour me disputer. J'aurais largement préféré savoir ce qu'elle avait réellement vu, tout, plutôt que ce silence de mort. Il fallait que je m'occupe pour moins penser. Je me suis mise en cuisine en faisant tinter les casseroles pour bien qu'elle sache que je travaillais. J'étais prête à lui avouer la vérité, si jamais elle me la demandait, lui dire que je m'inquiétais pour la dame du maître, que c'était la seule raison qui m'avait poussée à désobéir, que je voulais surtout pas espionner, et que je recommencerais plus. À l'époque, je savais pas encore que je déciderais jamais de rien, que la seule fois où j'aurais pu le faire, j'avais pas voulu écouter Edmond. Il était déjà trop tard. J'aurais beau mettre du bruit sur le silence tout le restant de ma vie, ce serait toujours lui qui gagnerait à la fin. C'était trop tard.

À midi, j'ai servi le maître et la vieille. Elle a pas eu un mot à mon sujet, et ça m'a mise encore plus mal à l'aise que si elle avait craché le morceau. J'étais certaine qu'elle avait tout vu, je l'ai lu dans son regard. Ils se sont échangé quelques paroles sérieuses concernant une question d'argent. La vieille répétait tout bas qu'ils avaient plus les moyens, mais le maître était pas du tout d'accord. Le docteur est arrivé dans la conversation. J'étais trop loin pour saisir le pourquoi. Si j'avais pas été présente, je suis à peu près sûre que le ton serait monté. Le maître a coupé court et ils en sont restés là.

Plusieurs jours étaient passés depuis mon escapade sur l'échelle. J'avais chargé la brouette de linge sale, puis je suis descendue à la rivière, précisément à l'endroit que la vieille m'avait indiqué et qu'elle appelait le lavoir. Je me suis sentie soulagée une fois loin du château. En arrivant sur la berge, il y avait ce grand rocher blanc et plat, qui glissait en pente douce vers l'eau. J'ai basculé la brouette et déversé le linge dessus. J'ai attrapé le savon que j'avais emporté. Je me suis mise à genoux. J'ai tiré un drap, et je me suis penchée pour le faire tremper. C'est à ce moment-là que ça m'est tombé dessus, sans prévenir, un grand chamboulement dans moi, des frissons qui froissaient ma peau, comme si cet endroit m'enveloppait, me protégeait. La coulée de l'eau, les chants des oiseaux, le bourdonnement des insectes, et le soleil aussi, pas celui qui m'avait coursée quelques jours avant dans la forêt, mais immobile celui-là, qui creusait de petits tunnels entre les branches des arbres pour me désigner les points secrets où trouver des trésors que j'avais jamais pris pour des trésors dans le passé, sans que j'aie besoin de les chercher. Je crevais d'envie de me déshabiller et d'aller me baigner, pour que le reste de mon corps rejoigne le drap et ma main qui le tenait. Je me suis encore penchée en glissant entièrement mon bras sous l'eau, et ma figure a touché la surface. J'ai gardé les yeux ouverts. Dans le fond, je voyais un lit de pierres brillantes. Des brindilles suivaient le courant et de petites bestioles se déplaçaient avec leurs pattes en forme de rame. J'ai tenu tant que j'ai pu sans respirer. Puis je me suis redressée, les cheveux dégoulinants d'une lumière liquide. Le geste est revenu tout seul. J'ai ramené le drap à moi pour le sortir de l'eau, et je me suis mise à le savonner sur la pierre plate, à le tremper de nouveau, à le savonner encore, à le battre, à le rincer, à l'essorer, avant de l'étaler sur un rocher au soleil. J'ai recommencé avec le reste du linge, sans faiblir. Quand j'en ai eu terminé, les muscles de mes bras étaient aussi durs que de la pierre et le soleil était passé de l'autre côté de la rivière. J'ai plongé mes mains dans l'eau fraîche. Je me suis barbouillé le visage pour que la rivière m'oublie pas. J'ai bu plusieurs goulées, aussi bonnes que si elles provenaient d'une source. Je me suis enfin relevée en me tenant les reins. J'ai récupéré tout le linge qui avait commencé à sécher et je l'ai entassé soigneusement dans la brouette, en commençant par le moins sec, et puis je suis rentrée, laissant le monde de la rivière pour un moment. Au moins, je savais qu'il bougerait pas de place, qu'on se retrouverait à la première occasion.

En arrivant à la maison, j'ai vite étendu les draps sur le mur de derrière exposé plein sud, tant qu'il faisait encore bon et que la brise soufflait gentiment. J'avais presque fini de décharger le linge, quand j'ai entendu des pas derrière moi dans l'allée. Je les ai reconnus de suite, mais je me suis pas retournée. Les pas se sont arrêtés tout près. Il y avait plus que la brise qui sifflait à hauteur d'homme. J'ai étalé le dernier drap en faisant celle qui avait rien remarqué, puis j'ai tourné les talons, je pouvais plus résister. La vieille se tenait droite, la tête légèrement penchée d'un côté, comme si elle était trop lourde de ce côté-là, ou qu'elle cherchait à percer quelque chose, ou à l'éviter, je savais pas trop. Ses yeux étaient froids comme de la vieille cendre.

Tu prépareras du bouillon de légumes pour ce soir, elle a dit calmement. Bien, madame, j'ai répondu en regrettant de plus rien avoir à étendre, vu que je savais plus quoi faire de mes mains. Madame se sent mieux. Elle a repris goût à manger. Il semblerait que le traitement du médecin porte enfin ses fruits. J'en suis bien contente pour elle, j'ai dit. Elle a soupiré en regardant en l'air. Celui qui l'aurait pas connue aurait pu la prendre pour une sainte. Ce cher docteur, il est si dévoué. Tu as fait sa connaissance ce matin lors de sa visite, n'est-ce pas. Oui, madame. Elle a baissé les yeux sur moi. Elle avait plus rien d'une sainte à ce moment-là. Depuis le temps, il fait maintenant un peu partie de la famille. Elle s'est approchée du mur. Elle a commencé à inspecter le linge étalé. Elle s'est arrêtée devant un des draps. Je m'attendais à ce qu'elle trouve à redire. Un sourire a déchiré ses lèvres, mais elle a pas parlé. C'est en suivant son regard que j'ai compris pourquoi elle s'était précisément arrêtée devant ce drap-là.

J'avais commencé à saigner un peu avant la Toussaint. Je m'étais réveillée un matin en découvrant les draps tachés et le sang séché sur mes cuisses. Mes sœurs, avec qui je dormais, avaient sauté du lit en m'entendant crier. Maman était arrivée en courant.

Je m'étais levée. J'avais soulevé ma chemise de nuit pour lui montrer mes cuisses souillées en disant que je m'étais vidée de mon sang, que j'étais sûrement en train de mourir, qu'il fallait qu'elle me sauve. Elle me regardait, pas du tout affolée. Elle avait pris mes mains dans les siennes pour me faire asseoir calmement sur le lit. Son regard passait de mes sœurs à moi, à la fois doux et soucieux. Je voyais les traits de son visage se chamailler, comme si elle cherchait les bons mots pour en dire le moins possible.

J'ai le diable dedans moi, c'est ça, hein, j'ai dit en pleurant. Elle avait essayé de sourire. Le diable a rien à voir avec ce qui t'arrive, ma fille. Qu'est-ce qui m'arrive, alors, dis-le-moi. T'inquiète pas, c'est normal. Le sang reviendra tous les mois, maintenant que t'es plus une petite fille. Plus une petite fille, ça veut rien dire. Et puis, je veux toujours être une petite fille, moi, j'avais dit sans pouvoir m'arrêter de pleurnicher. Elle avait posé une main sur ma tête, tout doucement, un geste qu'elle faisait toujours quand j'étais malade. J'en avais conclu que j'avais une maladie grave, et qu'elle voulait pas me l'avouer. Elle s'était mise à me caresser les cheveux avec un air de tristesse, comme si c'était la dernière fois qu'elle faisait une chose pareille, mais pas pour la raison que je croyais. Puis elle avait soupiré avant de parler de nouveau. J'avais alors eu le sentiment qu'elle avait enfin trouvé les mots, et que ceux qu'elle venait de choisir lui coûtaient grandement.

C'est ce qui se passe quand on devient une femme, elle avait dit. Je comprends pas ce que tu racontes. Je pleurais plus. À partir de maintenant, tu pourras avoir des enfants. Le bon Dieu nous a aussi créées pour ça, nous autres les femmes, faire des enfants et puis rester dans l'ombre. Le sang, c'est le signe que le moment est arrivé, elle avait dit sans retirer sa main de ma tignasse. Mais j'en veux pas des enfants. Cette fois, elle avait vraiment souri de ma sottise. Bien sûr que t'en auras pas déjà. C'est juste que c'est possible, un genre de signal de la nature, tu comprends. Pourquoi tu m'en as jamais parlé avant. C'est pas une chose facile à dire pour une mère. Je veux rester ta petite fille, moi. T'inquiète pas, tu le seras toujours, mais maintenant, comme je te l'ai expliqué, tu es plus qu'une petite fille. Tu sais, à moi non plus, ma mère m'en avait pas parlé avant que ça m'arrive, je suppose que c'est une chose qu'on doit d'abord découvrir seule. J'étais toujours pas rassurée. C'est rien de grave, tu me le jures. Je te le jure, je vais t'expliquer ce que tu devras faire pour souiller le moins possible tes vêtements et tes draps, et puis faudra écouter ton ventre à l'avenir, il te préviendra quand ce sera le moment. J'ai quand même un peu peur. C'est la première fois, ça va passer, ma fille, ça va passer. En parlant, elle me regardait pas comme si je possédais un nouveau pouvoir, mais comme si je venais d'en perdre un à ses yeux, un que je retrouverais jamais plus. Maman. Oui. Tu saignes, toi aussi. Bien sûr, sinon, j'aurais pas pu vous avoir. On saigne toute notre vie, j'ai demandé. Non, à un moment ça s'arrête de couler par là, mais ça veut pas dire pour autant qu'on en a plus à donner, autrement, elle a dit en parlant à ses mains crochues. Mes sœurs avaient pas bougé depuis le début, collées au bois du lit, à écouter sans rien dire. Ma mère était pas capable de m'expliquer comment le sang coulait, ni d'où il jaillissait, juste pourquoi. J'imagine qu'elle savait même pas au fond, comment le sang prenait naissance, ni où. J'avais plus posé de questions, au risque de voir revenir la trouille. J'avais bien assez à faire avec ma honte. Elle avait alors retiré sa main de mes cheveux, puis elle était allée remplir une grande bassine d'eau pour que je me lave. On n'en avait plus jamais reparlé. De tout ce temps, mon père était resté dehors.

La vieille venait de remarquer la trace sombre sur le drap, celle du sang que j'avais pas pu complètement effacer, même en frottant doublement. Elle s'est mise à caresser le tissu, à l'endroit de la tache. Ça ne mettra pas bien longtemps à sécher, avec ce petit vent, elle a dit. J'ai fait aussi vite que j'ai pu. Je dois reconnaître que tu te débrouilles plutôt bien. Merci, madame. Pour le travail en général, elle m'a coupée, mais tu as encore des choses à apprendre, tu le sais, elle a ajouté en retrouvant la voix cassante que je lui connaissais. J'aurais dû me douter que le compliment cachait quelque chose d'autre. Oui, je le sais, j'ai dit. Sais-tu ce qu'est la condition d'une personne, ma fille. La condition, oui, je crois bien le savoir, madame. Je t'écoute, alors. J'ai réfléchi un bon moment avant de répondre. C'est la vie qu'on doit mener jusqu'au bout, qui dépend de notre naissance et de rien d'autre. Une de ses lèvres s'est soulevée d'un seul côté. C'est joliment dit, ma foi, avec le vocabulaire dont tu disposes, chacun doit rester à sa place, l'huile surnage toujours au-dessus de l'eau, ainsi va le monde, tu comprends. Bien sûr, madame, l'huile reste au-dessus, on peut pas changer ça. Tu seras donc d'accord avec moi que ce n'est pas nous, pauvres humains, qui décidons de notre propre condition, et qu'il s'agit là d'une décision divine, préétablie. Pour sûr, madame, j'ai rien à redire à ça. Alors, tu seras aussi d'accord que quiconque songerait à bouleverser cet ordonnancement divin serait par trop présomptueux. Il le serait, madame, par trop, j'ai répété machinalement en reprenant l'expression, même si je comprenais pas à quoi elle servait. La vieille a redressé sa tête posée sur son cou tout blanc et tout plissé qui venait de sortir du col boutonné de sa robe grise. On aurait dit qu'elle essayait d'avaler quelque chose qui lui encombrait la gorge, et qu'elle voulait surtout pas le laisser remonter. En vrai, c'était tout le contraire. Dans ce cas, comment expliques-tu qu'il y ait des gens suffisamment présomptueux pour penser que l'eau puisse se mélanger à l'huile. Je voyais bien où elle voulait en venir, ce à quoi je pouvais plus échapper, mais j'ai fait semblant de pas comprendre. J'en sais rien, madame. Par exemple, assez fou pour monter sur une échelle dans je ne sais quel but, elle a dit mauvaisement. J'ai senti mes jambes me lâcher. J'ai agrippé un montant de la brouette pour pas tomber. J'ai rien trouvé de mieux à dire que j'étais désolée, que je recommencerais plus. Tais-toi, je croyais pourtant avoir été claire, que je pouvais te faire confiance, et je m'aperçois qu'il n'en est rien, c'est une immense déception, crois-moi. Je vous promets que ça se reproduira plus, je sais pas ce qui m'est passé par la tête, je pensais pas à mal. Et Edmond, je vous ai vus parler ensemble, qu'est-ce qu'il t'a dit. Il m'a disputée. C'est tout, elle a demandé en plissant les yeux. Oui, je vous jure. Je vais être obligée d'en référer à monsieur, nous allons devoir décider ensemble d'une sanction exemplaire. J'ai pris un air résigné. Vous ferez ce qui vous semble juste, j'ai rien à redire à ça. Encore heureux que tu n'aies rien à redire, allez, termines-en vite avec ce linge et file t'occuper de la maison, il y a un désordre indescriptible à l'intérieur et de la poussière à essuyer sur tous les meubles. Bien, madame. Je me sentais humiliée. J'aurais eu envie de disparaître dans un trou pour plus jamais en sortir, de pas être du tout, parce que ça valait pas le coup d'être, si c'était juste pour vivre de cette façon. L'idée d'en finir m'est venue pour la première fois dans la tête, et j'avais pas encore quinze ans. La vieille a regardé une dernière fois le drap taché. Ses lèvres tremblaient, comme si elle luttait pour pas sourire de nouveau, sûrement fière de me voir dans cet état, puis elle est partie.

Bien sûr, c'était pas vrai pour le désordre et la poussière. En y réfléchissant plus tard dans ma chambre, ce qui me paraissait étrange, c'était que, tout le temps qu'elle m'avait parlé, j'avais pas eu l'impression qu'elle était tellement en colère, comme si elle se forçait à le paraître dans un but précis. La sanction promise, j'allais pas tarder à comprendre qu'elle dépendait pas de ma faute, qu'elle était décidée depuis que j'avais posé les pieds au château, et sûrement même avant que mon père m'ait vendue. En ça, pour la condition, l'histoire de l'eau et de l'huile, la vieille avait raison.

Onésime

Huit semaines que Rose était partie. Il se dirigea vers le manteau de la cheminée, saisit une boîte en fer-blanc cabossée posée sur le linteau, crocheta le couvercle avec ses doigts ; un côté, puis l'autre, plusieurs fois, sans jamais forcer pour l'ouvrir. Il en sortit la bourse toujours garnie, le lacet pas même dénoué. L'argent maintenant dans sa main, Onésime regarda longuement sa femme, occupée à pilonner des gousses d'ail dans une écuelle en bois de buis. Sans souci apparent de sa présence, elle renifla bruyamment, s'essuya le nez d'un revers de manche, souleva le pilon en l'air, puis le fit retomber, laissant sa main reprendre sa danse circulaire. D'infimes lézardes vibraient au coin de sa bouche.

— C'est plus possible, dit-il en soupesant la bourse, comme si elle le brûlait, comme s'il eût voulu qu'elle le brûlât, qu'elle s'enflammât et qu'il n'en restât rien, pas plus l'argent que la cause de sa possession.

Elle ralentit le mouvement de son poignet, mais ne releva pas les yeux. Puis elle cessa de broyer les gousses, toujours sans le regarder, tenant le pilon comme s'il s'agissait d'un poignard enfoncé dans le bois. Demeura silencieuse.

— Je vais rapporter l'argent pour qu'on nous rende notre fille.

Elle fixait encore le bol, la pâte écrue dans le fond, dont l'odeur entêtante emplissait désormais la pièce.

— Peut-être qu'y aura pas assez, dit-elle.

— On a touché à rien.

— T'as signé un papier, t'as dit.

— Ils trouveront vite quelqu'un d'autre pour en signer un nouveau, j'imagine, des gens comme eux.

Elle releva la tête sur une poutre noire de suie, rongée sur un bon tiers par le feu qui avait pris un soir, et qu'ils avaient circonscrit tous deux, avec les draps du lit.

— Je reviendrai pas sans elle, ajouta-t-il.

Elle lâcha le pilon, baissa des yeux vides de toute compassion sur lui, des yeux privés de toute bonté.

— C'est pas la peine de revenir, sinon, dit-elle sans même élever la voix.

Malgré les doutes, les traits du visage de la femme se détendirent petit à petit face à ce mari retrouvé sous son apparat de misère toujours de circonstance, mais qu'il portait de nouveau telle une digne parure au regard de la pesante richesse lestant son bras, qui l'avait fait un temps félon de l'âme d'une famille entière. Il se rapprocha d'elle. Un pas, un seul pas hésitant, rien de plus. Il en restait au moins cinq à faire pour espérer la toucher en tendant le bras. Elle frotta ses lèvres l'une contre l'autre, les barbouilla de salive à la va-vite, parce que c'était la seule manière qui lui venait de faire comprendre à cet homme qu'il était en train de regagner un peu de sa confiance en même temps que sa propre dignité ; et qu'elle le lui prouverait à son retour, s'il ne la trahissait pas une seconde fois, qu'il n'y aurait pas de nouvelle chance.

Onésime n'avait pas l'intention de s'attarder plus longtemps, déjà pressé de quitter sa femme, d'être loin d'elle et de son jugement sans appel. Il ne se sentait plus là, n'était d'ailleurs plus vraiment là, dans cette maison, dans cette ferme ; ce lieu donc, où il devrait encore batailler à l'avenir, autant qu'avant et même plus qu'avant, mais au moins le cœur plus léger d'avoir réparé en partie sa faute, mais nullement en paix ; car pour cela il faudrait un temps nécessaire à l'avènement du pardon qui sortirait peut-être un jour de deux bouches femelles.

Il coupa deux tranches de pain de maïs, les fourra dans une poche de sa veste, la bourse dans l'autre, puis saisit son bâton appuyé au chambranle de la porte. Il s'immobilisa un moment devant la porte fermée, dos tourné à sa femme.

— Dis rien aux filles, elles auront la surprise, ce sera mieux, ajouta-t-il en s'efforçant de paraître plus léger, comme un enfant qui demande à un autre de compter avant de se lancer dans une partie de cache-cache.

Elle se remit à pilonner la bouillie. Il sortit. Elle ne le regarda pas, regarda plus tard la porte refermée derrière lui.

Rose

Il m'a fallu longtemps avant que je me fasse une idée précise des lieux. Le domaine était perdu au milieu de la forêt, un vrai repaire à sangliers et à sauvagines. La forge se trouvait sur les hauteurs, plus au sud. Depuis le parc, j'entendais des bruits de ferraille quand le vent venait comme il faut, et je voyais de la fumée monter au-dessus des arbres, sauf les dimanches. Je pouvais qu'imaginer ce qu'il s'y passait, vu que la vieille m'avait fait comprendre que la rivière d'un côté et le portail de l'autre représentaient des frontières à traverser sous aucun prétexte. Je me demandais combien ils étaient à travailler là-haut. Les ouvriers traînaient jamais par ici. Eux non plus, ils devaient pas avoir le droit de passer la rivière, mais dans l'autre sens. Ça me démangeait souvent de franchir le portail, mais depuis l'histoire de l'échelle je m'y aventurais pas, de peur de me faire prendre et de réveiller ce que tout le monde semblait avoir oublié.

Au beau milieu du parc, il y avait un grand massif de petits arbres, que les chevaux contournaient toujours par la droite, jamais le contraire. Cette habitude devait bien avoir son importance. J'imaginais pas laquelle en ce temps-là, et aujourd'hui je l'imagine toujours pas. L'écurie était remplie de chevaux. J'aurais pas su dire combien. Edmond s'en occupait sacrément bien, à les voir tout beaux et bien entretenus. Plus d'une fois, j'ai envié le maître de pouvoir se promener sur le dos d'une de ces bêtes. Je pensais qu'on devait pas voir le monde pareil de là-haut, vu que c'était pas donné à n'importe qui d'y être.

Ce jour-là, il me manquait quelques carottes pour la soupe du soir. Je suis vite sortie pour aller en chercher quelqu'une au jardin. Le soleil avait déjà tapé à toutes les fenêtres de la façade du château. Après les avoir fait virer à l'orange pendant toute la matinée, elles avaient pris une teinte verdâtre passé midi, avant de plonger dans l'ombre. Il y avait plus de temps à perdre. Je me suis dépêchée d'enfiler le chemin pour rejoindre le jardin.

J'étais prête à pousser le portail quand j'ai aperçu Edmond, agenouillé, en train de désherber, il me semblait. Je voyais pas sa tête, rien que son dos et ses épaules qui collaient à sa chemise, des épaules de la largeur d'un stère de bois, ou pas loin. On aurait dit que les plantes tout autour faisaient partie de lui et sûrement pas le contraire. Il m'avait pas entendue arriver. Je bougeais pas. Je regardai les nœuds de muscles qui se baladaient sur son dos ensué. Je comprenais pas ce qui se passait en moi, pourquoi j'arrivais pas à détourner le regard de ce dos, et que j'allais pas de suite les chercher les carottes qui me manquaient pour ma soupe, comme si de rien n'était, sans le déranger. Mais voilà que mes pieds voulaient pas décoller du sol et que mes yeux voulaient pas non plus se décrocher de cet homme, qui était rien plus qu'un dos et des épaules. Le pourquoi, il pouvait même pas encore trouver sa place dans ma caboche de pauvre fille. C'était plus fort que moi, plus fort que cette pauvre fille-là. Ça en finissait plus de turbiner dans ma tête. C'était pas raisonnable d'avoir de telles pensées, mais j'avais envie que les bras de l'autre côté du dos me serrent bien fort, comme au pied de l'échelle, et plus que ça encore, sûrement pas comme un père le ferait pour une fille qui serait la sienne. Ce qui me tourne-boulait, c'était autre chose que les bras d'un père, surtout ceux du mien. Je sentais des petites pointes qui s'enfonçaient dans mon ventre, les tournures qu'il prenait en laissant monter de la chaleur dedans pour la piéger. Je savais que c'était pas bien de pas pouvoir m'empêcher d'imaginer ce que ça ferait de toucher ces épaules-là, et je l'aurais fait, si seulement j'étais arrivée à me convaincre qu'on les avait abandonnées juste pour que je les touche et rien d'autre, juste pour savoir l'effet que ça ferait de poser mes mains dessus, et peut-être bien de m'en emparer, de les voler et de les planquer pour les ressortir quand j'en ressentirais le besoin. Pas n'importe quelles épaules. La vraie raison qui faisait que j'avais envie de toucher celles-ci et aucune autre, je voulais surtout pas me l'avouer à ce moment-là.

Je me suis appuyée sur le portail pour tenter de reprendre mes esprits. J'étais venue dans un but, mais je savais plus lequel. En vrai, je m'en foutais. Ce que je savais juste, c'était la folie qu'il y avait à rester plantée là, à me laisser goyer dans une drôle de gadoue que la vue des épaules avait entassée autour de moi.

Tout s'est ensuite passé très vite. Edmond s'est raidi, en sentant sûrement ma présence, mais il a pas bougé pendant des secondes. Puis il a enfin redressé le buste, et s'est retourné. Il a pas parlé de suite en me voyant pinquée au portail. J'ai laissé faire son drôle de regard sur moi, sans bouger non plus, sans le pouvoir, sans le vouloir, comme la fille pas si pauvre que je devinais que j'étais dans ses yeux.

Qu'est-ce que tu veux, il a demandé au bout d'un moment, d'un air qui laissait penser qu'il faisait semblant de pas être content de me voir. J'ai essayé de répondre, mais les mots sont restés coincés dans ma bouche à l'état de pâte, faite de la même gadoue que j'avais aux pieds. T'as perdu ta langue, on dirait. J'ai soufflé, et les mots sont sortis en même temps. J'ai besoin de carottes, mais vous dérangez pas, je vais me débrouiller toute seule. Personne touche à mon jardin et à ce qui pousse dedans, il a dit, sans énervement, comme si c'était une évidence. Il s'est relevé. C'était beau à voir quelqu'un qui se relève de cette façon, sans effort apparent, ou même avec le plaisir de cet effort-là qui en paraîtrait pas un. J'ai serré encore plus fort les lattes du portail. Combien il t'en faut. Quatre ou cinq devraient suffire. Il a souri. Quatre, ou cinq. Cinq.

Il est allé arracher les carottes en prenant son temps. Il les a ensuite tapées contre sa jambe pour faire tomber la terre, puis il s'est approché de moi et me les a tendues par-dessus le portail. J'étais incapable de lever un bras pour attraper les fanes. T'es sûre que ça va, il m'a demandé. J'ai dû sourire bêtement. Ça va. On le dirait pas, tu les veux ou pas, ces carottes. Oui, ça tourne un peu, le soleil a dû me cueillir derrière la tête, j'imagine. Il s'est gratté l'arrière du crâne avec sa main libre. Tu l'as en face, le soleil, il a dit d'un air soucieux. Peut-être bien, j'ai dit sans réfléchir. T'es quand même pas venue jusqu'ici en reculant. Il s'est alors mis à rire. C'était la première fois que je le voyais rire en découvrant ses belles dents bien rangées, un peu jaunies par le tabac. Il a encore avancé son bras en secouant la botte de carottes. Je pouvais plus faire autrement que de me faire violence pour les attraper. J'ai levé la main, et j'ai refermé les doigts sur les fanes. Il les a pas lâchées de suite. C'est qu'au bout d'un moment qu'il l'a fait, d'un seul coup. Il riait plus, il souriait juste. Je tenais les carottes en l'air. Je crois bien que, s'il y avait pas eu de portail entre nous, je me serais laissée tomber dans ses bras. J'ai regardé les carottes, comme si elles étaient arrivées dans ma main par miracle, puis je me suis retournée et je me suis mise à marcher doucement.

Fais attention au soleil, maintenant que t'es dans le bon sens, il a dit. Je me sentais ridicule, mais j'avais pourtant envie de revenir au portail pour sourire avec lui, et surtout remonter un peu le temps, revenir aux épaules, aux boursouflures sous la chemise. En même temps, je savais que faire revenir le passé, c'était pas pouvoir s'empêcher de vouloir le changer en quelque chose de mieux, et que ce serait pas possible ce jour-là. Il valait mieux que j'en garde l'image fixe dans un coin de ma tête, une image que je pourrais retrouver facilement quand j'en aurais besoin, un peu comme la rivière. C'est en me rapprochant du château que j'ai compris qu'aucune autre sorte d'épaules pourrait jamais me faire cet effet-là, même si je vivais jusqu'à cent ans.

J'ai repensé à Edmond toute la nuit, à ses épaules, à ses yeux quand ils s'étaient promenés sur moi, comme s'ils cherchaient quelque chose, et que justement ça les amusait de pas le trouver facilement. Il m'est revenu en mémoire ce moment où j'avais machinalement resserré d'une main le haut de mon calicot, et que ma poitrine était remontée. C'était pas de la gêne, plutôt un moyen comme un autre de lui montrer ce que je pouvais devenir pour lui sans le savoir moi-même. Il avait rassemblé ses sourcils. On aurait dit qu'il venait de trouver ce qu'il cherchait. Pendant tout ce temps, je me suis plus sentie la fille que j'avais été avant de saigner, mais celle d'après.

Le dimanche, il fallait que je me lève encore plus tôt que d'habitude, parce que le maître allait à la chasse. Il partait avec sa meute, des fois à cheval, des fois à pied, ça devait dépendre de son humeur. Il libérait les grands gueulards de leur chenil, et il les laissait sauter après lui avant de se mettre en route. Je l'ai jamais vu revenir bredouille, même quand il partait sans fusil. Je me demande encore comment il faisait, encombré de sa grosse carcasse, pour courir derrière un gibier jusqu'à l'épuiser. J'en avais froid dans le dos, rien que de l'imaginer poursuivre sa proie sans la lâcher. Il ramenait toujours au moins un lièvre ou un lapin. Edmond l'attendait au chenil pour s'occuper du gibier, qu'il me portait ensuite, dépecé et vidé, tout prêt à cuire. Le maître adorait le civet. La vieille en mangeait jamais, elle. Une fois, le maître est revenu avec un sanglier sur son dos. Il l'avait saigné avec son grand couteau de chasse. Il a laissé le soin à personne de le dépecer.

C'était mon jour préféré, le dimanche. Une fois que le maître était parti à la chasse, la vieille se rendait à la messe en conduisant le boghei toute seule. J'avais quelques heures de solitude, sans qu'elle soit sur mon dos à me commander de faire ci ou ça. Ce dimanche-là, le neuvième, Edmond est venu me rejoindre à la cuisine. Il s'est mis à fumer en me regardant trimer d'un air préoccupé, sans dire un mot. Je me suis doutée qu'il avait ordre de me surveiller depuis l'histoire de l'échelle, mais j'ai pas osé lui demander, de peur d'en être sûre. Le maître y avait jamais fait d'allusion, pourtant la vieille avait bien dû le mettre au courant. Je commençais même à oublier la sanction qu'elle m'avait promise. Je pensais souvent à Edmond sans savoir la raison, je voulais pas la savoir. Après ma visite au jardin, je sentais que quelque chose avait changé entre nous. J'aurais pas su dire si elle nous rapprochait ou si elle nous éloignait, si pour lui c'était pareil que pour moi. Au moins, il me demandait plus de partir. Sa présence me rassurait et la mienne semblait déloger son regard à chaque fois que je le regardais en douce. Puis il s'est détourné tout entier pour se distraire de moi. Il avait pas l'intention de s'en aller, quelque chose le retenait. Le silence me pesait pas et j'aurais pu jurer que c'était le seul endroit où se sentir bien, si jamais le silence peut être un endroit où se réfugier quand on se sent pas bien avec quelqu'un, ou peut-être trop bien. Il a éteint sa cigarette pas complètement terminée et s'est de suite mis à en rouler une nouvelle.

J'ai entrepris d'observer son visage, l'air de rien, pendant qu'il faisait tourner la cigarette entre ses doigts. Sa figure était colorée par le soleil, un peu craquelée autour des yeux. Sa peau me faisait penser à de la terre au mois d'août. Même si j'avais pas le temps de m'attarder sur les détails, j'ai parié sur une trentaine d'années, à tout casser le double de moi. J'avais entendu un jour ma mère dire, qu'à âge égal, les femmes étaient en vrai bien plus vieilles dans leur tête que n'importe quel bonhomme, que c'était une vérité qu'il fallait prendre en considération. Je suis pas sûre du mot vieille, bonhomme oui. Peut-être que c'était mûre et pas vieille qu'elle avait dit. Ce que je me rappelle avec certitude, c'est qu'elle avait dit ça très sérieusement devant mon père, qui avait pas eu l'air de comprendre de quoi elle parlait, et pas de qui non plus.

Vous voulez une allumette, j'ai dit pour rompre le silence et donner un peu raison à ma mère. Edmond m'a pas répondu, il a regardé la cigarette dans sa main. On aurait dit qu'il réalisait seulement qu'il la tenait, comme si quelqu'un l'avait glissée en douce entre ses doigts sans qu'il s'en rende compte. Puis il m'a regardée d'un air ahuri, moi, et aussi à travers moi la vérité que je venais d'énoncer. Il a sorti son briquet d'une poche, et il a allumé la cigarette en tirant longtemps dessus. Les petits sillons se sont creusés de chaque côté de ses yeux, pour s'en aller se perdre sous une pagaille de cheveux. Il a laissé descendre la fumée, puis l'a crachée devant lui. J'aurais juré qu'il essayait de me faire disparaître derrière la fumée en avalant bouffée sur bouffée. Ça a pas eu l'air de si bien marcher que ça, tout concentré qu'il était pourtant à tenter d'oublier que j'étais dans la même pièce que lui, vu qu'il s'est mis à parler.

Tu feras pas de bêtises, si je m'en vais maintenant. J'ai senti une piqûre au niveau de mes reins. Pourquoi vous voulez vous en aller si vite, on est dimanche, j'ai demandé en essayant de pas montrer qu'il avait dit exactement ce que je voulais pas entendre. Des choses à faire qui peuvent plus attendre, il a dit avec de la nervosité dans la voix. Ça me dérange pas, si vous restez encore un peu. Je sers à rien. Vous devez bien me surveiller pour pas que je fasse des bêtises, pas vrai, j'ai encore dit pour pas qu'il s'en aille. Il a hoché la tête, puis il s'est levé de la chaise. Je te fais confiance. Vous devriez peut-être pas. Peut-être pas quoi. Me faire confiance. Il a retourné sa cigarette en fixant le bout qui se consumait tout seul. Je vais fumer dehors, la reine mère aime pas sentir l'odeur de la fumée dans la maison. C'était la deuxième fois que je l'entendais parler de la vieille de cette façon. J'ai trouvé qu'il y avait pas mieux à en dire. Elle est pas près de revenir, et puis je peux ouvrir la fenêtre pour qu'elle sente rien à son retour. Il a relevé la tête sur moi, on aurait dit qu'une reinette avait laissé des empreintes dans l'argile au coin de ses yeux. Je préfère, il a dit. J'ai de nouveau eu envie qu'il s'approche et me serre dans ses bras. Je savais pas si ça se voyait, mais j'aurais tant voulu qu'il le voie, lui. Il hésitait à partir. Il devait lutter dans sa tête pour savoir s'il allait faire ce qu'il avait dit, ou autre chose que j'attendais et qu'il devait bien se douter que j'attendais. Mais voilà, c'était le genre d'homme à attendre. J'aurais fait n'importe quoi pour pas qu'il s'en aille.

Vous voulez toujours que je parte. Il a eu l'air peiné que je lui demande ça. T'es une drôle de fille, tu ressembles pas à quelqu'un qui sort d'où tu sors. Je voyais pas ce que sa remarque venait faire à ce moment-là, à part se défendre en m'attaquant. Qu'est-ce que vous en savez, d'où je sors, d'abord. Il a souri, mais cette fois, il y avait rien de moqueur dans son sourire. J'ai essayé de me convaincre que ce qu'il avait sous les yeux, c'était pas moi telle que je me connaissais, mais la fille d'après la fille. Évidemment, j'y suis pas arrivée, vu qu'on peut pas imaginer ce qu'on représente pour les autres, surtout quand on s'est jamais posé la question avant, quand on n'en a pas eu l'occasion. Je te faisais un compliment, il a dit. Vous, un compliment. Tu vois. Vous me trouvez un peu jolie, j'ai demandé. Les mots étaient sortis d'un coup sans que je les aie réfléchis. J'étais prête à tout pour pas qu'il me quitte. Ma question l'a troublé. Vous me répondez pas. Si, bien sûr, que je te trouve jolie, pardi, il a dit en bredouillant. Un peu ou plus qu'un peu. Bon, tu as tout ce qu'il te faut, j'y vais, il a dit en baissant les yeux autant qu'il pouvait. J'ai pas ma réponse, mais sûrement que ça vous gêne que je vous demande ça. Non, pas du tout. Alors. Alors, oui, plus qu'un peu. Un deuxième compliment, c'est beaucoup pour une fille comme moi, qui sort d'où elle sort, vous trouvez pas. Il a levé les yeux sur moi. T'es une petite futée, toi. Les bords de sa bouche se sont rapprochés. Si un jour je te demandais de me suivre sans discuter, tu le ferais. Il y avait pas le moindre amusement sur son visage, rien que du sérieux partout quand il a parlé. Vous voulez m'emmener faire un tour dans les bois, j'ai demandé en blaguant. Je plaisante pas. Moi non plus, je plaisante pas. Tu as confiance en moi. J'en sais rien, je sais jamais quoi penser quand vous repartez dans vos mystères. Il a balancé le revers de sa main en avant, comme s'il chassait une mouche devant lui. Peut-être que tu penses trop à des moments et pas assez à d'autres, il a dit. J'ai pas grand-chose d'autre à moi que ce qu'y a dans ma tête, manquerait plus que quelqu'un décide de ça aussi. À ce moment-là, on a entendu des chiens aboyer au loin. Edmond a glissé la cigarette entre ses lèvres et a regardé par la fenêtre. On aurait dit qu'il venait de recevoir un ordre, et que plus rien ni personne pouvait le retenir. Il a laissé retomber ses mains au bout de ses bras. J'y vais, cette fois, réfléchis bien à ce que je t'ai dit, il a ajouté avant de sortir, sans même me laisser le temps de parler.

Depuis la fenêtre, je l'ai vu s'éloigner. Il a rejoint le maître qui faisait rentrer les chiens dans le chenil. Ils se sont mis à discuter, mais le maître en avait visiblement pas envie, à le voir se détourner. Edmond l'a alors attrapé par un bras pour le retenir, et l'autre l'a repoussé en le montrant du doigt, comme s'il le tenait en joue avec un fusil. Les lèvres du maître bougeaient pas pendant ce temps, les mots étaient inutiles pour se faire comprendre. Edmond a pas bronché. Il a attendu que le maître arrête de le montrer du doigt et s'en aille. Il a jeté un regard froid en direction du château. Je me suis reculée de la fenêtre, mal à l'aise de ce que je venais de voir, comme si c'était moi qui venais d'être humiliée.

Il y a eu un grand fracas quand le maître est entré. Tout de suite après, soulagée qu'il soit pas passé par la cuisine, j'ai entendu la porte du bureau claquer. Je me suis mise à cogiter. Ce qui m'est venu, c'était que personne venait jamais aux Forges. À croire que ces gens avaient pas vraiment d'amis, et pas plus de connaissances, mis à part le docteur, qui passait souvent à l'improviste, des fois sans même prendre le temps d'aller voir la malade. Je me suis demandé ce qui les liait, étant donné que le maître et lui avaient pas l'air de vrais amis. Je les ai jamais vus blaguer ensemble, toujours sérieux comme des papes quand ils discutaient.

La vieille est arrivée un peu avant midi. Dire qu'elle aurait pu passer pour quelqu'un de fragile. Je savais vraiment pas de quoi elle était encore capable à son âge. Sûr qu'elle cachait bien son jeu en vérité.

Dès qu'il l'a entendue entrer, le maître est sorti de son bureau pour lui demander de le rejoindre. Ils se sont enfermés à l'intérieur. J'ai attendu un peu avant de m'approcher doucement de la porte. Le bois était sacrément épais. Même en collant mon oreille dessus, j'arrivais pas à saisir le sens de leur conversation, sauf le mot bientôt, qui revenait souvent, et Marie aussi.

Edmond

Bon Dieu.

Je la revois toute droite derrière le portail du jardin.

Elle avait l'air tout emberlificotée dans de drôles de pensées qui l'amenaient ailleurs qu'où ses pieds étaient posés.

J'ai senti un vent chaud rentrer à l'intérieur de moi.

Je me suis approché.

Bon Dieu, il a bien fallu que je m'arrête au portail.

C'était comme si, en même temps qu'elle était là, quelqu'un d'autre était là aussi, quelqu'un que je connaissais bien, quelqu'un qui m'avait jamais quitté et qui me quittera jamais, quelqu'un capable de voyager aussi avec le vent.

Je pouvais pas lutter.

Je me suis mis à parler.

C'était trop pour moi, ces deux présences qui voulaient en faire qu'une seule.

Je pensais pas à la petite comme j'aurais dû.

Bon Dieu.

Je pensais à elle comme si elle était une autre, comme si une autre présence s'était fourrée dans ce corps de fille, et que je la regardais pas comme j'aurais dû, pas comme une gamine à éloigner, à sauver.

C'était plus fort que moi.

Tout ce que je croyais impossible à faire revenir, cette présence qui était jusque-là à l'intérieur de moi, glacée, se trouvait dans cette fille.

J'avais l'impression qu'un peu de vie revenait en moi, même si ça me faisait peur, qu'y ait de l'air frais qui chasse un peu le pourri que je respirais depuis si longtemps.

Ça me faisait peur pour moi et pour elle aussi.

Parce que je croyais pas des choses qui étaient pas, je rêvais pas non plus.

C'était bien ça le pire.

J'ai pas pu me remettre au travail quand elle a été partie.

Je suis resté accroché au portail, à me dire qu'il fallait que je me reprenne, que je reste à ma place.

Je suis pas sûr d'y arriver.

Pas devenir un monstre.

Bon Dieu.

Pas comme eux.

Qui pourrait m'en vouloir de fendre ma douleur en deux pour essayer de vivre un peu mieux ?

C'est comme si cette fille m'avait attrapé la main, en même temps qu'elle en tenait une autre, et que, par le fait, elle prenait un peu de sa douleur, à l'autre, et un peu de la mienne aussi, et qu'elle les filtrait pour en faire autre chose de moins douloureux, comme on filtrerait une eau croupie, sans pour autant espérer qu'elle devienne potable.

Juste ça.

Cette fille, cette Rose-là, qui me mène à l'autre présence, et pas le contraire.

Elle a réveillé quelque chose en moi.

Quelque chose que je pouvais pas admettre avant.

Pourtant, je la connais pas vraiment.

Mais je la sais.

Bon Dieu.

Je suis pas un monstre.

Onésime

Il parcourut de maigres prairies qui ne lui appartenaient pas, puisque rien ne lui appartenait en propre, sinon sa maison, une étable, un appentis, et aussi le peu de dignité qui lui restait encore à défendre, largement écornée depuis peu. Il cultivait les champs d'un autre. C'était sa vie d'être à la surface de lui-même, de passer sur la terre en l'effleurant à peine. Les choses auraient peut-être pu en aller autrement, si seulement il avait dénoué le cordon de la bourse pour acheter quelques arpents, volés à la liberté de sa fille. Il lui avait fallu céder à un profond désespoir pour s'astreindre à honorer un tel contrat diabolique, échanger sa chair contre de la terre, par l'entremise de quelques pièces données par un homme dont il ne connaissait que le nom, et dont il ne savait rien.

Il traversa la forêt, coupa au plus court par le *Trou du loup*, pénétra au cœur d'épaisses broussailles, s'infligeant au passage le fouet des branches basses et les épines des ronces. Puis il plongea vers le ruisseau encaissé en canyon bordé de chênes biscornus, ressemblant à des éclopés attendant la civière sur un champ de bataille. Il enjamba le cours d'eau, sautant sur des pierres affleurant à la surface, remonta ensuite l'autre versant à quatre pattes, saisissant de ses mains toutes sortes d'amarres végétales ou minérales, puis s'enfonça dans les bois, se fiant à de vieux troncs moussus afin de ne pas perdre le cap. Il rejoignit enfin un chemin battu et scarifié de multiples traces de sabots, d'ongles, de roues, et à peine marqué de quelques empreintes de pas. Il marchait vite, faisant défiler de part et d'autre du chemin un grand carnaval de verdure qui déployait des ombres épaisses et mouvantes sur la croûte accidentée.

Onésime progressait résolument. Il sentait le poids de la bourse dans sa poche et grandir le désir de s'en débarrasser rapidement, d'en effacer la signification profonde. Malgré sa décision, le doute se déployait aussi, d'être en capacité de racheter sa faute sans avoir à demander pardon à une gamine de quatorze ans. Et même s'il devait prononcer ce mot qu'aucun père ne devrait avoir à dire à sa fille au cours d'une vie d'homme, ce *pardon* serait-il capable de venir à sa bouche ? Serait-il capable de le souffler pour qu'elle le reçoive sans détour ? Serait-il capable de mettre sa fierté de côté, tel qu'il se l'était promis ? Après tout, peut-être que tout rentrerait dans l'ordre, que le silence y pourvoirait, y suffirait même, et qu'ils oublieraient tous deux qu'il pût exister un seul mot assez puissant pour conduire au rachat. Et il espérait qu'une marche côte à côte laverait à elle seule la saleté dans leurs cœurs ; pour Onésime, celle d'avoir permis l'abomination, et pour sa fille, celle de l'avoir subie. Peut-être que d'un seul regard naîtrait l'illusion de l'oubli, et qu'ils finiraient par se laisser porter l'un et l'autre par cette illusion sous un ciel végétal.

Des chiens aboyèrent au loin. Onésime se planta sur place. Les aboiements se rapprochèrent. Peu après, un sanglier bondit du talus et atterrit en grognant à une trentaine de mètres. Ses pattes avant se dérobèrent, sa tête racla la terre sans qu'il s'en émût, puis il se redressa et disparut dans les fourrés de l'autre côté du chemin. Des branches plièrent, sifflèrent, craquèrent, des feuilles mortes furent piétinées et il n'y eut bientôt plus que les aboiements tout proches. Un premier chien apparut, truffe collée au sol. Il relevait régulièrement la tête pour lancer un chant lugubre, puis revenait au pied dans le sillage parfait du solitaire, tout aussi indifférent à la présence d'Onésime. D'autres chiens suivirent de peu l'éclaireur. Une meute entière, qu'Onésime renonça à dénombrer. Puis, quelques minutes plus tard, un homme sortit du couvert, se laissa glisser le long de la pente du talus. Une fois qu'il eut atteint le sentier, il détourna la tête, remarquant Onésime qui n'avait pas bougé depuis le passage du sanglier et des chiens. Ils se regardèrent un long moment, non pour savoir qui était l'autre, puisqu'ils se reconnurent immédiatement, mais pour tenter d'asseoir leur détermination. Onésime s'avança le premier vers le maître de forges. Il ne parla pas le premier.

— Qu'est-ce que vous fichez là ?

— Je viens rechercher ma fille.

L'homme ne broncha pas. Onésime plongea une main dans sa poche et en sortit la bourse.

— J'ai pas touché à votre argent.

Onésime tendit la bourse à l'homme, qui n'esquissa pas le moindre mouvement.

— Il manque rien, vous pouvez vérifier.

— Pas besoin, nous avons signé un papier, votre fille ne quittera pas mon service, dit l'homme en haussant le ton.

— Ça sera pas bien difficile de le déchirer et d'en signer un nouveau avec d'autres.

L'homme désigna le chemin derrière Onésime.

— Vous allez maintenant repartir d'où vous venez, et alors peut-être que j'oublierai ce qui vient de se passer.

— Il s'est encore rien passé.

— Vous êtes sur mes terres, c'est déjà trop.

— Laissez-moi au moins la voir, s'il vous plaît, après je m'en irai.

L'homme posa une main sur le manche du couteau qui pendait à sa ceinture.

— Si jamais je vous vois encore traîner par ici, je ferai en sorte que vous le regrettiez. Je suis assez clair ?

Onésime ne quittait pas le couteau des yeux.

— J'ai fait une erreur, je voudrais pas la payer tout le restant de ma vie.

— C'est pas mon problème.

— Quel genre d'homme vous êtes ?

Le maître de forges lança un regard en direction du passage de la meute, avant de revenir le poser sur Onésime.

— Un qui ne lâche jamais une proie.

Un sourire ironique étira la bouche du maître de forges.

— Vous n'aurez qu'à remplacer votre fille par une nouvelle. Vous avez l'air d'en être capable.

— Ma femme me pardonnera jamais si je rentre sans Rose, elle me l'a dit.

— Il fallait y penser avant.

— Je suis sûr qu'y a un peu de bonté au fond de vous. Vous devez bien avoir des enfants.

Le maître de forges se raidit, fixant toujours Onésime, comme quelqu'un qui s'apprêterait à caresser un petit animal désemparé.

— Videz l'argent dans votre main ! dit-il sèchement.

Onésime obéit, sans comprendre où voulait en venir le maître de forges.

— Maintenant, donnez-moi la bourse.

Onésime tendit le morceau de tissu. L'homme se pencha sur le fossé, attrapa une petite branche et la glissa à l'intérieur de la bourse vide.

— Pour vous prouver que je ne suis pas un mauvais homme, nous allons signer un nouveau pacte.

Le maître de forges fit tourner devant ses yeux le tissu enfilé sur le bout de bois.

— Un pacte signé avec mes chiens. Si jamais l'idée vous prend de revenir, ils se souviendront de vous, et ils seront bien moins patients que moi. Foutez le camp, maintenant !

Onésime aurait voulu répondre quelque chose, mais il en fut incapable. Il ne percevait aucun bruit autour de lui, se sentait vidé, dépourvu de la sensation de peser en quelque manière sur la terre et de la conscience même de son propre corps. Totalement privé de volonté et de force, désemparé, il regarda le maître de forges disparaître dans les broussailles à la suite de ses chiens.

Rose

J'avais rêvé d'Edmond dans mon sommeil, vraiment de lui, pas de ses fichus mystères. Tant qu'il était à côté de moi, je savais qu'il pouvait rien m'arriver de grave, et c'était un peu plus que de la protection que je lui avais réclamé tout du long de la nuit. J'avais touché ses épaules, je crois bien, et le portail du jardin était grand ouvert. Dès que je me suis réveillée, j'ai eu qu'une hâte, trouver un moment de libre pour le rejoindre et voir ce que ça me ferait, s'il y avait moyen de prolonger le rêve, de voir s'il y avait du vrai dedans.

Le maître était parti à la forge, et la vieille était remontée dans sa chambre. C'était le moment ou jamais. J'avais environ deux heures de libres devant moi. J'ai tout laissé en plan et je suis sortie en espérant que ni l'un ni l'autre changerait ses habitudes. Je me suis dit que je mettrais les bouchées doubles au ménage pour rattraper mon retard.

J'ai commencé par aller voir au jardin. Edmond y était pas, alors j'ai poussé jusqu'à l'écurie. La porte était ouverte. J'ai pas hésité. Je suis entrée sans faire de bruit, juste de quelques pas, et je me suis plantée au milieu du couloir. Je l'apercevais. Ce que j'apercevais à vrai dire, c'était le haut de son corps qui dépassait du muret entre les grilles. Edmond s'occupait de brosser un cheval. Mon regard était entièrement accaparé par la douceur de ses gestes, les caresses de la brosse sur la robe noire du cheval, qui révélaient des reflets bleutés, comme quand le soleil prend sur un morceau de charbon. Il a tourné la tête dans ma direction sans paraître surpris de me voir, tout en continuant à s'occuper du cheval. Je me suis sentie attirée, en droit de m'approcher du portillon de la stalle. Je l'ai pas ouvert. J'étais bien, pas du tout gênée comme au jardin, à croire qu'il s'était passé des choses nouvelles entre-temps. La nuit, sûrement. Il a pas arrêté de brosser le cheval de tout le temps qu'il me regardait, toujours avec la même application.

T'aimes ça, les chevaux, il m'a demandé. Les regarder, c'est tout ce que je peux faire, mais je crois bien que je les aime, pour ce que je les connais, j'ai répondu. Il a passé une main sous le cou du cheval en se penchant légèrement. Celle-là, c'est Artémis, ma préférée. Ah, c'est une jument. T'avais pas remarqué, il a dit en souriant au cheval. Je me suis sentie un peu gourde. Elle est pas magnifique, il a dit. La moquerie avait disparu de son visage. Oui, elle est très belle, j'ai dit. Tu sais qui était Artémis. Non, j'en sais rien du tout. La fille de Zeus, déesse de la chasse. Elle a pas l'air farouche, j'ai dit pour dire quelque chose. Il a pris son air sérieux qui lui creusait des sillons supplémentaires dans le front. T'y fie pas trop quand même, elle connaît son monde. Je me doute bien. Il faut prendre son temps avec les chevaux, tu sais. Je risque rien, en restant là. C'est sûr, t'aimerais la caresser.

Je crois pas que je fais partie de son monde, comme vous dites. Il a attrapé une corde suspendue au mur du fond. Approche, il a dit, comme s'il m'avait pas entendue. J'ai hésité un moment. Il a fait un geste de la main pour me demander d'entrer. J'ai alors ouvert le portillon, et je me suis avancée vers lui, vers eux. Il a lentement passé la corde autour du cou de la jument. Puis, tout en empoignant la corde, il a tendu son autre main pour prendre la mienne et la guider juste en haut de la jambe de la jument. Un détail que j'ai appris ce jour-là, qu'on parle pas de patte pour un cheval, mais de jambe, comme pour nous autres.

Caresse-la d'abord, faut qu'elle s'habitue à toi, il a dit sans lâcher ma main. Je me suis mise à caresser la jument. J'avais jamais rien touché d'aussi doux, et en même temps je sentais toute la puissance des muscles au repos, qui demandait rien qu'à exploser sous mes doigts. Par endroits, de grosses veines biscornues gonflées de sang semblaient chercher à fuguer au-dehors. À un moment, la jument a fait un mouvement de tête vers le haut, puis vers le bas. La main d'Edmond qui tenait la corde a suivi le mouvement sans résister. Il m'a lâchée. J'ai reculé d'un pas, un peu craintive, mais j'ai pas retiré ma main pour autant. La jument s'est arrêtée de bouger. Je me suis remise à la caresser en lui disant qu'elle était belle, qu'elle était ce que j'avais vu de plus beau dans ma vie. Je me suis de nouveau rapprochée. Je pensais qu'elle était ce que j'avais rencontré de plus libre et de plus noble, aussi, même enfermée dans l'écurie, à croire qu'il y avait que des animaux pour atteindre cette forme de dignité, je me suis dit.

J'étais toute concentrée sur les réactions de la jument, à surtout pas la brusquer. Je crois bien qu'elle t'a adoptée, a dit Edmond. Le mot adopté me semblait pas vraiment approprié à de simples caresses acceptées par un cheval. Je crois pas qu'on en est là, j'ai dit sérieusement. T'aimerais monter sur son dos. Ma main s'est arrêtée. J'ai regardé Edmond, comme on regarderait ce qui brille, sans comprendre d'où ça vient. Son regard à lui était paisible, rassurant. C'est déjà bien de la caresser, j'ai dit. Tu m'as pas répondu. Je suis en robe. Tu auras qu'à la remonter un peu. Et puis, elle me mettrait sûrement par terre. En vrai, je continuais à me chercher des excuses, juste pour qu'Edmond les renverse. Pas tant que je suis là, je la connais par cœur. J'ai pensé au maître et à la vieille. Et si quelqu'un me voit. Personne peut nous voir ici, à cette heure, ce serait notre secret, il a dit en baissant la voix au fur et à mesure. Il était bien moins peureux que devant l'échelle. Un frisson m'a traversé le corps en imaginant ce secret commun qu'on aurait alors, et qui nous rapprocherait un peu plus. Je me suis mise sur la pointe des pieds, et j'ai approché ma bouche de l'oreille de la jument sans pouvoir l'atteindre. J'adorerais monter sur ton dos, Artémis, dis, tu veux bien accepter. La jument a cligné un œil, sûrement par réflexe, mais j'ai voulu comprendre qu'elle était d'accord. Je me suis tournée vers Edmond. Comment je fais. C'est pas compliqué, je vais te soulever un peu et t'auras juste à balancer ta jambe droite par-dessus sa croupe, il a dit en me montrant le geste avec son bras. Je regarde pas, il a ajouté. Elle aura pas peur, vous me le promettez. Il a lâché la corde et s'est mis à caresser la jument pendant un moment. Puis, sans rien dire, il m'a saisie et m'a soulevée. J'ai eu l'impression que ses mains en faisaient le tour de ma taille. J'ai balancé ma jambe, comme si je l'avais déjà fait avant, et je me suis retrouvée sur le dos de la jument, le nez dans la crinière, en train de jouer des cuisses et des hanches pour me redresser en ramenant ma robe sur mes fesses découvertes. Une fois à peu près stable, j'ai plus bougé. Mon corps bouillait d'énergie. Maintenant que mes pieds touchaient plus le sol, je me sentais libérée de quelque chose de pesant et je voyais le monde différent de ce qu'il était par terre, comme si j'avais trouvé le moyen d'échapper à celui-là pour faire partie d'un autre. Je pensais pas un seul instant au moment où il me faudrait redescendre.

Serre bien les cuisses, m'a dit Edmond. Je me suis appliquée à faire ce qu'il me demandait. Ensuite, il a attrapé la corde et l'a tirée tout doucement pour entraîner la jument autour de la stalle. J'en menais pas large au début, et puis j'ai vite pris de la confiance. J'étais rudement fière, perchée là-haut, maintenant bien droite, comme si les muscles de la jument se prolongeaient jusque dans moi, avec ma peau qui frottait sur la sienne et ma culotte par endroits. Tu te débrouilles rudement bien. Merci du compliment. T'y prends goût, on dirait. Edmond m'a fait faire plusieurs fois le tour, puis il a immobilisé la jument. Faut descendre, maintenant, il a dit à regret, parce que ça se voyait qu'il aurait bien continué à me promener, et moi, j'aurais pas demandé mieux, si seulement il y avait pas eu les autres et mon travail au château. D'accord, comment je dois faire, j'ai demandé. Passe

ta jambe droite par-devant et laisse-toi glisser, je te rattrape.

Je me suis penchée en arrière en étirant le devant
de ma robe d'une main. J'ai balancé ma jambe droite
par-dessus la crinière et je me suis laissée couler.
Edmond m'a attrapée par les hanches et m'a fait descendre. Quand mon visage est passé tout près du sien
au ralenti, j'ai senti l'odeur du tabac, et une autre que
j'avais jamais sentie avant. Il m'a regardée d'un air
gêné, et il m'a reposée tout doucement au sol, comme
s'il devait consentir à faire quelque chose qu'il avait
pas vraiment envie de faire. S'il m'avait gardée un peu
plus en l'air, j'aurais rien fait contre.

T'es toute légère, il a dit avec une drôle de voix. Pas
plus qu'avant, j'ai dit pour le taquiner. Si, je crois bien.
Comment ça serait possible. On est toujours plus
léger, après être monté sur le dos d'un cheval, il a dit
sur un ton sérieux, vu que c'était une vérité à laquelle
il avait l'air de tenir dur comme fer. Peut-être bien que
vous avez raison, après tout. Et si tu arrêtais avec ces
vous, maintenant. Je sais pas. Essaye pour voir. Alors,
d'après toi, quand on est monté sur un cheval, on
perdrait quelque chose en dedans, qui nous rendrait
moins lourd. Il a souri. Au contraire, je crois qu'on
gagne en légèreté et qu'on perd surtout rien. Je comprenais pas bien où il voulait en venir. C'est un beau
cadeau que tu m'as fait, personne m'en a jamais fait
un aussi beau. Tu ferais une merveilleuse cavalière. Et
je finirais par plus rien peser, non merci, j'ai dit en blaguant. En vérité, j'avais pas envie de blaguer. Le problème avec les choses qui vous font du bien, c'est que
vous avez envie de les refaire, même et surtout quand

126

vous savez plus être en mesure de les refaire. Edmond me fixait et il y avait toujours plein de sérieux dans ses yeux. Je me sentais entièrement enveloppée dans ce regard. J'ai machinalement penché la tête en arrière. J'ai pas eu besoin de lui expliquer pourquoi je le faisais, que c'était pas pour mettre de la distance entre nous, au contraire, mais pour mieux le voir. Le vous qui était devenu tu aussi facilement y était aussi pour beaucoup. Je pensais à rien de plus qu'à me laisser aller.

Après ça, mes souvenirs s'emmêlent avec ceux de la nuit passée. Tout ce que je me rappelle, c'est que quelque chose a lâché dans mon corps, quelque chose que je sentais pas avant, que je savais même pas qui existait, quelque chose qui était au bord de moi et aussi à l'intérieur de moi, quelque chose qui m'avait appartenu avant et qui m'appartenait plus une fois que je l'ai eu offert à Edmond. Je saurais pas dire aujourd'hui ce qui est vraiment arrivé, je sais même pas comment j'ai quitté l'écurie.

Tout le restant de la journée, j'étais dans un drôle d'état. Ma caboche moulinait sans arrêt ce que j'avais vécu, ce que j'avais peut-être imaginé, là-bas dans l'écurie, comme si elle voulait en faire de la semence de rêve. Ma caboche, je pouvais pas l'empêcher de faire ce qui lui chantait.

Le maître et la vieille se sont pas parlé de tout le déjeuner. J'ai senti qu'il y avait une grande tension entre eux. En début d'après-midi, ils se sont enfermés dans le bureau. J'avais tellement à faire que je suis pas allée écouter à la porte. Quand ils sont ressortis, ils avaient l'air beaucoup moins graves. À les voir faire plus tard pendant le repas du soir, j'ai imaginé que tout s'était réglé au mieux. Ensuite, comme d'habitude, la vieille est montée se coucher la première sans souhaiter une bonne nuit à son fils. J'aurais dû trouver ça bizarre, mais j'avais encore la tête sacrément embrouillée, à pas savoir ni vouloir démêler le vrai du pas vrai.

Le maître est monté à son tour. J'ai fait la vaisselle, et préparé pour le lendemain matin, sans que le travail me pèse, toujours à rêvasser. Puis j'ai éteint toutes les lampes et j'ai quitté la cuisine. En montant les escaliers, je savais qu'il me serait difficile de trouver le sommeil. Je voulais étirer la journée au plus que je pourrais, lutter contre la nuit pour laisser le champ libre aux idées qui me viendraient.

En arrivant sur le palier, j'ai trouvé la porte entrouverte et j'ai vu une lueur qui en débordait. La vieille était revenue. Autant en finir vite, je me suis dit, plus agacée que peureuse. Je suis entrée. Elle était bien assise sur la chaise, comme la première fois. Une bougie brûlait à côté d'elle en faisant sautiller des ombres sur son visage, comme la première fois. Elle a tapoté le lit pour me faire asseoir, comme la première fois. J'ai obéi, comme la première fois. Ce qui avait changé, c'était qu'elle me regardait pas moi, mais la porte que j'avais pas refermée. Elle la fixait même, justement pas du tout comme la première fois. Alors, je me suis tournée de côté pour suivre son regard. Heureusement que j'étais assise, sinon je serais tombée de cul en découvrant la silhouette du maître.

Il a refermé la porte derrière lui et s'est avancé. Une fois qu'il a été devant moi, il s'est baissé en plissant les

128

yeux. On aurait dit qu'il voulait être certain que c'était bien moi qui étais sur le lit. La vieille a levé un bras en l'air et l'a laissé retomber sur une cuisse, comme si elle donnait le signal de départ. Déshabille-toi, a dit le maître sèchement. Mon cœur s'est arrêté de battre. J'ai bien cru qu'il allait jamais repartir, et même que ça m'aurait pas gênée qu'il reparte pas, que je m'endorme là, pour que tout soit fait et vécu avant d'avoir été, pour que ce qui se déroulait dans cette chambre existe jamais. J'ai fait semblant de pas comprendre. Le maître a retiré sa veste et l'a accrochée sur un montant du lit. Il attendait en regardant maintenant la vieille. Fais ce qu'on te demande, elle a dit. Je peux pas faire ce que vous me demandez. Et pourquoi tu pourrais pas. Je peux pas, j'ai répété. Le maître est revenu à moi. Il s'est de nouveau penché avec un drôle de sourire. Je vais t'aider, si tu n'y arrives pas toute seule, il a dit. J'ai levé les bras pour me protéger. Je me suis mise à crier que je voulais pas faire ce qu'il disait, qu'il avait pas le droit. Il y avait plein de saletés qui m'encombraient la gorge, qui remontaient et descendaient, sans vouloir sortir par un bout ou un autre. Obéis sans discuter, a alors craché la vieille. D'un bond, je me suis reculée à l'autre bout du lit, contre le mur, la tête dans les mains, et je criais toujours. Je veux pas, je veux pas, je veux pas. Tu vois bien qu'il faut que je t'aide, a dit le maître. J'ai senti le matelas qui pliait sous son poids. J'ai pivoté, face contre le mur. Je pleurais et je criais en même temps qu'il avait pas le droit de me toucher. Puis j'ai fermé les yeux et je me suis bouché les oreilles pour plus les entendre, pour pas m'entendre, pour que ça s'arrête, qu'ils disparaissent, que je remonte sur le dos de la jument et qu'Edmond me prenne la main et qu'on parte loin. Pendant un moment, j'ai cru que ça avait fonctionné. Je me suis arrêtée de crier. J'entendais plus rien. J'ai rouvert les yeux, découvert mes oreilles, pensant qu'ils avaient eu pitié, ou que j'avais rêvé. Vas-y, qu'on en finisse. La voix de la vieille m'a transpercée. J'étais maintenant incapable de crier. Je me suis mise à prier Jésus, Marie, Joseph et tous les saints de me venir en aide, n'importe qui, de faire disparaître le maître et la vieille, ou même de me faire disparaître, mais il y en a pas un qui a levé le petit doigt, comme chaque fois que j'avais eu besoin d'eux dans le passé. C'est là que j'ai compris, que le diable, lui, il vient sans qu'on ait besoin de l'appeler.

Le maître a posé ses grosses mains sur moi. J'ai essayé de lui échapper en me faufilant. Il m'a rattrapée par une cheville en me tirant vers lui. J'ai cru que ma jambe se séparait du reste de mon corps. Je me suis remise à crier. C'était bien le diable qui se tenait derrière moi, qui m'agrippait de force par les hanches en me soulevant pour que je me tienne à quatre pattes. Ensuite, il a relevé ma robe. Il a glissé une main entre mes jambes et il a arraché ce qui le gênait pour faire ce qu'il avait décidé. Arrête de te débattre, ça sert à rien, sinon, je vais t'en faire passer l'envie. J'ai regardé par côté la vieille d'un air suppliant. Elle bougeait pas un cil, pendant que le diable en personne me fouillait avec un doigt. J'ai crié encore plus fort, tellement il me faisait mal. Puis il a retiré son doigt. Je l'entendais farfouiller dans mon dos. Pendant un moment, j'ai cru qu'il me laissait tranquille. J'ai essayé de me dégager, mais il m'a attrapée par les fesses pour me redresser comme un morceau de viande sur un billot. Il s'est collé à moi et j'ai senti son machin dans la raie de mes fesses. Il poussait pour forcer le passage, tellement bien que je me suis retrouvée la tête coincée entre les barreaux du lit. Je tentais de l'empêcher d'aller plus loin avec mes mains entre les jambes, qui pouvaient même pas l'atteindre. Vous me faites mal, arrêtez, je vous en prie, faites pas ça, je vous en prie, je vous en prie, faites pas ça, j'ai mal, je gueulais. Il poussait en soufflant comme un bœuf. Il s'en foutait que je gueule qu'il me faisait mal, je crois même que ça l'excitait encore plus. La vieille était toujours sur la chaise, elle récitait des paroles que je comprenais pas. C'était de la douleur supplémentaire qu'elle reste là sans rien faire, alors qu'elle devait bien imaginer ce que j'endurais. Je savais pas ce qui me faisait le plus souffrir entre la douleur, le dégoût et la honte. Et puis le maître s'est retrouvé dans moi, entièrement planté dans moi. Il s'est arrêté de bouger d'un coup. J'avais plus de voix. J'étais rendue au-delà de ce que je pouvais supporter.

Petite salope, tu t'es bien foutue de nous, il a dit sur un ton plein de haine. Il m'a tiré les cheveux en arrière, comme s'il conduisait un cheval, et s'est mis à aller et venir à toute vitesse. Je me suis mise à prier pour qu'il termine vite, pour essayer de me fermer aux grincements du sommier, au souffle du maître, à ses coups de boutoir, à la voix de la vieille, à la douleur dans mon ventre, pour tout refouler en dehors de ma tête. La jument est sortie de la nuit au galop. J'ai sauté sur son dos au passage, et elle m'a emportée au loin. Pendant qu'on galopait, je ressentais plus rien de mauvais. Je sentais plus mon corps et les violences qu'on lui faisait. Ça a pas duré bien long-temps. Tout est revenu, non pas que la jument m'avait mise par terre, elle était simplement plus sous moi, disparue. Ma tête me lâchait, j'étais de nouveau sur ce foutu matelas à me faire prendre par le maître. Il a poussé un cri et il est retombé sur mon dos. Quand il s'est retiré, j'ai senti du liquide chaud couler sur mes cuisses, je savais ce que c'était, et ce qui me dégoûtait par-dessus tout, c'était que ça venait de lui et que je pourrais jamais me laver assez pour m'en débarras-ser complètement. Je bougeais pas. Je me sentais sale, dégoûtante, encore moins que du rien. Tout ce que je voulais à ce moment-là, c'était qu'ils partent tous les deux, qu'ils me laissent seule pour essuyer ce qui me coulait dans la raie des fesses et sur les cuisses, ce qui me brûlait comme de l'acide en dedans de moi et sur ma peau. Ils se sont parlé doucement, mais j'ai pas saisi. Catin, a dit tout fort la vieille, pour que j'en-tende bien. Comme si c'était pas suffisant. Je me suis pas retournée. Je les ai entendus sortir de la chambre. La vieille a répété plusieurs fois le mot en s'éloignant dans les escaliers.

Une fois seule, j'ai tiré le drap entre mes cuisses pour m'essuyer. Je me suis remise à pleurer en ouvrant les yeux. La flamme de la bougie m'a sauté au visage. Je me suis penchée au bord du lit pour vomir tout ce que j'avais dans le ventre. Quand j'ai plus rien eu à vomir, j'ai mis un doigt dans ma bouche pour que continue de sortir ce qui était entré dans moi, ce que j'avais pas pu essuyer, ce qui était resté accroché, ce que je croyais pouvoir vomir et que je sentais toujours là. Pendant que je vomissais de l'air, la jument est revenue. Elle avait presque plus de chair et de peau. On lui voyait les muscles et les os par endroits, et sa bouche était juste un sourire atroce.

Ce soir-là, j'ai compris que c'était vraiment le diable qui m'avait fait souffrir, et qu'il reviendrait sûrement, maintenant qu'il avait goûté à moi. J'aurais voulu réfléchir à ce que je devais faire, mais je pouvais pas me concentrer suffisamment, sans cesse à guetter les bruits qui auraient pu annoncer son retour. Pour que tout recommence. J'ai serré les cuisses, paniquée à l'idée qu'il revienne me prendre. J'ai attendu. Du temps a passé, et comme il y avait plus de bruit, je me suis allongée sur le dos, tellement j'avais mal au ventre. En basculant doucement, mes yeux se sont posés sur le drap taché. Je l'ai roulé de suite en boule pour plus voir les taches. J'avais du sang dans la bouche, et je pouvais pas le vomir, ce sang mort, le goût vivant du sang mort dans ma bouche. Je savais que j'arriverais jamais à cracher assez pour m'en débarrasser. J'aurais voulu quitter la maison, en être capable, partir à travers les bois, retrouver maman, mes sœurs, et même mon père, lui, le responsable de mon malheur, mais j'étais incapable de bouger. Si seulement j'avais pu remuer un peu, je serais allée tuer le maître et la vieille, même si je savais pas comment faire, j'aurais essayé, avec le couteau d'Edmond, peut-être même avec mes mains, rien que mes mains. Mais je pouvais pas bouger.

Mon corps s'est petit à petit détendu quand j'ai compris qu'il reviendrait pas cette nuit-là. J'ai fini par m'endormir d'épuisement. Jamais j'oublierai cette nuit et le rêve dedans. Je me suis vue rêvant le rêve, comme si j'étais devenue le rêve lui-même, un rêve vide de rêve, un vide préférable à la vraie vie sur terre, avec l'espoir d'y trouver quelqu'un qui viendrait à mon secours en m'empêchant de le quitter pour toujours. Ce qui était le plus étrange en fin de compte, c'était que, pendant que je rêvais, je le savais. Je voulais rester dans le rêve, être le rêve, et plus la Rose sur terre. Quand je me suis réveillée, le pire de tout à accepter, c'était que j'étais plus le rêve, mais que je me souvenais de l'avoir été. C'est devenu le plus terrible des cauchemars, revenir sur la terre, sans avoir été capable de me sauver en restant dans le rêve que j'étais devenue pour un seul moment qui reviendrait peut-être jamais.

Il faisait encore nuit. Je me suis rendormie, mais sans rêver cette fois. Au petit matin, les piaillements des moineaux m'ont sortie de mon sommeil. Je savais pas quelle heure il était au juste. Ça m'était égal. Je suis pas allée préparer le petit déjeuner, parce que je pouvais toujours pas bouger. J'ai entendu des pas dans l'escalier. Je me suis recroquevillée, et j'ai prié, prié, prié, et prié encore, malgré tout. Plus les pas s'approchaient, plus je priais pour pas qu'ils s'approchent, mais ils se rapprochaient quand même. La porte s'est ouverte, et moi, je fouillais désespérément le passage qui me ramènerait au rêve, avec mes yeux qui criaient sans couler derrière mes paupières, qui criaient ce que ma bouche était pas capable de crier. Et puis, il y a eu du silence. Pendant un moment, j'ai cru que j'étais arrivée à entrer de nouveau dans le rêve. Lève-toi et descends, tu as du travail. La vieille s'est interrompue. Elle a émis un petit jappement avant de continuer.

Tu nettoieras tes saletés, c'est une véritable infection ici. J'ai pas rouvert les yeux tant qu'elle était là. J'ai attendu que la porte se referme. J'ai attendu encore longtemps, toujours recroquevillée sur le lit, les yeux toujours fermés, avec la porte du rêve qui s'éloignait et que j'avais même pas été fichue d'ouvrir une deuxième fois.

Edmond

Elle s'est pointée dans l'écurie pendant que je m'occupais d'Artémis.

Quand je lui ai demandé si elle voulait caresser la jument, son visage s'est éclairé de partout.

Elle s'est approchée de moi.

J'ai pris sa main pour la poser sur la robe d'Artémis.

Elle s'est laissé faire.

Je l'ai pas lâchée.

Bon Dieu.

C'était comme si je caressais moi-même la jument, que je sentais ce que sentait la petite main que je voyais plus.

Je lui ai proposé de monter sur le dos d'Artémis.

Elle m'a regardé comme si je venais de dire une ânerie.

Quand elle a compris que c'en était pas une, l'or a gagné du terrain dans ses yeux.

Je l'ai aidée à enfourcher la jument.

Bon Dieu.

J'ai vu des bouts de peau que j'avais jamais vus avant.

Bon Dieu de bon Dieu.

Les griffes se sont enfoncées encore plus profond.

J'ai tourné la tête, mais j'ai pas résisté longtemps.

C'était beau de la voir chercher son équilibre, et ça faisait mal en même temps.

Elle regardait droit devant, bien concentrée.

Ses petites fesses rondes roulaient sous la robe, et ses épaules penchaient d'un côté et puis de l'autre en cadence.

Chacun de ses mouvements était aussi fluide que de l'eau contournant un rocher.

De temps en temps, elle me jetait un regard, et dans ce regard, y avait tous les mercis du monde.

Je sais pas ce que le mien disait.

Au bout d'un moment, j'ai regardé ma montre.

Je m'en voulais de rompre le charme, mais je voulais pas qu'on nous surprenne.

Elle s'est laissée glisser.

Bon Dieu.

Sa robe s'est encore relevée.

J'ai pas regardé ailleurs.

Je l'ai attrapée par la taille.

J'avais pas envie de la reposer au sol.

Je savais même pas qui était suspendu à l'autre.

Je voyais plus la gamine qu'elle était en vérité.

Je voyais une petite femme que je tenais pour lui prouver que j'étais capable de la protéger rien qu'en la maintenant en l'air le temps que je voulais, sans effort.

Bon Dieu.

La mousse et la terre mélangées.

Malgré moi.

C'était pourtant le même bonheur que je tenais, je le jure.

Rose.

Elle a dénoué un fil que j'avais enroulé depuis le drame.

La terre a fleuri.

Je sais plus combien de temps je l'ai gardée en l'air.

Ce dont je suis sûr, c'est que j'ai jamais pu prononcer son prénom.

J'en crevais d'envie, mais si je l'avais fait je l'aurais fait disparaître, j'en étais sûr.

Bon Dieu.

Alors, j'ai fermé les yeux.

Elle est toujours là quand je ferme les yeux.

Je voudrais être aveugle.

Un aveugle peut pas faire de mal à imaginer ce qu'il voit plus en vrai.

Plus rien bougerait, si j'étais vraiment aveugle.

Bon Dieu.

Elle serait toujours avec moi.

Rose.

Personne arrivera jamais à la rendre moins jolie.

Même pas eux.

Quand son visage se plie de soucis, il est toujours plein de ce charme qui rattrape les sourires morts qu'on lui devine.

Ceux qui savent rien de la beauté pourront pas s'empêcher de pas la voir, et moi de la regarder.

Chacun à sa place, bon Dieu.

La beauté, ça s'empêche pas, c'est quelque chose que les hommes ont pas eu le choix de pas inventer, pour lui vouloir du bien ou du mal.

Moi, c'est que du bon que je lui veux, je crois bien.

J'ai essayé de regarder ailleurs, au début, en me cachant derrière la fumée de ma cigarette, aussi pour masquer l'odeur de la terre.

Je jure que j'ai essayé.

Rien à faire.

J'ai beau aller ailleurs qu'où elle est, elle me suit quand même partout, pas juste elle, mais ce qu'elle est aussi en dedans, qui la fait devenir plus qu'elle-même, et elle le sait même pas, enfin je crois pas encore qu'elle le sait vraiment.

C'est une femme.

Leur mystère, c'est pas une chose qu'on peut expliquer, nous les hommes, juste tenter de s'en approcher.

Je crois qu'elles naissent toutes avec le savoir de ce mystère qu'elles ont au fond d'elles, qui nous bouscule le sang, d'abord grossièrement, comme du tissu brut qu'elles travaillent à faire la robe de mariée.

Ce qu'elles attendent, en fin de compte, c'est de mélanger le pouvoir du sang, alors qu'on veut juste posséder le leur.

On n'a pas les mêmes égoïsmes, mais on peut s'en faire un même nœud au cœur.

C'est avoir que veulent les hommes, les femmes, c'est pouvoir. On fait rien pour, et elles tout.

Bon Dieu.

Je peux, moi, quand je suis aveugle.

Onésime

Il écouta les aboiements s'éteindre lentement, délaissa ensuite le chemin pour la forêt, puis s'assit sur une souche morte aux allures de crâne fossilisé.

Il attendit longtemps, ne pouvant se résoudre à rentrer chez lui sans la main de Rose dans la sienne, sans même porter la parole de sa fille. Il avait promis à sa femme de revenir avec elle, et il ne ramenait rien qui pût témoigner que son voyage n'avait pas été vain. Il ne savait pas mentir. Il avait promis. Leur couple n'y survivrait pas, si face à l'adversité il reniait cette promesse faite à cette femme qui ne lui avait jamais appartenu, mais à qui il savait avoir appartenu un jour, cette femme dont il conservait au plus profond de lui la trace de la première séduction, et peut-être bien la seule, même maladroite, celle qui avait fait déjouer son cœur en lui brûlant le sang.

Le maître de forges se prenait pour une espèce de dieu capable de décider du sort de sa fille, juste parce qu'il était bien né et qu'il avait payé un prix. Il avait clairement menacé Onésime, et sa famille entière. Jusqu'où était capable d'aller un tel homme ? En pensant à toutes les souffrances dont il était responsable, Onésime eut la certitude que la pire des choses n'était pas de mourir, mais de perdre toute raison de mourir. Il ferait ce qu'il avait promis, quoi que cela dût lui coûter.

Il bascula la tête en arrière vers la cime des arbres, emplit ses poumons d'air frais, prenant de longues inspirations, comme s'il avait besoin d'en faire provision pour longtemps, sans savoir exactement quelle durée, puis se leva et se mit en route vers le domaine du maître de forges. Tant que les chiens étaient à la poursuite du sanglier, Onésime ne risquait pas de tomber à nouveau sur le chasseur.

Parvenu en lisière de forêt, il sauta par-dessus le talus et se retrouva sur le chemin. Il se mit à marcher de plus en plus vite, à courir même, sans faiblir, malgré les ornières qui violentaient ses articulations, son corps devenu malléable par sa seule volonté.

Plus tard, il traversa un pont et arriva en vue de la propriété qu'un panneau indiquait. Il s'avança prudemment à couvert, inspecta les environs, distinguant bientôt l'imposant portail, surmonté d'un frontispice en fer forgé. Le domaine était entièrement cerclé d'un mur d'enceinte. Il le longea un moment, jusqu'à découvrir le défaut dans l'armure de pierres qui lui permettrait de le franchir sans être repéré : un hêtre imposant, dépliant de grandes branches perpendiculaires au tronc. Onésime grimpa aussitôt à l'arbre, et atteignit une grosse ramure qui enjambait le mur à moins d'un mètre de son faîte. Il enserra la branche avec ses jambes et ses bras, et se mit à ramper jusqu'à se positionner à l'aplomb du mur. Il se laissa ensuite couler dessus, s'accroupit, observant le parc en contrebas, puis se suspendit au rebord et sauta sur le sol enherbé.

Il s'avança prudemment à l'intérieur du parc, et se posta derrière un fouillis de charmilles, de manière à embrasser du regard la façade d'un manoir entouré de dépendances. Il attendrait le temps qu'il faudrait. Le bon moment. Il n'avait pas faim, il n'avait plus peur, ne pensait pas au flair des chiens, à la bourse imprégnée de son odeur, aux menaces de l'homme, à l'homme lui-même qui n'était pas autre chose que cela en fin de compte.

Après un temps qu'il fut incapable de considérer ainsi, puisqu'il se tint soigneusement en dehors, et comme s'il était exaucé d'une demande qu'il n'avait même pas osé faire, craignant de trop demander, le simple vœu d'apercevoir sa fille, il la vit sortir de la maison, reconnut immédiatement sa silhouette, sa démarche, malgré les vêtements qu'on lui faisait porter et le bonnet qui lui mangeait une partie du visage. Il se retint de se précipiter à sa rencontre, de peur d'être démasqué avant d'avoir pu lui parler. Attendre encore un peu. Il crut l'avoir perdue, lorsqu'elle disparut derrière la maison, fut soulagé de la voir réapparaître peu après, et se diriger vers ce qui lui semblait être l'entrée d'une écurie. Elle demeura un instant immobile devant la porte ouverte, puis entra. Onésime se faufila derrière des buissons pour se rapprocher de l'écurie. Parvenu à moins de dix mètres, le cœur emballé, il observa encore les environs ; et ne voyant personne alentour, rejoignit le mur contre lequel un grand rosier grimpant pleurait des larmes parfumées rose pâle. Il progressa lentement, griffé au passage par les épines, avant d'atteindre le battant de la porte, derrière lequel il se cacha. Il entendit des hennissements, puis une voix d'homme à peine audible, nullement celle de sa fille. Son cœur éclata, comme sous l'impact d'un coup de fouet frappant une cruche fragile. Le maître était déjà rentré de la chasse, pensa Onésime. Il n'avait pas été assez rapide. Ses mains cramponnées au mur, pétrifié, cloué sur la pierre, il s'approcha encore, colla son oreille dans l'embrasure, n'osant pas regarder. La voix lui parvint plus distinctement, pas celle du maître, car il l'aurait reconnue entre mille. Puis il entendit une autre voix, fluette, et les larmes lui montèrent aux yeux. C'était sa fille bien-aimée, qu'il avait pourtant vendue à un inconnu, croyant les sauver tous, et elle aussi, en quelque inavouable manière, avait-il cru bon de se convaincre en un temps maudit. Ce que personne ne comprendrait jamais, ce qu'il ne parviendrait pas à expliquer à quiconque, pas même après des années de rédemption, pas même à lui, surtout pas à lui, collé à la porte, sa joue raclant le bois, insensible aux multiples blessures infligées auparavant par le rosier, pas plus qu'à l'écharde fichée sous sa peau, tel un petit glaive effilé enfoncé à la garde, empêchant le sang de couler, comme un bouchon sur le goulot d'une bouteille. N'y tenant plus de savoir qui était avec sa fille, Onésime se pencha lentement en retenant sa respiration, pour voir l'intérieur de l'écurie.

Dans une stalle, à mi-distance entre le fond de l'écurie et la porte, il aperçut Rose assise sur un cheval de race, souriant à un homme dont Onésime ne distinguait que le profil, un homme qu'il n'avait jamais vu de sa vie. Rose souriait. Une forme de douleur pénétra alors le corps du père, une douleur qu'il n'avait pas envisagé subir, pas de cette nature-là. Sa fille était heureuse, cela crevait les yeux. On lui permettait de monter un animal magnifique, voilà la réalité. Et lui, Onésime, le plus haïssable des pères, pour ce qu'il avait osé commettre sans en avoir le droit, désormais illégitime, qui était-il donc pour vouloir faire descendre Rose et la ramener à la misère d'une ferme ? Cette ferme n'était plus chez elle. Qu'aurait-il eu à lui offrir, hormis un passé sans plus d'avenir que n'en contenait son propre passé ? Rien de comparable à ce qu'elle vivait ici, en tout cas. Il n'avait décidément rien à offrir, sinon la tristesse de retrouvailles nimbées de culpabilité, un pardon qu'il n'oserait peut-être jamais demander à cette fille souriante dignement perchée sur le dos d'un pur-sang, cette fille qui n'était déjà plus sa fille, et lui qui n'était plus son père depuis longtemps, qui ne l'avait sûrement jamais été au sens de la mission qu'un père se doit de remplir envers son enfant. Quels mots auraient pu la convaincre de suivre ce traître qui avait pris à jamais la place du père défaillant ? Pas un seul qu'il eût pu prononcer. Quel désastre irréparable avait-il engendré ? Le désastre de l'évident bonheur de sa fille, le désastre d'avoir eu raison de la conduire ici pour la perdre, ou plutôt de n'avoir pas eu le tort de se tromper une fois de trop. Et peut-être qu'elle ne l'aurait même pas vu ou pas voulu le voir, qu'elle aurait encore moins répondu à sa demande d'être regardé et considéré comme celui qu'il avait cessé d'être. Peut-être qu'elle l'aurait ignoré, lui, Onésime, désormais devenu étranger aux yeux de Rose, et elle, désormais dédaigneuse face à l'apparition damnée.

Il n'imagina pas un seul instant qu'elle pût lui pardonner. Il pensa que la seule chose qu'elle ferait serait de congédier son image haïssable aux portes d'un enfer, du haut de son grand cheval noir, un déshonneur qu'il était incapable d'assumer alors. Le maître de forges avait raison. On ne revient pas en arrière.

Incapable d'en supporter davantage, Onésime retrouva lentement l'usage de ses membres, recula, longea le mur, écorchant le dos de ses mains sur les jointures salivantes de salpêtre, et bientôt, à nouveau sur les épines du rosier. Des larmes coulaient de ses yeux, des larmes dont il ne comprendrait la signification profonde que bien plus tard, quand une autre douleur que la perte ferait couler d'autres larmes, cette autre douleur indépassable qu'est la trahison. Car comment dire à sa femme qu'il avait vu sa fille radieuse sur le dos d'un grand cheval taillé pour la course ? Comment parler de l'homme qui tenait la bride ? Quels mots aurait-il pu trouver pour décrire la scène, sans qu'elle parût obscène ? Quels mots qu'elle n'aurait pas, dans l'instant, travestis en une forme maternelle d'abandon ? De toute façon, jamais elle ne le croirait, et même s'il jurait sur leur Dieu elle ne le croirait pas davantage. Il n'y avait pourtant rien d'autre à faire que de rentrer chez lui, pas d'autre choix que de tenter de transformer la haine en pitié.

Il s'éloigna encore, toujours collé au mur. Son veston gris et son pantalon gris, mimétiques oripeaux ravaudés, faisaient comme les écailles d'un lézard des murailles. Il était résolu à affronter sa femme, tout plutôt que le regard méprisant de sa fille. Il n'avait aucune certitude, mais il savait au moins que l'une pouvait le maintenir dans une forme de vie, quand l'autre le tuerait à coup sûr avant même qu'il ne soit mort, d'un seul regard, et peut-être pire, d'un seul mot. Il avait pu encaisser l'humiliation du maître de forges, mais jamais ne pourrait supporter celle infligée par sa fille, ce déshonneur du sang. Incapable de concevoir le désastre possible, simplement capable de penser à ce qui était le mieux pour elle et aussi pour lui, sans la grâce d'un autre possible, ce possible qu'il n'envisageait pas encore, celui que sa fille, le voyant, descende du cheval, accoure vers lui, se jette dans ses bras, et qu'ils s'enfuient à travers bois. Ce possible impossible en cet instant.

Onésime retourna se cacher derrière les charmilles, demeurant encore un moment dans le parc, à observer la porte, comme si elle allait lui révéler une autre vérité que celle de sa déchéance éternelle. Puis le soleil se hissa brusquement par-dessus la maison et vint le frapper en pleine figure. Il eut la sensation qu'un grand doigt brûlant le désignait pour lui signifier qu'il était temps de quitter les lieux, qu'il n'avait plus rien à faire ici, qu'il n'avait jamais rien eu à y faire, qu'ailleurs était sa misérable place et qu'ici était celle de sa fille ; que l'ici et l'ailleurs étaient désormais deux mondes distincts dans lesquels les uns et les autres ne pouvaient se rencontrer.

Rose

Ils ont fait comme si de rien n'était, comme s'il s'était rien passé cette nuit-là. Je faisais tout pour pas les regarder, mais je les voyais quand même. J'imagine qu'à ce point de dégoût où j'étais rendue, la haine que j'avais de moi étouffait en partie celle que j'avais d'eux. Ils étaient devenus eux, un genre de monstre à deux têtes qui était rentré dans moi, entre mes cuisses, dans mon ventre, dans ma tête. Je faisais pas de différence entre eux. Il y en avait pas un de plus coupable que l'autre, de moins innocent. Et eux, ils étaient là, dans leur vie, à faire comme s'ils m'avaient rien fait de mal. Finalement, je me disais que, peut-être pour eux, c'était rien de grave de prendre une fille de quatorze ans qui disait en avoir seize, que j'y étais pour quelque chose.

Je me traînais dans la maison, avec l'impression de pas pouvoir commander mon corps. J'avais des courbatures partout, des haut-le-cœur qui m'obligeaient de temps en temps à m'appuyer sur un meuble pour pas tomber. Et eux, ils voyaient rien ou ils voulaient rien voir. C'était pas important. Ils ressemblaient à deux charognards au ventre plein.

Le soir est venu. Plus la nuit tombait, plus je me paralysais. J'ai allumé toutes les lampes et les bougies que j'ai trouvées dans la salle à manger et dans la cuisine. Je crois bien qu'ils l'ont même pas remarqué. Ils ont mangé ce que j'avais préparé. La vieille a pas fait le moindre commentaire. Ensuite, ils sont allés se coucher dans le même ordre que d'habitude. J'ai tout lavé et rangé, et je me suis assise sur une chaise. Je voulais pas monter dans ma chambre après ce qui s'y était passé. Alors je me suis laissée aller. Je me suis endormie, la tête sur la table.

Il est arrivé de suite dans mon sommeil, il, le maître, tout seul, pas eux deux. Il était encore plus violent qu'en vrai, plus lourd sur moi. Il me faisait presque autant mal qu'en vrai. Il a pas eu le temps d'aller jusqu'au bout, de cracher son venin dedans moi. Non pas que je maîtrisais ce rêve-là à ce moment-là pour l'empêcher, non, pas cette fois. C'est la vieille qui l'a empêché. Elle s'en est sûrement pas doutée, sinon elle aurait attendu avant de parler. Elle aurait laissé le maître finir, même en rêve, et c'est ce qui serait arrivé, si sa voix avait pas traversé le rêve.

Qu'est-ce que tu fais encore ici à cette heure. J'ai ouvert les yeux, basculé la tête sur le côté sans la relever. J'ai mis un moment à comprendre que j'étais sortie du cauchemar pour tomber dans un autre. Monte immédiatement te coucher, qu'elle a ajouté. J'arrivais pas à parler, je la regardais d'un air suppliant pour qu'elle s'en aille, qu'elle me laisse seule, parce que le pire des cauchemars valait mieux que de remonter dans cette chambre où j'avais vomi tout ce que je pouvais, et sûrement pas tout ce que j'aurais voulu.

Je vais y aller, j'ai fini par dire. Tout de suite, elle a dit en haussant encore le ton. Je vous promets que je vais monter, mais laissez-moi encore un peu seule, s'il vous plaît, c'est tout ce que je vous demande. Lève-toi immédiatement, je t'accompagne. Elle se souciait pas de ce que je ressentais, ou peut-être que si, justement, et que ça lui plaisait. Des larmes se sont mises à couler sans arrêt de mes yeux. Je me suis levée en la suppliant encore, mais ça l'a pas plus émotionnée pour autant. Elle m'a attrapé le bras en m'entraînant vers la porte. Au fur et à mesure que je montais les escaliers, j'essayais de me vider, de me vomir moi-même pour qu'il reste rien qu'un corps que j'aurais pu abandonner au maître le temps qu'il fasse son affaire.

Une fois en haut, la vieille m'a poussée dans la chambre et j'ai fermé les yeux. Elle est pas rentrée cette fois. Elle a claqué la porte derrière moi, et je me suis reculée instinctivement contre. J'étais morte de trouille, mais je pouvais plus garder les yeux fermés. Je me tenais debout dans l'obscurité, à chercher dans quel coin se planquait le maître. En vrai, je le voyais partout dès que je fixais un endroit trop longtemps. Au bout d'un moment, j'ai bien failli m'effondrer en entendant une respiration. Il a fallu du temps avant que je comprenne que c'était la mienne, qu'il y avait personne d'autre que moi dans la pièce. J'étais seule.

J'ai repensé à Edmond, à ce qu'il m'avait caché au sujet du maître et de sa mère. Je le détestais lui aussi. Il valait pas mieux qu'eux. Tout ce que j'avais souffert, c'était aussi sa faute. Il m'avait juste conseillé de partir sans me dire de quoi ils étaient vraiment capables. Il devait bien se douter de ce qui finirait par m'arriver si je restais là. Il était fait du même bois qu'eux, taillé dans le mensonge. Tout ce que j'avais vécu de beau, tout ce que j'avais ressenti pour lui venait d'être annulé, étouffé par ma souffrance et ma haine.

Il y avait plus à hésiter. J'ai ouvert le tiroir de la commode, sorti mes affaires, et je les ai fourrées dans mon baluchon. J'ai ouvert doucement la porte. J'ai attendu un moment sur le pas pour vérifier le silence, puis je suis descendue en portant mes chaussures à la main. Une fois dehors, j'avais aucune idée de l'heure qu'il était, de combien de temps j'avais dormi dans la cuisine. J'ai regardé le ciel rempli d'étoiles qui se touchaient presque, et la lune ressemblait à une grosse tache régulière sans grand rapport avec elles. Ça me donnait le vertige. Je me suis vite reconcentrée, avant de me diriger vers le portail ouvert. Une fois l'entrée dépassée, je me suis rendu compte que je marchais pieds nus. J'ai enfilé mes chaussures et j'ai continué sur le chemin, à grandes enjambées. Plus je m'éloignais du château, plus mes forces revenaient, en même temps que je cogitais sur la meilleure façon de leur fausser compagnie. Si je quittais le chemin pour la forêt, je me perdrais à coup sûr. Alors, je me suis dit que ce que j'avais de mieux à faire, c'était de continuer jusqu'au lever du jour, comme ça, quand il pointerait son nez, je piquerais dans la forêt, et je me débrouillerais bien après. J'avais toujours pas la moindre idée de l'heure. Le problème avec la lune, c'est qu'elle bouge pas dans le ciel. Je pensais quand même avoir encore un peu de temps devant moi.

Une heure environ, c'était tout ce qu'il me restait en vrai, avant que le haut des arbres se découpe sur le ciel en train de s'éclaircir. J'ai accéléré sur quelques centaines de mètres supplémentaires en me retournant sans arrêt, et puis je suis entrée dans la forêt par la gauche, vu que c'était la direction qui me semblait la plus logique. J'avais pas autant d'avance que j'aurais voulu. Je filais tout droit pour gagner du temps. Quand des fourrés se présentaient, je baissais la tête et je m'y enfonçais sans me soucier des griffures et des branches qui me revenaient par la figure, ni de mon baluchon qui s'y accrochait. Je sentais rien, je ressentais pas la fatigue non plus. Je marchais aussi vite que mes jambes pouvaient. J'aurais voulu voler par-dessus les arbres, me poser n'importe où, pourvu que ce soit loin du château.

Et puis, j'ai entendu une voix sourde entrer par une oreille, traîner dans ma tête, et sortir par l'autre. J'ai cru que c'était mon imagination. Je l'ai pas cru longtemps. La voix revenait et repartait, et quand elle revenait c'était encore plus fort qu'avant, pas une voix humaine, plutôt des hurlements. Des aboiements. Du froid s'est faufilé à l'intérieur de moi et mes jambes sont devenues plus lourdes. Le maître s'était déjà aperçu de ma disparition et il s'était lancé à mes trousses avec ses chiens. Comment leur échapper. Je crevais de trouille. J'avais aucune chance à la course. Il fallait que je trouve vite une solution. Je me suis arrêtée, j'ai regardé autour de moi pour dénicher un arbre dans lequel je pourrais monter sans trop de difficulté. J'ai trouvé un châtaignier qui ferait l'affaire. J'ai arraché de la mousse par terre et je m'en suis badigeonné la figure pour couvrir mon odeur en espérant que ça trompe le flair des chiens. J'ai retiré mes socques et je les ai accrochées au baluchon, puis je suis grimpée dans l'arbre, au plus que je pouvais monter. Une fois en haut, j'ai déposé mon baluchon sur une fourche, et j'ai plus bougé, cachée dans le feuillage.

Je savais pas si la mousse serait efficace. J'avais entendu mon père raconter que certains animaux traqués étaient capables d'arrêter les battements de leur cœur pour pas diffuser leur odeur. Je retenais ma respiration aussi longtemps que je pouvais, puis je reprenais mon souffle et je recommençais. J'aurais tout donné pour être le genre de gibier dont parlait mon père, mais j'étais pas un animal en vrai, et la mousse a servi à rien. Les chiens sont arrivés en gueulant, la meute au complet. Je les apercevais à travers le feuillage. Ils se sont mis à tourner autour du tronc comme des dératés en levant la tête. J'ai entendu le galop d'un cheval qui approchait. J'ai fermé les yeux. Le galop s'est arrêté. Une voix a rejoint le froid dans mon corps, humaine celle-là, celle du maître qui remerciait ses chiens. Les chiens se sont calmés. Ils couinaient comme des bébés. J'ai rouvert les yeux et je me suis penchée pour m'assurer qu'il s'agissait bien de lui. Je l'ai aperçu entre les feuilles et les branches, la tête basculée en arrière, et c'était comme si j'étais à l'intérieur, comme si je lui appartenais, un animal de ce genre, mais pas celui que j'aurais voulu être. Ce qui me surprenait, c'est qu'il avait pas l'air fâché, plutôt amusé on aurait dit. Il a baissé la tête.

Où tu comptais aller comme ça, il a dit, comme s'il parlait à l'arbre. J'ai pas répondu. Je savais pas ce que j'espérais en me taisant. Sa voix calme me glaçait encore davantage que la colère à laquelle je m'attendais. Même si je pouvais pas imaginer pire que ce qu'il m'avait déjà fait, j'avais aucune idée de jusqu'où il était capable d'aller dans l'horreur. Je t'ai posé une question, il a continué. Me faites pas de mal, je vous en supplie, j'ai dit en tremblant. Il a relevé la tête dans ma direction d'un air de pas comprendre ce que je disais. Mais je n'ai jamais voulu te faire du mal, petite, qu'est-ce que tu vas chercher. Les chiens couinaient plus, ils étaient couchés près du tronc, en train de récupérer de leur course. Descends maintenant, a dit le maître d'une voix dégoulinante. Je me suis agrippée à une grosse branche. J'ai trop peur des chiens, j'ai dit. Il a regardé ses chiens en caressant le vide devant lui, comme s'il voulait m'excuser auprès d'eux. C'est vrai que tu les as bien énervés. Vous voyez que je peux pas descendre. Le maître a guidé son cheval tout contre l'arbre, de sorte à positionner la croupe au ras du tronc. Descends, je te rattrape, tu n'as rien à craindre des chiens. J'ai pas bougé. Je me tenais toujours aux branches. Je sentais plus le froid, et mes mains et mes bras étaient bourrés de coton. J'avais peur de lâcher ma prise, pas de me casser le cou en tombant, mais de me retrouver de nouveau à la merci du maître.

Je n'aime pas répéter, tu le sais, tu ne vas quand même pas m'obliger à monter te chercher, ou à te faire descendre d'une autre manière. Il y avait plus du tout d'amusement dans sa voix. Il s'est penché un peu de côté, comme s'il s'apprêtait à descendre de cheval. Il a caressé la crosse du fusil que j'avais pas encore remarqué, et qui dépassait de l'étui en cuir fixé à la selle. Je doutais pas une seconde qu'il était capable de s'en servir. Je voulais pas finir de cette façon, alors j'ai fait ce qu'il me demandait. La mort dans mon âme, j'ai attrapé le baluchon, je l'ai glissé autour de mon bras, et je me suis laissée descendre en me retenant aux branches qui se présentaient, le plus lentement possible. Tout s'est bien passé, jusqu'à ce que mon pied ripe sur de la mousse. J'ai atterri sur le cheval, qui s'est aussitôt mis à ruer. J'ai de suite senti deux bras se refermer comme un étau autour de ma taille, et me ramener en arrière. Oh, a fait le maître pour calmer son cheval sans me lâcher, puis il a approché sa grosse figure de mon oreille. Tu ne risques plus rien, maintenant, qu'il a dit. Je sentais son gros ventre collé à mon dos, ses bras qui m'entouraient, et je pouvais rien faire contre. Le monde était pire que par terre, pas comme quand Edmond m'avait fait monter sur le dos de la jument. Non, à ce moment-là, le monde, il était tout petit, et il se refermait sur moi.

On s'est mis en route. Je regardais les chiens qui nous suivaient en silence, avec leurs langues qui pendaient comme des bouts de chiffons humides. Qu'est-ce qui t'a pris, tu n'es pas heureuse chez nous, il a demandé avec plein de fausseté dans la voix. Laissez-moi m'en aller, je dirai rien, je vous le jure. Dire quoi, je ne comprends pas. Vous le savez bien. Je soufflais pour renifler le moins possible son haleine qui puait la charogne, que même celle du cheval arrivait pas à la recouvrir. J'arrêtais pas de repenser à la nuit où il m'avait prise. Tu verras, ce sera différent la prochaine fois, tu finiras par y trouver ton compte, il a dit, comme s'il était en train de lire dans mes pensées. Je veux pas qu'y ait de prochaine fois, je vous en supplie, je préfère mourir. Il s'est mis à rire. Mourir, mais ce n'est pas toi qui décides, tu m'appartiens, je croyais que tu l'avais compris une bonne fois pour toutes. Je me suis débattue. Je préférais sauter au milieu des chiens et me faire dévorer tout cru, plutôt que de le laisser recommencer, mais il a lâché la bride pour me retenir avec une seule main qui m'a broyé une épaule. Tu m'appartiens pour toujours, il a répété. Pire que le froid, un vent glacial d'hiver s'est fourré partout en moi, et c'était le printemps.

J'ai alors sorti de ma poche le couteau que m'avait offert Edmond, déplié la lame avec mes dents, et je l'ai lancé en arrière au juger. Elle a rebondi sur quelque chose de dur. Le cheval a rué. Salope, a crié le maître en m'attrapant le poignet et en le tordant pour me faire lâcher le manche. Le couteau est tombé par terre. Il y avait même pas de sang sur la lame. Elle avait même pas dû traverser les vêtements. Tu espérais quoi avec cette aiguille, qu'il a dit en resserrant la bride pour calmer le cheval. On dirait que tu as encore besoin d'une petite leçon, il a dit en remettant le cheval au pas. Il a poussé un grand coup de reins dans mon dos, et il s'est mis à rire. J'ai serré les cuisses autour du cheval. Le bas de mon ventre me brûlait et tout le reste de mon corps était gelé.

On s'est arrêtés à la patte-d'oie. J'ai vite compris qu'il avait pas l'intention de rentrer de suite au château. Je vais te montrer quelque chose, il a dit, avant de tourner à l'opposé du domaine. On a monté une côte raide. Après plusieurs virages, le chemin s'est terminé en cul-de-sac. On est passés sous un porche qui indiquait la forge. Il y avait personne dans les parages, forcément, on était dimanche. On a traversé une cour, puis le maître est descendu du cheval. Il a attaché la bride à un anneau fixé au mur. Il est revenu près de moi, sa tête m'arrivait au-dessus de la hanche. Il a posé sa main en bas de mon dos et j'ai senti son doigt appuyer en haut de mes fesses, monter et puis descendre. J'avais l'impression qu'il me fouillait d'une autre façon qu'avec son machin. Il m'a dit de pas bouger, que ça servirait à rien d'essayer encore de m'enfuir, puis il a fait glisser sa main sur mes fesses jusqu'à la croupe du cheval, et s'est mis à la tapoter. Il a attendu un peu, je crois pour vérifier que j'avais rien à dire. Ensuite, il a fait rentrer les chiens dans une remise, et il est revenu pour m'aider à descendre. J'ai tourné la tête de sorte à jamais me retrouver en face de sa grosse figure bouffie, pour fuir son haleine. Il m'a entraînée en me tenant par le bras vers une grande porte fixée à un rail. Il a ouvert un cadenas et a fait coulisser la porte dans un bruit de tonnerre qui roule. On est entrés, et il a refermé la porte derrière lui. Le tonnerre a résonné à l'intérieur. Il m'a amenée à côté d'un établi recouvert de bouts de ferraille et de drôles d'outils.

Bouge pas, il a dit. J'avais jamais vu de forge avant. Malgré la lumière du jour qui entrait par deux larges fenêtres, l'intérieur était gris et froid. On aurait dit que quelque chose dormait là, quelque chose de pas humain, pas animal non plus, quelque chose d'autre que seul le maître était en mesure de réveiller. Il s'est dirigé vers une large plate-forme en pierre surélevée d'un bon mètre par rapport au sol sur lequel couvaient des braises. Il a attrapé plusieurs poignées de copeaux entreposés au pied à côté d'un tas de charbon, les a éparpillés sur les braises qui demandaient qu'à se réveiller. Ensuite, il s'est mis à attiser en actionnant d'une seule main un grand soufflet à bras. De temps en temps, il me jetait un coup d'œil pour me surveiller. Quand le feu a commencé à crépiter, le maître a balancé plusieurs pelletées de charbon dans les flammes, qui se sont de suite couchées. Malgré ma situation, j'étais fascinée par ce feu qui me paraissait vivant. Le charbon passait du noir au jaune en prenant plein d'autres couleurs vibrantes. Le maître s'est remis à actionner le soufflet. Quand il a considéré le brasier suffisant, il est allé chercher une longue tige en fer accrochée à un mur, et il l'a plongée dans le feu sur une bonne moitié. Il a continué de pomper un moment avec le soufflet, puis il s'est arrêté. Il s'est tourné vers moi en faisant de la main un geste qui souffrait pas le refus, et son visage vibrait comme le charbon.

Approche, je vais te montrer quelque chose de beau, il a dit. J'ai hésité. Approche, je te dis, tu ne le regretteras pas, il a répété sans énervement. Je me suis avancée vers lui en tremblant, toujours fascinée par les braises. La tige avait pris la même couleur dans la partie qui trempait dans le feu. Le maître a enfilé un gros gant en cuir épais. De son autre main, il m'a saisie par le bras, et de sa main avec le gant il a attrapé la tige, qu'il a retirée du feu. Elle s'élargissait au bout, comme une grosse pièce de monnaie. Tout est allé très vite ensuite. Il m'a obligé à m'agenouiller, et à pencher la tête en avant. Je pouvais pas résister à sa poigne autour de mon cou. Je sentais la chaleur du brasier sur mon visage, toujours plus intense, mais c'était rien à côté de la grande douleur qui m'a clouée quand il a appuyé le bout de la tige sous mon oreille droite. Ça a fait un bruit d'eau sur des braises. Sur le coup, j'ai cru que la tige me traversait la gorge, qu'elle me brûlait entièrement, et aussi mes cris, que toute la douleur que je ressentais était repoussée à l'intérieur de mon corps dans un seul grand cri qui sortirait jamais. L'odeur était insupportable, la même que quand on brûle la peau du cochon pour cramer les soies.

Tu m'appartiens, et si tu ne t'en souviens pas à l'avenir, tu n'auras qu'à toucher ton cou, ou te regarder dans une glace, il a dit avec maintenant de la fureur dans la voix. La douleur était insoutenable, alors j'ai tourné de l'œil. Je me suis réveillée en sentant de l'eau qui s'écoulait sous le col de ma robe, et glissait encore plus bas. Ma robe était trempée. J'étais toujours agenouillée, les mains sur les cuisses pour pas basculer. J'entendais toutes sortes de bruits que j'arrivais pas à identifier. Le maître a essayé de me faire lever, mais j'étais pas capable de tenir debout et encore moins de marcher. Il a pesté. Il s'est baissé, dos à moi, m'a attrapé les poignets d'une seule main, et m'a soulevée comme un sac à grain. Il m'a transportée jusqu'au cheval et m'a fait monter dessus. Je suis retombée en avant, le visage dans la crinière, les bras ballants de chaque côté de l'encolure. J'entendais les chiens qui s'agaçaient en griffant la porte, puis les pas du maître qui s'éloignaient sur le gravier. J'ai machinalement tourné la tête de l'autre côté de la brûlure, sans vouloir ouvrir les yeux, et j'ai de nouveau perdu connaissance.

Onésime

Il marcha longtemps dans la même direction. À un moment, n'en pouvant plus, il s'assit sur un lit de mousse, dos calé au tronc d'un chêne, attendant que le soir tombe. Il lui sembla que la nuit ne venait pas d'en haut, mais qu'elle rampait vers lui, et il la laissa entrer dans ses yeux ouverts, puisqu'il ne pouvait pas les fermer. Cela ne lui avait jamais vraiment porté bonheur, mais il réfléchissait mieux la nuit, les yeux grands ouverts, dès lors que les obstacles disparaissaient autour de son corps.

De quoi serait fait ce lendemain qui s'agitait déjà dans sa tête ? À quoi bon continuer, s'il n'y avait rien au bout de la nuit ? À quoi bon le jour ? À quoi servirait-il, ce jour d'après ? S'il n'y avait pas eu sa femme et ses filles, dont les images distinctes revenaient sans cesse en écho de sa trahison, il se serait pendu sans hésiter à la branche d'un arbre, dans un coin reculé de la forêt, afin que personne ne le décroche jamais. Mais sans lui, comment feraient-elles pour subvenir à leurs besoins, pendant qu'il se balancerait sous les frondaisons, suintant sur la terre noire, enfin libre, lui ? Il n'avait même pas ce choix-là, ce droit de disposer de son existence. La vie n'avait décidément aucun sens.

Son ventre se mit à gargouiller. Il sortit le quignon de pain de sa poche, y planta machinalement les dents, arracha une bouchée, et la mâcha lentement. Ce n'était pas la faim qui l'avait conduit à cet acte réflexe, mais autre chose qui le poussait à prendre des forces. Le mouvement de ses mâchoires transmettait une douleur lancinante, irradiait l'intérieur de sa bouche, comme si des câbles en acier frottaient contre la chair. Ne souhaitant surtout pas contrer la blessure, il mit un temps infini à terminer le morceau de pain. Nullement serein, il en poursuivit la mastication, et même bien après qu'il eut avalé la dernière bouchée, à la manière d'un paisible ruminant. Ses dents crissaient en frottant les unes sur les autres, le son grinçait à l'intérieur de son crâne, et il continuait pourtant.

Plus tard, alors que ses yeux étaient parvenus à éclaircir la nuit, autant qu'il fût possible, un gros animal s'approcha de lui. Il aurait pu le toucher, rien qu'en tendant le bras. Sans nul doute un blaireau, à deviner sa masse râblée et puissante. Onésime ne bougea pas. Il écouta l'animal fureter, perturbé par la présence immobile, puis s'éloigner. Plus tard encore, malgré tous les efforts consentis à cette nuit, il réalisa qu'elle n'entrerait jamais en lui, qu'elle demeurerait à la porte de ses yeux, qu'elle ne lui offrirait aucun secours, qu'elle était déjà ce terrifiant lendemain. Et peut-être fut-ce à cause de cela, ou grâce à cela, que sa tête bascula sur une épaule, et qu'il finit par s'endormir au moment où le jour pointait.

Il se réveilla en sursaut en entendant les aboiements. Il se leva d'un bond, paniqué, et se mit à courir éperdument, s'enfonçant dans la forêt en suivant la pente. Il rejoignit le ruisseau, entra dans l'eau et remonta le courant afin que les chiens perdent sa trace. Les aboiements s'estompèrent, en partie recouverts par le clapotis. Il s'arrêta bientôt pour faire le point, trempé par les éclaboussures. Percevant à peine la voix lugubre des chiens, il comprit qu'ils n'avaient jamais suivi sa trace, car ils seraient au moins remontés jusqu'à l'endroit où il était entré dans l'eau. La meute n'avait pas pris cette direction-là. Les aboiements s'éloignaient clairement vers l'est. Les chiens étaient lancés sur un autre pied.

Onésime sentit la fraîcheur de l'eau à travers son pantalon, signe que la panique le quittait. Il sortit du ruisseau, agrippa quelques racines pour escalader le canyon. Une fois arrivé en haut, il tenta d'identifier précisément d'où provenaient les aboiements, mais il n'entendit plus rien. Une brise légère agitait les feuilles, comme si la forêt respirait de nouveau calmement, et qu'Onésime se mettait à son diapason. Réfléchir encore. Ce que la nuit n'avait pu lui souffler. Et s'il s'était trompé, et s'il avait interprété à tort ce qu'il avait vu dans l'écurie ? Le sourire factice de sa fille. Ce doute insupportable ne finirait alors pas de grandir jusqu'à ce qu'il le dévore et s'empare de son âme. Et s'il ne pouvait même pas sauver son âme, il ne serait jamais en paix dans la mort. Il n'avait pas le droit de ne pas se donner la chance de lever ce doute que la honte et sa lâcheté avaient projeté dans l'oubli.

Il brisa une branche pour s'en faire un bâton. Le contact avec le bois sembla définitivement asseoir sa détermination, ce bâton qui ne lui servirait pas à assurer son pas, mais plutôt d'arme utile au combat. Et même s'il avait rencontré un animal fabuleux pour lui barrer la route, il l'aurait mis en déroute, ou l'aurait battu à mort à l'aide de ce simple bâton aguerri ; et l'aurait achevé à mains nues, s'il l'avait fallu.

Onésime retrouva sans difficulté le chemin. Il reprit la direction du manoir du maître de forges. Parvenu à la bifurcation, il entendit le lointain hennissement d'un cheval provenant de la voie opposée à celle menant au domaine. Il raffermit la pression de sa main autour du bâton, hésita un instant, et s'engagea sur le chemin parsemé de crottin fumant. Après cinq cents mètres de marche, il aperçut l'entrée d'une forge. Onésime avança prudemment, passa sous le porche. Ce qu'il vit en pénétrant dans la cour le paralysa. Le maître de forges sortait d'un bâtiment, portant un corps inerte sur une épaule. Ce corps flasque, qu'il hissa sur le dos du cheval et qui s'affala sur le cou de la bête, comme s'il ne contenait plus la moindre vie. Ce corps qu'Onésime reconnut immédiatement, celui de sa propre fille. L'homme se dirigea ensuite vers une porte derrière laquelle piaffaient les chiens. Onésime souleva son bâton à mi-hauteur et se mit à crier, avant que l'autre ne les libère.

— Arrêtez !

Le maître de forges se retourna vivement, les poings serrés. Il regarda Onésime, les yeux brûlants de haine.

— Je t'avais dit de ne pas revenir.

— Qu'est-ce que vous avez fait à ma fille ?

Le regard d'Onésime passa de l'homme à sa fille. Alertée par les voix, Rose bascula la tête de côté, ouvrit les yeux, puis les referma aussitôt. Soulagé de la voir bouger, Onésime l'appela :

— Rose !

Le maître de forges se dirigea vers Onésime. Il s'arrêta à moins de cinq mètres de lui, dressé de toute son imposante stature, nullement impressionné par le bâton menaçant.

— Tais-toi ! dit-il.

Le bâton tremblait de plus en plus.

— Je repars avec elle, dit Onésime.

— Tu bougeras pas d'ici.

— Vous me faites pas peur.

Le maître de forges avança un pied en avant et Onésime recula vivement.

— On ne le dirait pas.

— Faites pas d'histoires et on en reste là.

Le maître de forges se mit à rire, déployant son large torse et son gros ventre qui ne semblaient faire qu'un.

— «Faites pas d'histoires et on en reste là», voyez-vous ça ! dit-il en imitant la voix d'Onésime.

Onésime s'approcha lentement de sa fille sans quitter l'homme des yeux.

— Je vous ramènerai votre cheval, vous avez ma parole, dit-il.

— Ta parole, rien que ça.

Onésime saisit la bride. Il s'apprêtait à la dénouer.

— Lâche-ça ! gueula le maître de forges en fondant sur lui.

Onésime lâcha la bride et brandit son bâton à deux mains. Le cheval rua. Le corps de Rose suivit le mouvement, comme un morceau de lichen suspendu à une branche agitée par le vent. Le maître de forges attrapa la bride au passage et la tira vers le bas afin de maîtriser l'animal, qui se mit à renâcler. « Tout doux mon beau », dit-il. Le cheval se calma. L'homme laissa glisser sa main le long de la bride, fit un deuxième nœud, tapota la joue du cheval. Il regardait Onésime, un sourire aux lèvres.

— On dirait bien qu'on n'en a pas terminé, toi et moi, dit-il.

— Ça dépend que de vous, répondit Onésime d'une voix chevrotante.

— Je ne peux plus te laisser repartir, après ce qui vient de se passer.

— Il s'est encore rien passé.

— Tu viens me défier chez moi, et tu dis qu'il s'est rien passé… Personne ne touche à ce qui m'appartient sans mon autorisation.

Les chiens étaient comme fous derrière la porte, et on voyait l'extrémité de griffes ensanglantées apparaître par en dessous. Onésime fourra une main dans sa poche et en sortit quelques pièces.

— J'en veux plus de votre argent, reprenez-le.

— D'accord, je vais le reprendre, dit le maître de forges d'un air peiné.

Il y eut un moment de silence, puis, sans prévenir, il bondit sur Onésime avec une souplesse étonnante pour un homme de sa corpulence. Onésime n'eut pas le temps de parer l'attaque. Il tomba à la renverse, laissant échapper son bâton, qui valdingua hors de portée. Il tenta de se dégager de l'énorme masse qui pesait désormais sur lui, frappant les flancs sans

164

véritable portée. N'y parvint pas. Ses forces le quittèrent peu à peu. Puis l'homme saisit les avant-bras
du malheureux, les plaqua au sol et releva le buste. De
grosses gouttes de sueur incandescentes ruisselaient
sur le visage d'Onésime. «Tu n'es pas bien coriace»,
dit le maître de forges sans ironie, visiblement déçu
par le manque de résistance de son adversaire. Ainsi
immobilisé, Onésime respirait bruyamment par la
bouche, faisant aller et venir sa tête de droite à gauche
en expulsant de petits geysers de salive. Le maître
de forges le regarda s'agiter, avec ce que l'on aurait
pu prendre pour de la compassion. Puis il bascula sa
tête en arrière, ferma les yeux un instant, comme s'il
priait, bras tendus, mains toujours serrées autour des
avant-bras d'Onésime. Il prit une longue inspiration,
et écrasa son front sur le visage offert à sa fureur avec
une violence inouïe, comme s'il était lui-même la violence incarnée et pas même un homme en train de
la contenir. Le nez explosa sous l'impact. Le maître
de forges recommença. D'autres os craquèrent, et
il recommença encore et encore, avec une rage qui
semblait se nourrir de tous les coups précédents. Il
s'acharna bien après qu'Onésime eut perdu connaissance, et que du sang se fut déversé à l'intérieur de son
crâne pour n'en jamais plus sortir.

Rose

J'étais devenue rien. Je m'appartenais plus, le maître avait raison. Ma tête pensait même pas, et pourtant, je me souviens de tout ce que j'ai vécu après la brûlure, quand le raffut m'a réveillée. J'ai cru entendre mon prénom. J'ai failli tomber en me redressant, parce que j'avais oublié que j'étais sur le dos du cheval. Mon cou était rien qu'une douleur qui remontait jusque dans mes yeux planqués derrière mes paupières. J'ai pensé que j'avais rêvé la voix qui m'appelait. Si seulement j'avais un peu plus résisté à la douleur à ce moment-là, peut-être que les choses se seraient passées différemment, peut-être que j'aurais été capable de changer quelque chose. Mais je me suis laissée aller. Pas longtemps. Trop longtemps.

Les voix sont revenues, plus fortes, et puis elles se sont calmées. Il y a eu un drôle de bruit, le même que quand mon père cassait une noix entre deux doigts. Le bruit s'est répété plusieurs fois, de plus en plus sourd. J'ai basculé la tête vers le bruit et j'ai ouvert les yeux. Deux hommes se tenaient sur le sol. J'ai de suite reconnu le maître assis sur un type allongé sous lui. J'ai pas mis longtemps à comprendre ce qui produisait le bruit. Le maître a balancé un grand coup de tête sur la figure du type et il a recommencé. Je voyais rien que le pantalon du type et ses chaussures qui se soulevaient de terre chaque fois que le maître frappait. Quelque chose de familier que j'ai mis du temps à concevoir. L'empiècement en forme de cœur sur la jambe droite du pantalon. Au début, j'ai cru que mon imagination avait cousu exprès ce bout de tissu pour s'amuser de moi. Mon imagination avait rien à voir là-dedans. Mon père était venu me chercher pour me ramener chez nous, et c'était lui que le maître assommait à grands coups de tête.

J'ai trouvé assez d'énergie pour me laisser glisser le long du flanc du cheval en m'accrochant à la crinière. J'ai manqué basculer en arrière en atterrissant au sol. Ma tête a cogné contre ce qui dépassait sur un côté de la selle, et qui était pas autre chose que la crosse du fusil. Mes jambes avaient du mal à me porter, mais je suis restée quand même debout. J'ai réuni toutes mes forces pour sortir le fusil de son étui. C'était la première fois que je tenais une arme dans mes mains. Je me suis retournée vers les deux hommes, la main sur une détente, le dos calé au cheval. Il y a du temps qui est passé depuis, mais ce que j'ai vu cessera jamais de me hanter jusqu'à la fin.

J'ai gueulé au maître d'arrêter. Il m'entendait pas, tellement qu'il était pris par son affaire. Je me suis approchée, toute flageolante et je gueulais toujours. Je suis arrivée devant eux. Le maître pouvait plus ignorer que j'étais là, mais il continuait quand même. Mon père avait plus de visage, et celui du maître était tout barbouillé de rouge, avec même de petits bouts de chair collés à son front. Pendant un moment, j'ai pensé que c'était pas mon père, malgré les chaussures et l'empiècement, que ça pouvait pas être lui. Et puis j'ai reconnu aussi la veste et le gilet qui allaient avec les chaussures et l'empiècement sur la jambe de pantalon, l'empiècement en forme de cœur. Je me suis mise à gueuler encore plus fort en collant le bout du canon sur le dos du maître. Je lui disais d'arrêter, que s'il arrêtait pas j'allais tirer. Il a alors cessé de cogner, s'est redressé et a passé une manche sur son visage pour essuyer un peu de sang. Il m'a ensuite regardée, puis a regardé exprès le corps à terre qui bougeait pas, qui bougeait plus. Il s'est mis à le fixer, comme s'il se réveillait avec la surprise de découvrir quelque chose qu'il aurait fait dans son sommeil, sans être vraiment responsable de ce qui était arrivé, mais pas du tout mécontent de le découvrir. En vrai, il semblait plutôt fier de lui. Puis il a de nouveau tourné la tête vers moi en souriant, et même son sourire dégoulinait de sang.

On peut pas dire qu'il ne l'a pas cherché, il a dit sur un ton très calme. J'avais les yeux rivés sur mon père. Je voulais qu'il se réveille. Papa, j'ai appelé sans baisser le canon. Papa, a répété le maître en se moquant de moi d'un air faussement peiné. Le pauvre, je ne crois pas qu'il soit en mesure de t'entendre. Papa, papa, papa, je me suis mise à crier. Qu'est-ce que je te disais, tu vois bien qu'il ne t'entend pas. J'ai alors braqué l'arme sur la poitrine du maître, à l'endroit du cœur. Le sourire qui l'avait jamais quitté s'est élargi sur son visage. Eh bien, vas-y, tire, tu n'auras pas de meilleure occasion. J'ai plus hésité. J'ai appuyé sur la première détente, mais rien s'est passé, alors j'ai appuyé sur la deuxième, et le coup est pas parti non plus. Le maître a pris un air tout triste. Il a saisi le canon à pleine main et m'a arraché le fusil. Je suis tombée à la renverse. Il a fait basculer les canons pour vérifier à l'intérieur. Mince, c'est idiot, j'ai oublié de le charger, il a dit, comme s'il s'en voulait. J'étais à genoux. Je pleurais. Je me suis mise à ramper jusqu'à mon père. Il y avait plus rien de reconnaissable de lui sur son visage. Ce qu'il en restait, c'étaient des petites parcelles de peau. Rassemblées, elles auraient largement tenu dans ma main. Une bulle d'air est montée de sa bouche et a éclaté entre ses lèvres. J'ai alors soulevé sa tête avec précaution. Je l'ai posée sur mes cuisses en espérant voir une autre bulle apparaître, mais il y en a pas eu d'autre. Meurs pas, je t'en supplie, meurs pas, je te pardonne tout, j'ai dit en berçant sa tête et en pleurant toujours. En vérité, il était déjà loin, sûrement déjà mort. Le peu de vie qui lui restait s'était envolé avec la bulle. Peut-être qu'il m'a même pas entendue avant de mourir, qu'il est mort sans entendre sa fille crier qu'elle allait le sauver, sans m'entendre pleurer en lui disant que je lui pardonnais. Je pensais plus à lui comme à celui qui m'avait vendue, celui qui était responsable de ce qui venait de se passer. Je pensais être la seule coupable, que tout était écrit depuis le jour de ma naissance. Si j'étais pas née, rien lui serait arrivé, il vivrait encore, et pas moi, vu que j'aurais jamais goûté à cette satanée vie. Je pensais pas à ma mère, ni à mes sœurs. Je pensais juste à mon père et à moi, à lui mort, à moi vivante, à ce qui aurait dû être, à ce qui était pas, à ce qui pouvait pas se changer, mais que je pouvais pas m'empêcher d'imaginer autrement qu'en le changeant dans ma tête en fourrant des bulles d'air dans sa gorge pour le faire revenir.

Le maître a essayé de me soulever par une épaule pour me faire tenir debout. Je suis retombée sur mon père que je serrais de toutes mes forces dans mes bras. Le maître a quand même réussi à me décrocher du corps, puis il a passé une corde autour de mes poignets, il a fait un nœud, et il m'a traînée jusqu'à la forge. Une fois à l'intérieur, il a attaché la corde au pied d'un établi, et puis il est ressorti. J'ai essayé de me dégager, mais j'ai pas pu remuer l'établi et le nœud était trop serré. Le maître est revenu pas longtemps après en tirant par les pieds le corps de mon père qui bavait le sang par terre. Il l'a allongé devant la forge. Il s'est mis de suite à ranimer les braises avec le soufflet et à nourrir le feu avec des morceaux de charbon. Pendant ce temps, je tirais encore plus fort sur la corde sans pouvoir m'arrêter de pleurer, parce que j'avais compris ce que le maître voulait faire. Lui, il me regardait même pas, tout concentré qu'il était à attiser le feu. Quand il a estimé le brasier suffisant, il a attrapé mon père et l'a jeté dessus, comme si c'était rien qu'un bout de charbon de plus à brûler. J'ai fermé les yeux, mais j'ai pas pu les garder fermés bien longtemps. Il fallait que je voie jusqu'au bout, et je savais même pas pourquoi je devais m'infliger ça.

Les vêtements se sont enflammés en premier, puis une odeur atroce m'est rentrée dans le nez, rien à voir avec celle que j'avais sentie quand le maître me brûlait le cou. C'était une odeur bien pire, l'odeur du cadavre de mon père tout entier en train de cramer, sa peau, sa chair, ses os. Je pleurais et je criais en même temps après le maître, que je le dénoncerais, qu'il le paierait de sa vie. Je savais pas comment je m'y prendrais, mais je jurais qu'il le paierait un jour. Je jurais, et il se fichait éperdument de mes menaces. Lui, c'était le diable, le même qui m'avait forcée, et qui était en train d'actionner le bras du soufflet. Ça pouvait qu'être le diable, parce qu'aucun homme aurait été capable d'une telle horreur.

Au bout d'un moment, le corps de mon père est devenu de la couleur du charbon, brillant pareil. Il se ratatinait en même temps qu'il brûlait. La peau et la chair disparaissaient au fur et à mesure. J'ai alors vu le sourire de la mort apparaître sur son visage, le même sourire que celui de la jument dans mon rêve. Et puis, il y a plus eu que des os, eux aussi de la même couleur que le charbon. Le maître a arrêté de souffler. Il regardait les restes de mon père qui représentait rien du tout pour lui, pas plus vivant que mort. J'avais l'impression que son visage flambait aussi, mais sans aucun effet sur sa peau. Ensuite, il est allé décrocher un gros marteau derrière moi au-dessus de l'établi, puis il est retourné près du brasier. Il a attendu que le feu s'éteigne, avec le marteau pendu à son bras, puis il l'a levé en l'air. Il l'a tenu un moment à bout de bras en me jetant un coup d'œil pour être sûr que je manquais rien du spectacle, et il s'est mis à écraser les os à grands coups, jusqu'à ce qu'ils deviennent de la cendre mélangée au charbon. Je voulais me jeter dans le vide, un vide, n'importe lequel, parce que je pouvais pas en supporter davantage, et je me suis évanouie.

Edmond

J'ai entendu les chiens aboyer.

Il les avait lâchés sans me prévenir.

C'était pas normal.

J'ai remonté le chemin en quatrième vitesse.

Quand je suis arrivé au chenil, il était déjà sur le dos d'Hermès.

On aurait dit qu'il flottait au-dessus de la meute excitée.

Il s'est penché pour faire renifler quelque chose aux chiens.

Les chiens sont partis en direction du portail comme des dératés.

Il s'est lancé à leurs trousses en se dandinant lamentablement.

J'ai couru vers la maison pour savoir de quoi il retournait.

La reine mère était seule dans la salle à manger, les mains posées sur le dossier d'une chaise, comme si elle m'attendait.

Y avait pas de bruit dans la cuisine.

J'ai demandé pourquoi il partait à la chasse sans prévenir.

Elle a levé les yeux au plafond en disant que ça me regardait pas.

Elle a dû penser que sa réponse me suffirait et que je partirais, mais j'ai insisté pour savoir ce qui se passait.

J'ai demandé où était Rose.

Son visage s'est déformé.

Ses yeux ressemblaient à deux plombs de chevrotine posés sur du coton sale.

Ses mains se sont crispées sur la chaise et sa bouche s'est mise à déballer une affaire qu'elle avait dû se préparer à dire depuis que j'étais né.

Mais qu'est-ce que tu crois ? Que je me suis tue, que j'ai fermé les yeux sur les agissements de mon mari pour rien en retirer ? Qu'est-ce que tu as cru, pauvre abruti ? Que j'allais accepter que tu poses un seul de tes pieds dans cette maison par bonté d'âme ? Bien sûr que non, je n'ai aucun respect pour ce que tu es. Tu ne représentes rien pour moi, rien, tu m'entends ! Tu es réduit au rôle que tu as à jouer, ni plus ni moins. Je me suis battue toute ma vie pour que la famille ne s'arrête pas… la famille… c'est cela le plus important. Préserver la famille coûte que coûte, préserver le nom que l'on porte, c'est le nom qui demeure. Mais pour comprendre, il faut être bâti sur de solides fondations, une ascendance irrévocable, pas une vulgaire construction érigée sur pilotis au nom de je ne sais quel infortuné hasard, d'une pulsion assouvie un soir de beuverie entre les cuisses de la putain qu'était ta mère. Alors tiens-t'en à ce qu'on te demande, à ce que tu sais faire. C'est ta vie, et ne crois pas qu'elle sera jamais plus que la volonté du démon perpétuée sous le regard de Dieu. Tout s'éteindra après toi, rien ne demeurera, ni ton nom ni ta mémoire. Rien, je te dis. C'est ta défaite et aussi sûrement ta chance de n'avoir rien de durable à défendre, alors que moi, je dois me battre jour après jour afin que rien ne s'éteigne, que tout demeure, ce tout essentiel qui fait que tu n'es rien et que nous sommes tout. Tu n'as pas le choix, tu ne l'as jamais eu et tu ne l'auras jamais. Tu vas continuer de rester à ta place, si tu ne veux pas qu'elle souffre davantage à cause de toi. Comment as-tu pu imaginer transmettre un demi-sang, et qu'autre chose qu'une monstruosité pourrait en sortir un jour ? Pauvre fou. Sors d'ici, maintenant, tu me dégoûtes !

Elle m'a montré la porte du doigt.

J'étais complètement sonné.

J'ai même pas pu lui répondre.

Au fond, je savais qu'elle avait raison de dire que j'étais personne.

J'aurais dû l'étrangler, qu'on n'en parle plus.

J'ai obéi, comme d'habitude, et je suis sorti.

J'ai marché jusqu'au chenil avec la sensation d'être accroché à un gros élastique qui me tirait en arrière.

Par terre, y avait le mouchoir que Charles avait fait renifler aux chiens.

Je l'ai tout de suite reconnu, avec le R brodé dessus.

Bon Dieu.

Je me suis précipité jusqu'à la grille.

J'entendais les aboiements qui résonnaient au loin dans la forêt.

J'arrivais pas à déterminer où se trouvait la meute.

Alors, j'ai attendu, la peur au ventre.

Rose et lui sont revenus à midi passé, tous les deux sur le dos d'Hermès.

Les chiens trottinaient autour, ils aboyaient pas.

Je me suis porté au-devant d'eux.

J'ai saisi la bride du cheval pour le faire stopper.

Rose avait les yeux grands ouverts.

Elle regardait droit devant elle, comme si j'étais pas là.

Il a tiré la bride à lui, et j'ai lâché ma prise.

J'ai parlé à Rose.

Elle a tourné la tête vers moi, mais je suis sûr qu'elle me voyait toujours pas.

C'est à ce moment-là que j'ai remarqué ses cheveux cramoisis sur un côté et la marque dans son cou.

J'ai de nouveau attrapé la bride, en demandant pourquoi il lui avait fait ça.

Il m'a balancé un coup de pied en pleine tête.

Je suis tombé par terre.

Des chiens se sont approchés pour me lécher la figure.

Il m'a dit que j'avais pas intérêt à recommencer, que le jour où il devrait répondre à mes questions était pas près d'arriver.

Il s'est éloigné dans l'allée du parc avec la meute derrière lui.

Je voyais même plus Rose derrière sa carcasse.

Je me suis relevé et je les ai suivis.

Quand je suis arrivé devant la maison, les chiens se baladaient dans le parc et le cheval était attaché au perron.

Je me suis précipité à l'intérieur.

Y avait personne en bas.

J'ai monté l'escalier à toute vitesse.

J'étais presque arrivé en haut, quand je me suis retrouvé nez à nez avec lui qui redescendait.

Il m'empêchait de passer en se déplaçant sur la largeur de la marche.

Il a glissé une main sous sa veste et a sorti le grand couteau de son étui.

Il souriait en me regardant, puis il m'a désigné avec la pointe du couteau, en m'ordonnant de faire demi-tour, qu'il fallait surtout pas que je le tente.

Il souriait toujours.

J'ai encore obéi.

Je suis redescendu lentement en me retournant plusieurs fois. Il bougeait pas, avec le couteau dans sa main.

À chaque marche descendue, je me jurais que ce serait la dernière fois qu'il me menaçait, mais je descendais pourtant.

Toute ma vie, j'avais fait que descendre.

Rose

Je me suis réveillée dans mon lit. La vieille était assise sur la chaise, juste à côté de moi, elle me regardait. Comment tu te sens, ma petite, elle a demandé. J'étais complètement ensuquée. Tu es restée longtemps évanouie, elle a ajouté. J'ai voulu me redresser, mais j'ai senti une résistance au niveau de mon poignet gauche. Autour, il y avait une pièce de métal avec une serrure, attachée à une chaîne fixée à un barreau du lit. J'ai regardé la vieille pour avoir une explication sans avoir à poser de questions. Elle m'a juste souri. Avec ma main libre, j'ai machinalement touché mon cou, précisément au-dessous de mon oreille droite. J'ai senti la boursouflure sous mes doigts, et tout m'est revenu dans le désordre : ma fuite, les chiens, mon père, le maître et moi à la forge, le corps de mon père en train de cramer, l'odeur insoutenable, le maître qui tapait sur les os avec son marteau, et moi qui criais comme une folle, non pas pour arrêter ce qui pouvait plus s'arrêter, mais pour sortir de ce monde et entrer dans le rêve vide, et y rester pour toujours. Ce putain de vide et ce putain de rêve qui avaient pas voulu se mélanger à moi.

La vieille a pincé les lèvres. Tu avoueras que tu l'as bien cherché, elle a dit. Mon père, il avait rien fait, lui, j'ai dit en pleurant. Eh bien, quoi, ton père, elle a fait. Pourquoi le maître l'a tué, il méritait pas ça. À voir sa mine surprise, le maître avait pas dû la mettre encore au courant. Votre fils a tué mon père à la forge et il a fait brûler son cadavre, j'ai dit en tournant la tête pour rien louper de ses réactions, pensant que j'avais peut-être quelque chose à tirer de la situation.

Elle s'est mise à balancer la tête doucement d'un côté et de l'autre en faisant un drôle de bruit avec sa langue derrière ses dents serrées, comme quand on veut faire comprendre à un enfant qu'il a pas été sage, mais qu'on veut pas vraiment le fâcher, juste s'amuser à le regarder se sentir coupable. Puis son regard s'est illuminé, comme sous le coup d'une révélation, et moi, j'ai baissé les yeux, parce que je voulais rien avoir affaire avec cette lumière-là. Tant pis pour lui, on dirait bien que ton père a reçu la leçon qu'il méritait, lui aussi, à moins que tu n'aies pris tes désirs pour la réalité, elle a dit en faisant monter sa voix dans les aigus au fur et à mesure qu'elle parlait. Qu'est-ce que vous voulez dire, j'ai dit. Peut-être bien que c'est toi qui veux le voir mort, en fin de compte, après ce qu'il t'a fait. Je sais ce que j'ai vu, et jamais j'ai voulu la mort de mon père, jamais, j'ai ajouté au milieu des sanglots qui me bousculaient. Tout le monde souhaite la mort de quelqu'un, à un moment ou à un autre de sa vie, elle a dit, sans presque détacher les mots, comme s'ils s'appuyaient les uns sur les autres pour prendre leur élan, et qu'elle arrive au bout de ce qui avait tout l'air d'une vérité fondamentale à ses yeux.

Vendre sa propre fille doit bien mériter un châtiment de cette nature, tu ne crois pas, elle a encore ajouté sur le même ton. La colère a balayé mes sanglots d'un coup. Vous vous en tirerez pas comme ça, je le jure. Elle a pris un air peiné. Oh, tu le jures, mais sur quoi au juste peux-tu le jurer, qu'est-ce qui a suffisamment de valeur dans ta misérable vie. J'ai levé la tête en l'air et, comme je répondais pas, elle a continué. Personne ne se soucie de toi là-haut, en revanche, nous t'avons accueillie sous notre toit, et voilà que tu nous remercies, en nous menaçant, mais ma pauvre enfant, tu ne dois t'en prendre qu'à toi-même de ce qui est arrivé. C'est la faute de ton père et la tienne aussi, même si j'imagine que cela est difficile à admettre. Je te laisse y réfléchir, si tu es capable d'un tel prodige. Elle s'est levée d'un coup. On aurait dit que quelqu'un venait de la tirer de par en haut avec une ficelle pour la mettre debout. En la regardant sortir, je me suis demandé jusqu'à quel point elle avait pas raison.

Quand elle a été partie, j'ai de suite essayé de faire passer mon poignet dans l'anneau en le tortillant dans tous les sens, jusqu'à me faire saigner. J'y suis pas arrivée, alors, je me suis mise à tirer sur la chaîne pour voir si le barreau du lit résistait. À chaque secousse, une décharge de douleur me traversait le bras et résonnait dans mon corps tout entier. Même en tirant la chaîne à deux mains, ça donnait rien, le barreau était trop solide. Il y avait rien à faire de ce côté-là. Alors, je me suis arrêtée de tirer. Du sang coulait de mon poignet esquinté et tachait le drap. J'ai posé mon coude sur le lit pour faire glisser l'anneau le plus bas possible sur mon bras, de sorte à dégager la blessure.

J'avais pas mal. J'ai léché le sang en le badigeonnant de salive jusqu'à ce qu'il s'arrête de couler. Et puis, j'ai plus bougé. Le silence était total dans la maison. J'ai retourné mon tablier à l'envers. Je l'ai étalé sur le lit, puis je me suis allongée en tenant mon coude toujours plié au-dessus du tablier pour pas souiller plus le drap. Au bout d'un moment, j'ai senti ma main qui pesait et qui retombait, et je me suis endormie d'épuisement.

Je sais pas combien de temps j'ai dormi. C'est la douleur qui m'a réveillée plus tard, pas celle de mon poignet, ni celle de mon cou, une douleur pire que toutes les autres, une de celles qu'on sait qu'on va supporter, sans vraiment savoir où elle se trouve, ni jusqu'où elle peut vous mener. Le maître était dans ma chambre. De tout le temps qu'il est resté pour faire ce qu'il avait à faire sur moi, il m'a même pas retiré l'anneau. Ma blessure s'est remise à pisser le sang à cause des à-coups. Je pensais plus qu'au sang en train de tacher le lit et ça m'a aidée à supporter. Une fois qu'il a eu fini, il s'est rhabillé, puis il m'a retiré l'anneau. Il est pas sorti. Je me suis essuyée entre les jambes. Il m'a regardée faire. Ses yeux sur moi, c'était une douleur supplémentaire, le genre de regard qu'on pose sur quelqu'un à qui on a tout pris, à qui on en veut de pas avoir résisté plus, en espérant qu'il reste encore un petit quelque chose à prendre.

Le maître m'a ensuite accompagnée à la cuisine. Il faisait pas encore jour. Une lampe brûlait sur la table. Il m'a fait asseoir avant de sortir. J'ai entendu des bruits de ferraille dans la salle à manger. Il est revenu en tenant une grosse chaîne avec des anneaux à chaque bout. Je l'ai regardé faire, entièrement paralysée. Il a entouré mes chevilles avec les anneaux, et les a refermés à clé. C'est pas la peine de faire ça, je m'en irai plus, j'ai dit les yeux mouillés. Je n'ai plus confiance en toi. Quand il a eu fini de cadenasser les fers, il a testé les fermoirs en tirant sur la chaîne. Je me concentrais pour respirer plus calmement. Qu'est-ce que vous avez fait des restes de mon père, j'ai alors demandé. Il a secoué la tête, comme s'il avait pas l'air de comprendre ce que je lui demandais. Je voudrais les enterrer, j'ai ajouté, pensant qu'il pouvait pas me le refuser. Il me paraissait évident que tout le monde avait le droit de finir dans un trou à lui, pour qu'on puisse se recueillir devant, les riches comme les pauvres, mon père comme un autre. Le maître fixait mes chevilles prises dans les fers. Qu'est-ce que tu veux enterrer au juste. Ses cendres, j'ai dit, comme si c'était une évidence. Il a levé les yeux sur moi en balançant de nouveau sa grosse tête rougeaude du bas vers le haut plusieurs fois de suite. Bien entendu, les cendres, qu'il a dit en ayant l'air de réfléchir à quelque chose d'important. Tu m'excuseras, mais le problème, c'est que je ne suis pas arrivé à les trier de celles du charbon. Dis-toi qu'il servira à forger un bel outil dès demain. Tu avoueras que c'est tout de même mieux que de se retrouver dans une vulgaire tombe, il a dit, en faisant mine d'être convaincu d'avoir fait une bonne action. La haine a séché mes yeux. On va partir à sa recherche, et retrouver sa trace, j'ai dit en crachant les mots. Et alors, que veux-tu que ça me fasse. Il a sûrement dit où il allait, j'ai insisté. Et quand bien même, à part toi, il n'y a aucun témoin de ce qui s'est passé. Un sourire mauvais s'est faufilé sur sa figure. Tiens, en souvenir de ton père, il m'a dit en me tendant une bourse vide. Ton père a tout dépensé, il voulait plus, c'est pour ça qu'il est venu, il n'avait pas grand-chose à faire de toi. Et si jamais quelqu'un d'autre s'aventure jusqu'ici, mes chiens et moi, on sera ravis de faire un peu d'exercice. J'ai de suite pensé à ma mère qui savait peut-être où je me trouvais. Ça m'a fichu un coup de poing dans la poitrine d'imaginer qu'elle pourrait finir comme mon père. Mes jambes ont recommencé à flancher. Le maître m'a balancé une claque, en me disant qu'il fallait que je perde l'habitude de m'évanouir pour un oui ou pour un non. Il m'a obligée à marcher dans la maison, satisfait de constater que la longueur de la chaîne entre mes chevilles me permettait juste de me déplacer en traînant lamentablement les pieds. Je me sentais comme un animal, mais je préférais ça à l'anneau à mon poignet, parce que tant que j'avais les fers aux pieds le maître pouvait pas m'écarter les cuisses.

Les journées et les nuits étaient toutes pareilles, comme si c'était pas du temps, mais de l'eau glacée. Quelque chose était mort en dedans de moi, et pourtant je pouvais encore respirer, me déplacer. Je faisais à manger, je m'occupais de la maison, et c'était pas une mince affaire de monter et descendre les escaliers avec les fers et la chaîne. Ça amusait rudement la vieille, qui ricanait de me regarder peiner. Je tenais même plus le compte des jours qui passaient, vu qu'un mort, ça veut juste échapper aux vivants, se reposer, s'endormir pour toujours, sans se préoccuper d'où il en est, même debout. C'est impuissant, un mort, et une morte encore plus, je crois bien.

C'était toujours le même calvaire. Chaque soir, la vieille montait se coucher après le dîner. Le maître attendait que j'aie fini mon travail en fumant sa pipe, pour me suivre ensuite dans ma chambre. Une fois en haut, il me retirait les fers, m'accrochait au lit par le poignet, et me prenait. Quand le sang coulait entre mes jambes, il me prenait quand même. Je sentais plus grand-chose à la fin. J'avais appris à partir dans ces moments-là, à me sentir toujours un peu plus morte. Au moins, il faisait la chose très vite. J'avais même trouvé le moyen de faire en sorte que ça aille encore plus vite en criant. À force, j'ai fini par croire que je méritais tout ce qui m'arrivait, que j'étais venue au monde dans ce but-là, que c'était mon destin contre quoi je pouvais pas aller. Le maître a fini par plus m'attacher au barreau du lit. Il avait trouvé plus amusant de lâcher ses chiens la nuit dans le parc. Amusant, c'est bien le mot qu'il a utilisé pour m'expliquer ce que je risquais, si j'essayais de m'enfuir à nouveau.

Et puis, une nuit que je dormais toujours pas, je l'ai entendu qui remontait l'escalier. J'ai pensé qu'il avait pas eu son compte, et ça m'a fait ni chaud ni froid. J'avais sûrement pas le pouvoir des animaux traqués, mais j'avais appris celui qui me permettait de trancher en deux ce qui se passait dans ma tête et ce que subissait mon corps. Avant qu'il arrive dans la chambre, j'ai relevé ma chemise de nuit et j'ai écarté les cuisses pour qu'il me prenne vite. J'ai aperçu un rectangle de lumière autour de la porte. Quand la porte s'est ouverte, j'ai fermé les yeux. Il s'est approché de moi.

J'ai pas reconnu son souffle. Il a ramené ma chemise de nuit sur mes jambes, en l'étirant aussi bas que possible, puis il m'a saisi les chevilles pour refermer mes cuisses. Je comprenais rien, alors j'ai ouvert les yeux.

C'était pas le maître, c'était Edmond, un doigt sur la bouche. Il a attendu un moment, puis il s'est assis sur le lit en regardant la bougie dans sa main, et jamais moi. Je suis désolé, il a dit. Il s'est penché pour poser la bougie par terre, se tenant toujours de profil pour surtout pas me voir. Ensuite, il a posé ses mains sur le lit. Ses doigts crochetaient le drap du dessus. On aurait dit un chat en train de se faire les griffes, comme s'il attendait de ses mains quelque chose qu'il avait pas en lui, peut-être les convaincre de trouver un courage qui n'appartiendrait qu'à elles, un courage qu'il ne se sentait pas le droit de revendiquer, mais auquel il saurait obéir sans discuter. C'était étrange ce que j'ai ressenti à ce moment-là. Il savait certainement ce que le maître me faisait subir et il avait jamais rien fait contre. Cet homme dans ma chambre, je le maudissais, parce qu'il avait pas su me protéger, je le maudissais, mais en même temps j'arrivais pas à le détester complètement. C'était aussi le même homme qui m'avait fait monter sur le dos d'Artémis, le même qui m'avait rendue heureuse dans l'écurie. Je suis désolé, il a répété. Comme je répondais toujours pas, il a arrêté de bouger ses doigts. Il a relevé la tête en fixant le mur droit devant lui, puis il s'est tourné lentement vers moi. Ses yeux étaient creusés, comme si on avait dégagé le pourtour à l'aide d'une gouge, avec deux grains de cassis plantés en plein milieu. Faut que tu saches, il a dit. Il s'est arrêté de parler. Il s'est remis à fixer le mur, et puis les mots sont sortis, l'histoire qu'il pouvait plus se retenir de me raconter.

Les affaires de la forge ont jamais été bien florissantes, et ça date pas d'hier. Un beau jour, y a environ trois ans de ça, il s'est rendu à Paris. Avant de partir, il m'a juste dit qu'il devait négocier un gros contrat qui le remettrait à flot. Pendant son voyage, c'était à moi de diriger la forge. Son absence a duré des semaines. Il devait donner des nouvelles à sa mère, et des bonnes, sûrement, parce que je l'ai jamais vue inquiète du retard. Et puis, il est revenu. J'étais là quand l'attelage est entré dans le parc. Il était pas seul. Y avait une femme avec lui, le gros contrat en question, je me suis dit. Ils s'étaient mariés à Paris. Elle était pas vraiment jolie, mais on voyait tout de suite qu'elle avait de belles manières. J'ai appris plus tard qu'elle était la fille d'un général d'Empire, mort quand elle était petite, et qu'elle avait été élevée par une tante, visiblement bien contente de s'en débarrasser en la casant. Elle s'appelait Marie. Je sais pas ce que le maître lui a raconté pour la convaincre de le suivre, mais quand elle a débarqué au domaine, elle a pas eu l'air de trouver ce qu'il lui avait vendu pour la séduire. Une grande maison au milieu des bois et une forge sur le déclin auraient jamais pu attirer ici quelqu'un comme elle, évidemment. Il a toujours été beau parleur. Il s'y connaît sacrément pour embobiner les gens. En tout cas, c'était trop tard, le piège était déjà refermé. Dès que Marie a eu posé le pied ici, elle leur appartenait. Elle avait du caractère. Je l'aimais bien. Elle a essayé de leur tenir tête au début, mais ça a pas duré longtemps. Tout ce qu'ils voulaient, c'était la dot pour payer les dettes de la forge, et aussi que Marie ponde un héritier. Des sentiments, je crois bien qu'il en a que pour ses chiens. Marie s'est mise à dépérir. L'héritier venait pas et Charles la traitait comme une moins-que-rien, vu que ça ne pouvait venir que d'elle.

Edmond s'est arrêté de parler un moment, il serrait les dents, puis il a repris.

Y a jamais eu d'héritier. Elle est pas malade en vrai. C'est parce qu'elle peut pas avoir d'enfant qu'ils l'enferment, alors, j'ai coupé Edmond. Il a encore pris un temps, et les grains de cassis ont semblé disparaître, comme s'ils étaient pris dans un remous. Suis-moi, il a dit. Pourquoi je t'écouterais, et puis j'ai peur qu'ils nous voient. Ça risque rien, ils dorment à cette heure, j'ai vérifié avant de monter. J'ai plus hésité à le suivre. De tout le temps qu'il m'avait parlé, j'en étais arrivée à oublier de le maudire. Je retrouvais l'Edmond de l'écurie et j'y pouvais rien. En vrai, je crois qu'il aurait pu me demander n'importe quoi, je l'aurais fait. Il a éteint la bougie, l'a attrapée, et on est sortis. On a descendu un étage et on a marché jusqu'à la chambre de la dame du maître. Edmond a pris une clé dans sa poche et il a ouvert la porte. Il est entré le premier. Comme je restais plantée sur le palier, en repensant à l'interdiction, il m'a tirée par la main à l'intérieur et il a refermé doucement la porte. La pièce sentait l'al-cool. Edmond a rallumé la bougie, et la lumière s'est étalée autour de nous dans une petite flaque, comme si elle voulait pas tout révéler d'un coup. Petit à petit, tout s'est mis en place sous mes yeux. Jamais j'oublie-rai ce qui s'est passé ensuite. Il y avait pas de meuble, à part un grand lit, avec dedans un corps recouvert d'un drap, le corps que j'avais entrevu du haut de l'échelle et qui avait pas bougé. Edmond s'en est approché en tenant la bougie. Il a retiré le drap de sur la tête. Il a penché la bougie. Un visage m'est apparu, presque noir, un peu comme du vieux bois ciré. J'ai d'ailleurs cru que c'était une statue au début, qui était allongée là. C'était pas une statue. Et puis, Edmond est revenu près de moi, il a pris ma main et il l'a plus lâchée. Le visage s'est encore noirci dans l'ombre.

C'est Marie, il a dit avec une grande émotion dans la voix. Elle est… J'ai pas pu terminer ma phrase et Edmond a pas non plus terminé l'évidence. Je pouvais pas détacher mon regard du visage. Qu'est-ce qui lui est arrivé, j'ai demandé. Il a serré plus fort ma main, et il a continué l'histoire.

Un soir, j'imagine que Marie a voulu lui tenir tête plus que d'habitude. Ça l'a mis dans une rage folle. J'ai entendu les cris depuis dehors, alors j'ai couru pour voir ce qui se passait. Quand je suis arrivé, Marie était allongée dans la salle à manger, le visage en sang. Je me suis penché sur elle. Elle respirait encore. Il l'avait battue à mort. La reine mère était pas présente. Il était pas du tout affolé par ce qu'il avait fait. Il m'a demandé de l'aider à monter Marie dans sa chambre pour l'allonger sur le lit. Une fois qu'on l'a eu fait, il l'a regardée froidement en me disant de rester. Ensuite, il est parti à cheval pour chercher le docteur. C'est à ce moment-là que la reine mère m'a rejoint. Elle semblait soucieuse, mais pas vraiment peinée. Marie bougeait pas. Elle respirait toujours, mais à peine. On l'a veillée jusqu'à ce que le docteur arrive. Il nous a demandé de sortir de la chambre. Les heures ont passé. On attendait tous en silence dans la salle à manger. Le docteur est ressorti en s'essuyant les mains avec un chiffon. Je me souviens qu'il portait plus sa veste et que les manches de sa chemise étaient retroussées. Il regardait ses mains. Il a dit qu'elle était morte.

Edmond s'est tu. Il revivait la scène dans sa tête, ça se voyait. Une seule question m'est venue, pour essayer de comprendre. Depuis quand elle est morte, j'ai demandé. À peu près trois mois. Le docteur fait ce qu'il faut pour qu'elle se décompose pas trop vite, personne sait ce qui s'est réellement passé, à part ceux qui étaient présents ce soir-là, et toi, maintenant. Mais pourquoi ils la gardent dans cet état, j'ai dit en essayant de pas crier après Edmond. Quand j'ai voulu demander pourquoi on l'enterrait pas, il m'a répondu que c'étaient pas mes affaires. Et le docteur, pourquoi il a rien dit. Le docteur, c'est aussi un drôle de pistolet, il marche avec eux, ils se connaissent depuis toujours.

Je cherchais une logique dans ce que me racontait Edmond, mais j'en trouvais pas. J'arrive toujours pas à comprendre l'intérêt qu'ils ont à faire croire qu'elle est pas morte, ils pourraient facilement faire passer ça pour un accident, des gens comme eux, personne irait leur chercher des histoires, j'ai dit. Il m'a regardée et j'ai revu bien clairement les deux grains de cassis enfoncés dans le blanc de ses yeux tristes. Ils ont qu'une idée en tête, faire un héritier, et pour qu'il soit légitime, il faut qu'il vienne de Marie. Tu comprends mieux, maintenant, ce qu'ils ont derrière la tête. Les mots d'Edmond m'ont cisaillé le ventre, et j'ai eu l'impression que ce qu'il arrivait pas à dire sortait par là et pas par ma bouche. L'héritier qu'il veut que je lui fasse pour qu'il devienne le leur, c'est ce que t'es en train de me dire. Une fois que tu leur auras donné ce qu'ils veulent, le docteur aura plus qu'à signer l'acte de décès de Marie, officiellement morte en accouchant. Les larmes se sont mises à couler de mes yeux. Pourquoi tu m'as rien dit. Edmond a posé les mains sur mes épaules en se baissant. Regarde-moi, il a dit, quand je t'ai demandé de partir, je savais pas que c'était leur plan, je me doutais bien qu'ils tramaient quelque chose, mais ça, je pouvais pas l'imaginer, bon Dieu, je te jure que j'étais pas au courant avant. J'ai détourné le regard vers le lit. Et t'as même pas cherché à comprendre pourquoi ils la gardaient dans cette chambre, pauvre couillon. Ils sont tellement prêts à tout, que je me suis dit que c'était pour gagner du temps, qu'ils avaient peut-être pas touché tout l'argent de la dot et que pour ça, il fallait que Marie reste vivante, mais tu as raison, je suis qu'un idiot, si tu savais comme je m'en veux de leur avoir obéi. C'est trop tard pour regretter, t'as rien fait pour les en empêcher, ça va pas changer aujourd'hui. Ne crois pas ça, il a dit en faisant claquer les mots. Bien sûr que je le crois, et d'abord, pourquoi t'es pas allé tout raconter aux gendarmes. Je pouvais pas, il m'a promis que si je tentais quelque chose il vous tuerait, je le connais suffisamment pour savoir qu'il hésiterait pas une seconde. Tu me dis vous, maintenant, j'ai dit surprise. Les mains d'Edmond se sont crispées sur mes épaules, comme s'il retenait quelque chose qui était pas mes épaules. On dirait que tu me racontes pas tout. C'est pas ce que j'ai voulu dire. Et moi je crois que c'était pas un hasard, je t'écoute. Ses doigts se sont détendus. Il m'a attrapé les mains. Ça t'aiderait pas. Crache le morceau, je te dis. Il a soupiré, puis il a attendu un long moment. Ma femme, il a fini par dire en laissant traîner le mot, comme s'il lui coûtait un sacré prix. Quoi, ta femme, pourquoi tu me parles d'elle, et elle est où, d'abord. M'en demande pas plus, s'il te plaît, je te raconterai tout bientôt. Et pourquoi pas maintenant, tant qu'on y est. Elle a rien à voir avec toi, mais elle aussi, elle risque sa vie si je leur obéis pas, il a dit en s'emballant cette fois. J'en pouvais plus, je voulais savoir. Parle, de suite, c'est le moment, après, il sera trop tard. Il m'a regardée, puis il a ensuite regardé la morte. Elle, j'ai dit, je savais plus où j'en étais, ni ce qu'il essayait de me faire comprendre. Qu'est-ce que tu vas imaginer, non, c'est pas elle, je t'ai dit la vérité au sujet de Marie. Je le sentais à bout, il pouvait plus reculer. Charles est mon frère, il a dit. Ton frère. Oui, ma mère était servante ici, bien avant toi, Charles et moi on a le même père. J'ai retiré mes mains des siennes. Une nouvelle bouffée de colère est montée en moi. T'es son frère et t'acceptes d'être son larbin, mais t'es encore plus lâche que je croyais. T'imagines même pas à quel point. Alors pourquoi, pourquoi tu m'as laissée monter sur le dos d'Artémis, pourquoi tu m'as laissée toucher le beau. Tu avais l'air tellement heureuse, ce jour-là. Je l'étais, et j'avais décidé de te faire confiance. Tais-toi, je t'en supplie. Ses yeux étaient pleins de folie, ils roulaient comme des noisettes dans une coquille trop grande. Tu vaux pas mieux qu'eux, j'ai dit. Peut-être que tu as raison, que je vaux pas mieux qu'eux, mais après ce qui s'est passé dans l'écurie je voulais plus que tu partes. Je veux même plus y penser, il s'est rien passé.

Je pouvais pas lutter, tu comprends, il a continué sans m'écouter. Non, je peux pas comprendre, et si tu tiens tant que ça à moi, pourquoi tu m'as pas tout dit à ce moment-là et ouvert les portes pour que je m'enfuie, j'aurais pas hésité un instant. J'ai pas pu, je croyais pouvoir te garder, être assez fort, je pensais plus qu'à ça. J'attendais la même chose, que tu sois assez fort pour me protéger. Tout ce qui s'était réellement passé de bien dans l'écurie venait d'être aspiré dans un coin noir de ma tête. Je me suis juré de plus jamais le réveiller. J'ai pensé que j'avais pas le droit, il a dit. Il s'agit pas de ça, et tu le sais. Non, je sais rien, je sais plus rien du tout. Et lui, il a le droit de me prendre tous les soirs, presque sous tes yeux, tu veux que je te raconte comment ça se passe, j'ai dit en élevant la voix. J'avais complètement oublié où je me trouvais. Tais-toi, bon sang, a dit Edmond en même temps qu'il mettait une main devant ma bouche. Quand j'ai été un peu calmée, il a retiré sa main, mais il l'a pas éloignée de beaucoup de ma bouche, au cas où je recommencerais. J'avais envie de le maudire comme je l'avais jamais encore maudit avant, mais quelque chose au fond de moi m'en empêchait. Je le regardai, planté devant moi. On aurait dit une âme peinant à se faufiler hors d'un corps en train de crever. Après ce qu'il venait de m'avouer, et comme j'arrivais pas à le maudire, j'ai essayé de faire revenir l'homme qui m'avait fait monter sur le dos de la jument, qui m'en avait fait descendre, puis qui m'avait tenue longtemps dans ses bras, l'homme des épaules que je regardais dans le jardin, tout ce qui faisait cet homme avant, qui serait plus jamais cet homme d'avant, comme je

191

serais plus jamais la fille d'après. J'ai essayé une dernière fois. Je savais pas qui il était en vrai, ni ce qu'il deviendrait, si je pouvais en attendre quelque chose, parce que j'avais encore envie d'essayer, une dernière fois. Si seulement il avait été un monstre, rien qu'un monstre, comme les autres, ça aurait été plus simple dans ma tête. J'ai regardé la morte et Edmond a suivi mon regard. Qu'est-ce que je vais devenir. Je les laisserai pas faire, il a répondu d'un air convaincu, comme s'il venait de puiser sa détermination dans le regard éteint de la femme. Tu les as bien laissés faire jusqu'à maintenant, pourquoi ça changerait, j'ai dit, à bout de forces. Il avait l'air perdu dans ses pensées, alors j'ai continué, résignée. Il me tuera quand il aura eu ce qu'il veut, et tu l'empêcheras pas. Il s'est brusquement tourné vers moi en m'attrapant de nouveau par les épaules et en me secouant comme un prunier. Je l'empêcherai, je te le jure. Il a tué mon père. Edmond a arrêté de me secouer, mais il m'a pas lâchée. Ton père, mais Charles m'a dit qu'il l'avait laissé repartir. Qu'est-ce que tu racontes, quand est-ce qu'il t'a dit ça. Il y a deux jours. Mon père est venu ici il y a deux jours. Oui, Charles m'a dit que t'avais pas voulu le voir, tellement t'étais en colère après lui. Et tu l'as cru sans me demander si c'était vrai. Je pouvais pas imaginer. Tu pouvais pas imaginer qu'il fasse du mal à mon père, qu'il le tue, et qu'il brûle son corps dans la forge, c'est pourtant ce qu'il a fait, sous mes yeux. Edmond regardait maintenant la flamme s'effilocher au bout de la bougie. Ses lèvres fermées pendaient de chaque côté de sa bouche. Il ressemblait à une sorte de coupable qui découvre sa culpabilité en remontant le temps jusqu'à se retrouver au moment précis où il est devenu coupable, quelqu'un qui posséderait même pas de mots pour se venir en aide et encore moins pour venir en aide aux autres.

Je suis désolé, il a dit sans relever la tête. Qu'est-ce que tu veux que ça me fasse, que tu sois désolé, ça sert à quoi d'être désolé. Je te jure. Arrête de jurer. Une colère froide s'est emparée de moi. Il y avait toujours pas de monstre en face de moi, rien qu'un épouvantail. T'as ça dans le sang toi aussi, faut croire, j'ai dit. Je les laisserai pas faire, il a répété en faisant semblant de pas m'avoir entendue. C'est trop tard. Je me suis approchée de la porte. Il s'est précipité sur moi. Attends, il a dit. Il m'a attrapée par le bras. Je me suis retournée, prête à lui cracher à la figure, mais j'ai pas pu. Je le trouvais pitoyable et tout petit. Il faut que tu me fasses confiance, on n'a plus le choix. Moi, je l'ai plus le choix, mais toi, tu l'as encore, tu l'as toujours eu, alors laisse-moi maintenant, tu m'as assez fait de mal comme ça.

Il a lâché mon bras et je suis sortie de la chambre. Même à l'âge que j'avais, je savais à quoi m'en tenir avec les hommes, qu'il y en avait deux sortes, ceux avec un pouvoir sur les autres, venu de l'argent ou du sang, ou même des deux à la fois, et puis les lâches. Lache, comme Edmond. Parce qu'être lâche, c'est pas forcément reculer, ça peut simplement consister à faire un pas de côté pour plus rien voir de ce qui dérange. À ce qu'il me semblait, Edmond, il avait toujours fait des pas de côté, alors, je voyais pas bien pourquoi il se mettrait d'un seul coup en travers du chemin du maître, surtout pour une fille comme moi. Malgré son boniment et ses regrets, j'y croyais pas une seconde.

Une fois que je me suis retrouvée devant la porte de ma chambre, j'ai regardé dehors par la lucarne du couloir. La lune brillait comme un soleil sur fond noir, un soleil femelle qui aurait accouché de petits éclats brillants éparpillés un peu partout autour de lui, comme un immense troupeau d'enfants veillé par une mère immobile incapable d'amour. J'ai pas entendu Edmond redescendre les escaliers. Je l'ai vu sortir de la maison. Deux chiens se sont approchés de lui en trottinant. Il s'est baissé pour les caresser. Vu de dessus, on aurait dit une drôle de bestiole très calme penchée sur la terre. Quand il s'est redressé, il a porté une main à son oreille pour attraper une cigarette et il l'a allumée. Il a relevé la tête en soufflant la fumée en même temps, et il s'est retourné vers la façade. Il pouvait sûrement pas me voir dans la nuit, même avec la pleine lune, mais son regard insistait pourtant, comme s'il cherchait à me deviner, comme s'il savait que j'étais en train de l'observer. C'est à ce moment-là qu'il m'est apparu. J'ai rien pu faire contre. L'homme de l'écurie, celui du jardin, l'homme aux épaules. Je suis vite rentrée dans ma chambre, parce que je voulais surtout pas lui donner l'occasion de revenir aussi facilement.

J'ai ouvert le tiroir de la commode. J'en ai sorti la poupée que ma mère m'avait fabriquée avec des fanes de maïs séchées nouées avec de la ficelle, avec par-dessus un bout de tissu qu'elle avait cousu et qui ressemblait à une mauvaise robe. Mon histoire. Les taches sur le tissu, les petites déchirures, le bras que je mâchouillais, toujours le même, et l'autre impeccable, et puis les deux grands yeux faits de boutons

194

dépareillés, la bouche couturée et la marque décolorée marquant l'emplacement du nez que j'avais arraché avec mes dents un jour que j'étais en colère. J'ai collé la poupée sous mon nez et je me suis mise à la sentir. Mon enfance était entièrement contenue dans son odeur, comme une carte que j'avais toujours été en mesure de déplier et qui me permettait d'aller dans un endroit que j'étais la seule à connaître. Avant. Tout ce qui venait de céder à l'intérieur de moi. Il y a des vies qu'on raconte dans des grands livres, et moi, je possédais rien que cette poupée que je tenais, une sorte de livre sans pages, que personne à part moi était capable de lire. Cette poupée qui pour la première fois pouvait rien racheter. Alors, je l'ai posée sur le lit. Je me suis agenouillée par terre, comme devant la Sainte-Vierge. J'ai pas prié, j'ai pas été fichue de prier devant ce qui était rien d'autre qu'une poupée en maïs qui sentait mauvais, une poupée qui avait appartenu à une petite fille.

Edmond

Bon Dieu.

Rose a raison, je vaux pas mieux qu'eux.

Elle me pardonnera jamais.

Après l'avoir quittée, j'ai traversé le parc.

Les chants des grillons me faisaient l'effet d'aiguilles qui s'enfonçaient dans mon crâne.

Les chiens m'ont suivi jusqu'au portail.

Pendant que je m'éloignais, je les entendais couiner de l'autre côté de la grille.

Je me suis enfoncé dans la forêt.

Il faisait de plus en plus sombre sous les arbres.

Le silence enflait.

Un oiseau de nuit a posé sa voix par-dessus.

Je me suis arrêté.

J'entendais plus les grillons.

J'apercevais un bout de ciel gris entre les branches.

La fraîcheur me rentrait sous la peau.

Je trépignais sur place pour me réchauffer, et les feuilles se brisaient comme du verre sous mes pieds.

J'ai baissé les yeux, arrêté de bouger.

Le ciel existait plus.

J'avais plus froid.

Je sentais la présence des arbres, l'odeur de la mousse et de la terre.

J'étais aveugle.

Bon Dieu.

La terre.

C'est arrivé sans que je fasse rien pour que ça arrive.

La forêt m'aidait, comme si je lui donnais la permission d'être ce qu'elle était pas, ce qu'elle était plus pendant ce moment où je décidai de ce qu'elle était, cette fille qui sentait la terre, cette fille que j'avais soulevée un jour et reposée à regret, parce que si je l'avais gardée en l'air pour toujours j'aurais pu la protéger.

Bon Dieu, il était peut-être pas trop tard.

Je devais trouver un moyen de la sauver, pour que plus jamais il la prenne.

Il fallait plus que j'y pense.

Réfléchir.

J'écoutais la forêt.

Bon Dieu.

J'ai reconnu les bruits autour de moi, qui laissaient rien que des miettes de silence

Je savais ce qui se baladait sur les feuilles, sous les feuilles, partout.

Bon Dieu.

La solution était là.

Je savais maintenant comment tout ça allait se terminer, grâce à de petites bestioles.

Rose comprendrait, et tout serait accompli.

Enfin.

J'aurais même pas besoin de lui expliquer ce qu'il faudrait qu'elle fasse.

Après, on partirait loin.

On s'enfuirait.
Si elle voulait bien que je l'accompagne.
Si elle voulait bien me pardonner.

Elle

La mère se déposa dans le pichet. Elle se mit à
épaissir lentement à la surface du vin, comme si elle
recouvrait lentement et opiniâtrement une mémoire
de lèvres, et aussi les lèvres elles-mêmes, emprison-
nées sous cette croûte instable dont on aurait pu faire
le meilleur des vinaigres, et que personne, pourtant,
n'utiliserait de la sorte.

Au bout de dix jours, l'aigre fleur finit de s'épa-
nouir dans ce pichet qui n'avait pas quitté la table,
que nul n'avait songé à vider, ni même à regarder avec
quelque insistance déplacée, pas plus la mère que ses
filles, comme si elles s'étaient entendues là-dessus par
avance. Onésime avait promis de ne pas revenir sans
Rose. Il n'était pas revenu. Plus le temps passait, plus
elle sentait son cœur d'abord incendié par la colère
s'éteindre peu à peu, pour que ne subsiste plus qu'une
pierre froide sous une ancienne coulée de lave. Elle
ne savait pas où il s'était rendu. Il n'avait rien voulu
dire. Elle ne savait même pas où chercher. Et il y avait
ses trois autres filles attablées, chacune occupée à
manger un morceau de ce pain d'épeautre durci, cuit
des semaines auparavant, au temps où la famille était

encore au complet. De la fournée ne subsistait plus qu'une seule miche entamée, ressemblant à une lune pâle s'en allant vers son dernier quartier. Quelques jours avant, des siècles même. Maintenant que tout avait changé. Hormis trois gamines mordant leur quignon en cherchant du regard un endroit silencieux. Trois filles arrachées au néant, au motif qu'un homme et une femme se doivent de fabriquer un peu plus qu'eux-mêmes pour échapper au temps, sans penser ni même imaginer un seul instant les malheurs à venir et le cadeau empoisonné que peut devenir une vie. Un cadeau pouvant se révéler bien pire que le néant préalable, qui n'est rien d'autre qu'une absence jamais considérée par les hommes, et pas plus par un dieu. Parce que sortir un petit être du néant d'avant pour lui offrir celui d'après est une immense responsabilité, et en sortir quatre, une pure folie.

Elle n'avait pas faim. Détourna son regard vers la porte ouverte, d'où elle aperçut le tas de fumier qui suintait entre les pierres. Puis elle revint à ses filles, les observa en train d'arracher les bouchées de pain avec leurs petites dents encore saines. Elle qui ne mangeait pas, qui pensait à ce qu'elles allaient toutes devenir, ne pensait même plus à l'homme disparu avec qui elle avait conçu cette chair innocente, se souvenait à peine de la façon dont ils les avaient conçues ensemble, sans plaisir véritable, comme on mène à bien une mission, un troupeau au même pré raclé, incapable d'éprouver le bonheur de la naissance, juste capable d'une souffrance dont elle se sentait aujourd'hui la seule responsable. Cette grande souffrance, qu'Onésime ne pourrait jamais plus endosser. Malgré les épreuves,

200

elle n'avait jamais laissé et ne laisserait jamais paraître le moindre sentiment de nature à l'affaiblir, comme si elle avait toujours su qu'il fallait se préparer à subir le sort, que la vie était une marche consciente vers le néant d'après, pendant que flottait l'odeur aigre du vin en train de pourrir sous la mère ; ce que recèle tout enfantement, l'idée que ce n'est pas la vie que l'on offre au final, mais une mort en germe. Pendant qu'elle regardait le reste de sa tribu : trois filles, ne ressemblant qu'à un ramassis de va-nu-pieds, assises sur des bancs, pas même des chaises, tête basse, penchées en avant comme des oiseaux sur un perchoir regardant le sol ou bien quelque grand vide commun en effacement d'elles-mêmes, trois filles cloîtrées entre quatre murs noircis de fumée, réduisant l'espace à une forme molle et éternelle du temps flottant sans avenir, avec pour repères d'utiles objets arrogants, de bois ou de métal, issus d'une longue tradition et de savoir-faire irrévocables, des objets que l'on saisissait parfois, puis que l'on reposait à leur exacte place, que l'on ne remplaçait jamais, que l'on réparait indéfiniment, et que l'on se transmettait d'une génération à une autre pour se croire détenteur d'une forme figée de mystère. Immuable tradition. Comme ces petites robes claires qui passaient de l'une à l'autre des filles, maintes fois ravaudées, répliques déclinées, telles des poupées russes renfermant ces frêles corps attifés de toujours moins de tissu, et maintenant attablés, leurs yeux creusés et leurs cheveux salis de toute la poussière soulevée par le vent et aussi seulement elles-mêmes. Elle pouvait ainsi se souvenir précisément pour laquelle de ses filles elle avait reprisé tel endroit sur telle robe, cousu tel empiècement, jusqu'à la plus grande portée en son temps par Rose, que revêtait désormais Rachel, et qui se transmettrait bientôt à la puinée, puis enfin à la cadette qui s'était plainte un jour de porter des vêtements usés. Une seule fois.

Elles l'avaient interrogée sur l'absence de leur père, au tout début. Elle avait répondu qu'il était parti travailler ailleurs pour ramener un peu d'argent. *Comme ça, elles auront la surprise,* se rappelait-elle avoir entendu dire à Onésime. «Travailler ailleurs, comme Rose», avait dit Rachel. «C'est ça», avait-elle répondu. Les filles n'avaient plus posé de questions, non qu'elles n'eussent besoin de réponses, ou que celles de leur mère fussent suffisante à leurs yeux, mais parce que dans leurs silences nageait encore l'espoir de voir la famille se reformer, même dans la misère, même dans l'épuisement de journées sans fin. L'espoir que disparaisse la mère dans le pichet et qu'on le remplisse de nouveau de cidre ou bien de vin.

Rose

Je sortais de la cuisine quand Edmond est remonté de la cave. Il a fait comme s'il me voyait pas et moi pareil. Je lui en voulais. Je m'en voulais de toujours pas le maudire. Le maître avait presque terminé son omelette. Ça devrait être vite réglé, a dit Edmond, en même temps qu'il posait une petite fiole en verre sur la table, tout près de l'assiette du maître. L'autre l'a regardé d'un air hargneux, la bouche pleine. Laisse pas traîner ta saloperie ici, tu vois pas que je mange. Edmond m'a jeté un coup d'œil grave, puis il a attrapé le flacon en appuyant son geste pour que je voie bien de quoi il s'agissait. Je pouvais pas me tromper sur le contenu. Il m'a regardée plus longuement en fronçant les sourcils, pour être sûr que je comprenais ce qu'il me soufflait. J'ai baissé les yeux et je les ai relevés. Tu vas rester plantée là encore longtemps, a dit le maître agacé. Edmond s'est dirigé sans rien dire vers un placard de la salle à manger. Il a ouvert une porte et a posé le flacon sur une étagère. Comme ça, je l'aurai sous la main pour la prochaine fois, il a dit bien fort. Y a de quoi les tuer tous jusqu'au dernier, ces sales bestioles, il a ajouté sur un ton haineux qui était sûrement pas destiné aux rats. Le maître a pas réagi, il s'est attaqué au fromage. Et puis Edmond est sorti. J'ai senti une pointe dans mon ventre, et j'ai manqué me casser la figure avec les fers aux pieds. La douleur me tordait les boyaux. Je me suis retenue de pas vomir dans la cuisine.

Quand la vieille est arrivée un peu plus tard, elle a de suite vu que j'étais pas dans mon assiette. Ça n'a pas l'air d'aller fort, mon enfant, elle a dit. J'ai pas aimé qu'elle m'appelle mon enfant, je préférais de loin son ma petite. On dirait que tu es malade, elle a ajouté sur un ton dégoulinant de fausseté. Je me suis redressée le mieux que je pouvais en portant une main à mon ventre. Tu as mal au ventre, elle a ajouté. Non, c'est plutôt au cœur, que j'ai mal, mais ça va passer. Le maître a alors relevé le nez. Il s'est mis à me reluquer, comme il aurait regardé un de ses chiens lui rapporter un gibier dans la gueule. Il a rien dit, il voulait visiblement laisser faire la vieille. Veux-tu que l'on fasse venir le médecin, elle m'a demandé. Non, c'est pas la peine, j'ai répondu plus sèchement que j'aurais voulu, mais elle a pas relevé. Tu es sûre, il faut prendre soin de ta santé. Je me suis concentrée sur ma respiration. C'est rien, je vais déjà mieux. Un sourire a fendu le visage de la vieille en biais. J'en suis heureuse, elle a dit. Le regard du maître est passé de moi à elle. Le sourire de la vieille a fini de lui déchirer le visage, et c'était pas beau à voir, un sourire sur une figure de sorcière. Ils se sont ensuite levés en même temps, et ils sont allés s'enfermer dans le bureau. Ils savaient ce qui était en train de m'arriver, mais moi, j'en savais encore rien, toute gamine que j'étais. Je pensais que c'était juste un mal de ventre, comme quand j'avais bu du lait tourné une fois, et que ça m'avait tordu les boyaux pendant deux jours d'affilée. Malgré la douleur, j'avais qu'une seule idée en tête. Pendant qu'ils étaient occupés à discuter, j'ai fouillé le placard où Edmond avait rangé le flacon. La mort-aux-rats qu'il avait utilisée pour empoisonner les bestioles dans la cave, c'était ce qu'il avait trouvé de mieux pour me venir en aide. Il avait pas dû imaginer que j'aurais pu avaler le contenu de la fiole, parce que c'est bien la première idée qui m'est venue dans la tête. Et puis, je me suis dit que ça aurait été trop facile qu'ils s'en tirent aussi facilement, sans rien payer. Le moyen de me débarrasser d'eux était là, devant moi. Je pouvais faire en sorte de venger mon père, de mettre ma mère hors de danger, et aussi qu'ils me fassent plus jamais de mal, à moi et à personne d'autre. J'ai fourré la fiole dans une poche de mon tablier, et je suis allée la planquer dans la cuisine. La fièvre me brûlait que le maître ou la vieille découvre ce que j'avais fait.

Quand ils sont ressortis du bureau, ils étaient tout joyeux. Le maître est de suite parti à la forge. La vieille est restée à tourner et virer dans la maison pour m'avoir à l'œil. Je pouvais pourtant pas aller bien loin avec les fers aux pieds. J'avais à portée de main la solution à mes problèmes. Je me fichais pas mal des conséquences. J'ai tout manigancé durant la journée, la façon que j'allais m'y prendre. L'idée de passer encore une nuit à me faire prendre par le maître était insupportable, mais j'étais prête à l'endurer une dernière fois. Tout ce que je voulais, c'était qu'ils crèvent le plus vite possible. Quand le soir est venu, je me suis mise à préparer des galettes de pommes de terre avec du lard, beaucoup d'ail et de persil, pour que le goût recouvre celui du poison. La vieille était toujours dans les parages. J'ai bien cru que j'allais devoir laisser tomber pour cette fois.

La vieille a enfin fini par remonter dans sa chambre. Dès que j'ai entendu la porte claquer, j'ai de suite sorti la fiole de sa cachette. Je tremblais en versant le poison sur le mélange pour faire les galettes. J'en ai gardé un peu, puis j'ai rangé le flacon dans ma poche. Je me suis mise à touiller la pâte en faisant bien attention à pas mettre les mains dedans. J'ai posé mon nez au-dessus. Je sentais rien que l'odeur de l'ail. En partie rassurée, j'ai fait des galettes bien régulières en utilisant deux fourchettes. Ensuite, j'ai haché un peu de viande et j'ai vidé le restant de mort-aux-rats dans la pâtée, pour la balancer aux chiens avant d'aller me coucher. Il me venait même pas à l'idée que je serais sûrement la première accusée. Tout ce qui m'importait, c'était que je pourrais quitter cet endroit une fois qu'ils seraient morts, et que les chiens seraient morts aussi. En y réfléchissant, personne savait que je vivais ici, à part le docteur. J'arrivais pas à réaliser que des gens allaient mourir à cause de moi, vu que je me posais pas la question de leur mort. Je me posais juste la question du mal qu'ils me faisaient, et qui était en train de me détruire. Je me souvenais que le curé avait un jour parlé de grandes batailles qu'on avait menées contre le mal dans les temps anciens, même si c'était sûrement pas le même que le mien. Le seul mal à combattre, il était à mon sens dans cette maison, et je pouvais l'arrêter toute seule. J'ai jamais eu de doute sur ce que je devais faire, juste de savoir si j'oubliais rien de ce que j'avais prévu en cours de route. J'ai regardé les galettes empilées dans le plat, un peu comme si elles étaient arrivées là par miracle, comme si j'étais pas vraiment responsable de ce qu'il y avait à l'intérieur, que c'étaient eux les monstres, les seuls responsables, eux qui avaient poussé mes mains à faire une telle chose. Ça ferait jamais de moi une meurtrière aux yeux du reste du monde, je me disais, parce que leur mort suffirait même pas à racheter celles de mon père et de Marie, ni tout ce qu'ils m'avaient fait subir.

Le maître est arrivé le premier, toujours guilleret. Il est passé par son bureau. Il en est ressorti presque aussitôt après pour venir s'asseoir directement à table. La vieille a pas tardé. Elle est entrée dans la cuisine où j'étais en train de cuire le repas. Elle s'est mise à me regarder avec insistance, du haut vers le bas et du bas vers le haut, en faisant des pauses au milieu. J'ai eu peur qu'elle me devine, qu'elle lise dans mes pensées, qu'elle soit même capable de sentir le poison dans les galettes qui cuisaient dans la poêle. Elle a tourné la tête vers la cuisinière en tordant le nez, et j'ai bien cru que j'allais devoir tout lui avouer. J'ai alors repensé au maître en train d'écraser les os de mon père avec son marteau, aux cendres qu'il avait même pas voulu que j'enterre, à son poids sur moi et à son souffle puant, à son machin qui s'enfonçait dans moi. J'irai jusqu'au bout de ce que j'ai décidé, je me suis dit. La vieille pouvait rien deviner, toute sorcière qu'elle était. Pourtant, elle s'est approchée de la cuisinière en tendant son nez pointu en avant, comme si quelque chose la gênait. Je respirais plus. Qu'est-ce que tu as préparé, elle a demandé. Des galettes de pommes de terre. Ce n'est pas ce que j'avais prévu. Je les réussis aussi bien que ma mère, vous verrez. Ce n'est pas la question, elle a dit sèchement. Je me suis raidie en pensant que mon plan tombait à l'eau. Je peux arranger autre chose, si vous voulez, j'ai dit, la mort dans mon âme. Elle s'est remise à me reluquer. Non, ça ira, mais ne recommence plus. J'ai senti un grand relâchement dans mon corps. Vous allez voir que vous serez pas déçue, j'ai cru bon d'ajouter. Ce n'est pas la question, te dis-je. J'ai pas tardé à l'avoir la question qu'elle avait dans la tête, ce qui lui faisait oublier que je lui avais pas obéi. Comment te sens-tu, ce soir, elle m'a demandé. Bien, j'ai répondu. Tes maux de ventre sont passés. Oui, j'ai dit, mal à l'aise. Tu me diras quand ils reviendront. S'ils reviennent, je vous le dirai. Les yeux grands ouverts, elle a regardé mon ventre avec insistance. Ils reviendront, mon enfant, crois-moi, ils reviendront. C'était la deuxième fois en une seule journée qu'elle m'appelait mon enfant, et cette fois-là ses mots m'ont fait l'effet d'une lame qui s'enfonçait dans mon ventre. Vous inquiétez pas pour ça, j'ai dit. Je ne m'inquiète pas, mais il faut que tu prennes soin de toi, maintenant. Le maintenant m'a tout autant glacé le sang que le mon enfant. Je me suis concentrée sur les galettes de pommes de terre qu'il fallait pas que je laisse brûler. Je les ai retournées dans la poêle pour occuper mes mains en espérant que ma tête suive. Je fixais les gouttes d'huile qui explosaient partout autour comme des braises liquides. Ça va être prêt, j'ai dit. La vieille a rejoint le maître dans la salle à manger. J'ai rassemblé mes idées, et j'ai apporté le plat de galettes. Le maître s'est jeté dessus en s'empiffrant, pendant que la vieille en triturait une avec sa fourchette en faisant la moue. Une goutte de sueur est descendue le long de mon dos quand elle a levé les yeux sur moi. Je suis vite retournée dans la cuisine pour pas me trahir. Je les entendais discuter comme jamais ils le faisaient d'habitude, et même ricaner de temps en temps. À un moment, la conversation est redevenue plus sérieuse. La vieille a prononcé le mot contrariété. Elle devait pas parler d'elle, vu que, quand je suis allée desservir, elle avait pas l'air du tout contrariée, plutôt le contraire. Il y avait plus une seule galette dans le plat, pas moyen de revenir en arrière. De toutes les manières, pour rien au monde j'aurais voulu y revenir. Je me suis demandé combien de temps il fallait pour que le poison agisse. Avec la dose que j'avais utilisée, je me disais qu'ils passeraient sûrement pas la nuit. Étant donné qu'on était samedi, j'aurais tout le dimanche pour m'enfuir. C'était mon plan. Je savais pas quand on découvrirait les corps, ni ce qu'Edmond avait l'intention de faire, si je devais descendre le prévenir avant de partir. J'y avais pas réfléchi. Il fallait juste que je pense à moi. J'ai tout passé en revue dans ma tête. Les ouvriers de la forge savaient même pas que j'existais. Pour le docteur, je me suis dit qu'il aurait pas intérêt à ce qu'on me retrouve, vu que si les gendarmes débarquaient dans la maison ils découvriraient le corps de la dame du maître, et qu'il aurait du mal à expliquer qu'il était pas au courant.

La vieille est montée se coucher. Le maître a attendu que je termine la vaisselle, et il m'a raccompagnée à ma chambre. Plusieurs fois il a porté la main à son ventre en montant les escaliers, il avait pas l'air bien crâne. Il s'est pas attardé ce soir-là. Le poison était bel et bien en train de le manger. Je suis restée debout devant la porte refermée. J'ai attendu de plus entendre de bruits. Je suis redescendue pieds nus pour chercher la pâtée empoisonnée et je l'ai balancée aux chiens de par la fenêtre. Ils se sont précipités comme des morts de faim. Je suis vite remontée fourrer mes affaires dans mon baluchon. Ensuite, je suis allée sur le palier. Par la lucarne, je voyais les chiens qui finissaient de bâfrer sous la grosse lune. Je savais pas du tout comment ça allait tourner maintenant. La seule chose que je regrettais, c'était de pas pouvoir assister à leur souffrance. J'aurais tellement voulu les regarder crever en me regardant. Je me suis assise, j'étais épuisée. Le sommeil m'est tombé dessus d'un seul coup, avec le rêve dedans. Cette fois-ci, j'étais pas à côté du rêve, mais tout entière versée dedans, pas une image de moi que j'aurais regardée de par en haut sans pouvoir la faire bouger à volonté. Juste moi, habitée par ma propre volonté, libre de mes mouvements dans le rêve, et bientôt en dehors du rêve, totalement libre.

Et puis, j'ai entendu des bruits. J'ai mis un moment à comprendre que j'étais réveillée et que les bruits étaient bien réels. Il y avait du raffut à l'étage en dessous. J'ai regardé dehors. Un chien se traînait au sol comme une limace. Les autres étaient couchés, immobiles. Tout de suite après, l'attelage du maître a traversé le parc à fond de train, et je l'ai vu disparaître. C'était fichu, la dose avait pas dû être suffisante, je me suis dit. Je suis rentrée dans ma chambre et j'ai rangé le baluchon dans un tiroir. J'y tenais plus. Même si je tremblais tellement de peur que mes jambes avaient du mal à me porter, il fallait que je descende voir ce qui se passait. Quand je suis arrivée en bas, la porte de la chambre du maître était entrouverte. Je m'en suis approchée sur la pointe des pieds. La vieille est sortie comme une furie en refermant derrière elle. Elle se tenait sur le palier, affolée. Elle a même pas fait attention à moi au début. Avec ses cheveux gris en bataille, qu'on aurait dits des petits serpents prêts à mordre, elle ressemblait pas du tout à quelqu'un de malade comme elle aurait dû. Qu'est-ce qui se passe, j'ai demandé. Elle a mis un moment à réaliser que je lui parlais. Remonte immédiatement dans ta chambre, elle a craché. J'ai voulu insister encore un peu et j'ai bien cru qu'elle allait me gifler. Alors, j'ai rejoint ma chambre en laissant la porte ouverte. Je me suis assise sur le lit, à me demander ce que faisait la vieille dans la chambre du maître, vu qu'il était parti en voiture. J'ai même pas eu l'idée de m'enfuir à ce moment-là. Tout est redevenu silencieux en bas. Plus tard, j'ai entendu comme des plaintes et une cavalcade. Ensuite, le silence est revenu, puis à nouveau les plaintes et la cavalcade. J'aurais pas su dire depuis combien de temps était parti l'attelage quand je l'ai entendu revenir. Je suis sorti pour regarder par la lucarne. Le maître était de retour, suivi d'une autre voiture. Elles se sont garées devant les marches. J'ai reconnu Edmond qui descendait de la première et le docteur de la deuxième, pas de maître en vue. Ils sont rentrés dans la maison en courant. C'est à ce moment-là que j'ai compris que la vieille avait envoyé Edmond chercher le docteur pour porter secours au maître.

J'étais perdue si je restais ici. Je suis allée prendre mon baluchon en me disant que personne ferait attention à moi. Quand je me suis retournée, la vieille était devant ma porte. J'aurais pu la bousculer et me précipiter dans les escaliers pour m'enfuir, mais c'était sans compter la façon qu'elle avait de me regarder avec des yeux pleins de haine, son visage ravagé par la douleur. Elle a rien dit, avant de claquer la porte, et j'ai entendu une clé tourner dans la serrure. Je me suis jetée sur la porte, mais j'ai rebondi dessus. J'ai recommencé en prenant mon élan, plusieurs fois, jusqu'à ce que j'aie l'épaule en compote. La porte était trop solide. J'étais prise au piège. Je me suis assise sur le lit, mon baluchon à portée de main, et j'ai attendu. J'ai plus entendu de cavalcade de tout le restant de la nuit. J'ai gardé les yeux ouverts dans le noir. Je crois bien que depuis cette nuit-là je les ai jamais plus vraiment fermés, que même quand mes paupières tombent par-dessus je les sens grands ouverts par-derrière, jamais en repos.

Le jour commençait à se lever quand j'ai entendu des pas dans l'escalier. J'ai attrapé mon baluchon, prête à voler dans les plumes de la vieille. La porte s'est ouverte, je me suis jetée, et cette fois j'ai rebondi sur le docteur, qui m'a envoyée valdinguer sur le lit. Il est entré, la vieille derrière lui. J'ai cherché Edmond pour qu'il m'aide, mais il était pas avec eux. La vieille avait tellement pleuré que les larmes avaient creusé le peu de chair qu'elle avait sur les os. J'étais incapable de me relever. Elle est passée devant le docteur, s'est approchée de moi et s'est penchée tout doucement. Qu'est-ce que tu as fait, elle a dit comme si elle crachait du venin. Je voulais la fuir, mais elle était partout.

Ce que je voyais, ce à quoi je pouvais pas échapper, c'était son regard qui me serrait dans un étau de haine et de douleur, son regard et pas ses yeux vides. J'ai pas répondu. Tu l'as tué, elle a ajouté, comme si elle avait besoin de l'entendre de ma bouche. Je pouvais toujours pas parler. Je réalisais que le maître était bel et bien mort. J'apprendrais plus tard que la vieille avait pas touché aux galettes de pommes de terre parce qu'elle ne supportait pas le goût de l'ail, qu'elle avait rien dit pour pas me contrarier dans l'état que j'étais. Le docteur, qui était resté jusque-là en retrait, s'est décalé d'un pas. Avec les chiens dehors, le ventre à l'air, il avait pas mis longtemps à conclure à l'empoisonnement du maître, et j'étais la seule coupable possible. Il a simplement tendu une main vers moi, paume en l'air. Donne, il a dit. Le visage de la vieille était maintenant comme de l'eau en train de bouillir dans une casserole. J'ai sorti la fiole vide de ma poche et je l'ai donnée au docteur. Il l'a attrapée d'une main, et de l'autre il m'a balancé une grande gifle qui m'a fait basculer par terre. J'ai vu des étoiles s'enfoncer dans un trou noir, et un sifflement s'est mis à tourbillonner dans ma tête. Ensuite, il m'a aidée à me lever et à descendre les marches. Je voyais rien, je sentais rien. Mes jambes suivaient le mouvement, bien malgré moi.

J'ai entendu une porte se refermer, et je me suis retrouvée seule dans une pièce. L'odeur m'a fait l'effet d'un nœud coulant en train de se resserrer autour de mon cou. Ils m'avaient enfermée dans la chambre de la morte. Marie. J'étais terrorisée à l'idée d'être en tête à tête avec elle. Je me suis précipitée sur la porte pour essayer de l'ouvrir, mais il y a rien eu à faire. Je me suis assise dans un coin de la pièce, le plus loin possible du lit. Un peu de lumière passait entre les volets. J'aurais voulu fermer les yeux, mais je pouvais pas m'empêcher de regarder le cadavre que j'enviais d'être débarrassé de la vie. Alors, je me suis levée, je me suis approchée du lit et j'ai retiré le drap de sur le visage. J'ai commencé à lui parler en pleurant, pas parce que j'étais en train de virer folle, mais justement pour pas être tentée de me parler à moi. Ça défilait à toute vitesse dans ma tête. J'étais devenue une meurtrière aux yeux de la loi. La vieille allait prévenir les gendarmes. On me jetterait en prison et on me couperait la tête sans chercher à comprendre pourquoi j'en étais arrivée là. Voilà comment ça se passerait que je lui disais, à la morte. Mon avenir me semblait tout tracé. Au moins, j'avais pas les fers aux pieds et j'étais pas attachée. Je suis allée à la fenêtre, je l'ai ouverte avec l'idée de me jeter dans le vide, mais les volets étaient entravés par un gros cadenas et il y avait rien dans la pièce pour les défoncer. Je me suis quand même acharnée dessus. Il y a rien eu à faire. Je suis revenue m'asseoir de l'autre côté du lit, face à la fenêtre. J'ai plus parlé à la morte. Je pleurais plus. J'avais froid. J'ai fourré machinalement les mains dans mes poches et je les ai gardées serrées à l'intérieur.

Le temps a passé. J'ai regardé défiler le jour à travers les volets, et puis la nuit est venue, et puis un autre jour et une autre nuit. Compter, j'avais que ça à faire. J'avais plus rien à dire à la morte et rien à espérer d'elle. Au moins, elle me faisait plus peur, on serait bientôt pareilles, elle et moi, je me disais. La porte s'est rouverte que le dimanche soir, pas entièrement. Je me suis recroquevillée sans bouger. Personne est rentré. Quelqu'un a déposé un plateau à l'intérieur, avec de l'eau, du pain et du jambon cru. J'ai touché à rien. J'ai juste bu un peu d'eau le lundi. Je me suis remise à parler à la morte le mardi, en l'appelant Marie. Des fois, j'avais l'impression que ses lèvres bougeaient et qu'elle me répondait d'une voix douce. On avait subi le même genre de tortures, je me doutais. Je suis restée enfermée sept jours sans dormir, je crois bien. Je me sentais de plus en plus faible. Je voulais qu'ils me laissent seule assez longtemps pour mourir de faim. Partir doucement, c'était tout ce que je souhaitais.

Le jeudi matin, je dormais encore quand la vieille a ouvert la porte. Le docteur était là aussi. Elle s'est mise à parler. Dans l'état d'épuisement où j'étais, j'arrivais pas à faire le lien entre elle et la voix. On aurait dit qu'elle s'adressait pas à moi, ni à personne d'ailleurs, comme si elle récitait lentement des mots qu'elle avait appris à l'avance, pour vérifier que ce qu'elle disait collait bien avec ce qu'elle avait dans la tête. Le docteur restait silencieux. Il était visiblement là pour autre chose qu'écouter. Il me faisait penser à un démon en train de racoler à la bouche de l'enfer. Tu as tué mon fils, tu mérites la mort, a répété plusieurs fois la vieille. Je croyais qu'elle allait continuer indéfiniment, mais elle s'est tue. La mort qu'elle me promettait sonnait comme le dernier coup du glas, et ses menaces me faisaient plus ni chaud ni froid. Faites ce que vous avez à faire, qu'on en finisse, j'ai répondu. Elle a levé un bras devant elle pour me faire taire. Des flammes brûlaient dans ses yeux. Ce serait trop facile de te livrer à la justice des hommes, tu ne vas pas t'en tirer aussi facilement, sans avoir réfléchi à l'acte odieux que tu as commis, crois-moi. À ce moment-là, elle s'est tournée vers le docteur en serrant les poings. Crois-moi, tu vas payer, elle a encore dit. Le docteur a fait un petit mouvement de la tête qui en disait long sur son obéissance. Je préférerais mourir de suite, j'ai dit en le regardant lui. Il a pincé les lèvres pour s'empêcher de répondre. Contrairement à la vieille, rien brûlait dans ses yeux, pas même une petite étincelle dans le fond. C'était le type le plus froid que j'aie jamais rencontré. Il s'est retourné, a repoussé la porte en grand. Il y avait deux grands types habillés pareil qui attendaient sagement à la porte. On aurait dit des statues toutes grises. Le docteur leur a fait un signe et ils sont entrés. Ils se sont approchés de moi. J'ai mis les bras au-dessus de ma tête, mais ils m'ont soulevée comme de rien. Ils m'ont portée jusqu'en bas sans que mes pieds touchent le sol. De toute façon, j'aurais pas pu tenir debout toute seule. Quand on a été dehors, la lumière m'a cueillie comme si j'étais une flamme refoulée d'un brasier par un courant d'air. Les types ont continué de me porter. Mes yeux se sont vite habitués. J'ai aperçu un fourgon attelé à deux chevaux, qui se rapprochait comme dans un rêve. Pas le mien. De tous les côtés, je cherchais Edmond du regard, mais il était nulle part.

Les types m'ont ensuite fait monter dans le fourgon, puis asseoir sur un banc. Un seul est resté avec moi en me tenant par les épaules pour pas que je bascule, et l'autre a refermé la porte au verrou. J'ai voulu demander où on m'emmenait. Le type m'a pas répondu, même pas regardée. Puis on s'est mis en route. Par une petite lucarne à l'arrière, je voyais des fois un peu de verdure qui défilait sur fond bleu. Le trajet a pas duré longtemps. Les chevaux se sont arrêtés. J'ai entendu grincer les gonds d'une porte qui devait être sacrément lourde pour faire cette sorte de boucan. Les chevaux se sont remis en route au pas. Une ou deux minutes plus tard, ils se sont définitivement arrêtés. Le type s'est redressé en me soulevant dans le même mouvement. Il a attendu que l'autre ouvre la portière pour me faire descendre. J'ai relevé la tête. Il y avait cette église qui me donnait le vertige, même de par terre, avec sa flèche pointue comme une aiguille. Je me demandais où je me trouvais. J'avais jamais vu cet endroit. Les deux types m'ont fait contourner le fourgon. Le docteur était là, pas la vieille. Il a pris les devants. On l'a suivi sur une allée gravillonnée. Il y avait de petites maisons carrées d'un seul côté, toutes pareilles, et de l'autre un grand bâtiment en longueur qui prolongeait l'église. Des voix étranges et parfois même des cris sortaient de temps en temps des maisons. On a croisé une femme habillée en bonne sœur. Elle marchait vite en regardant droit devant sans se soucier de notre présence. J'ai eu le temps de la voir entrer dans une des maisons. Ça s'est mis à crier encore plus fort dedans, puis ça s'est arrêté. Je me suis dit que tout ce que j'entendais et voyais, c'était rien que dans ma tête, que j'étais déjà partie loin, comme Marie. Ça a pas duré bien longtemps. J'ai vite réalisé que c'était pas par charité chrétienne que la vieille m'avait épargnée, ni pour que je prenne le temps de réfléchir au crime que j'avais commis, que c'était juste parce qu'elle avait encore besoin de moi.

On s'est arrêtés devant une des maisons carrées. Le docteur a sorti un trousseau de clés de sa poche. Il a ouvert la porte, et on est entrés après lui. Il y avait une seule pièce, avec dedans une chaise, une table, un lit en fer fixé au sol et de grosses sangles en cuir qui pendaient de chaque côté. Ça m'a même pas choquée sur le coup. Je voulais juste m'allonger et fermer les yeux. Ce qui se passerait ensuite, je m'en fichais éperdument. La minute qui suivrait, l'heure, le lendemain et les jours d'après, c'était plus mon problème. Je possédais encore un corps avec des bras, des jambes et une tête pour penser, mais en vrai j'étais morte, enfermée, bien décidée à laisser fondre le dedans de ma tête pour qu'on puisse plus rien me prendre.

Les types m'ont fait allonger sur le lit. J'avais pas la force de résister. De toute façon, c'était ce que je souhaitais par-dessus tout, me coucher et m'endormir pour toujours. Ils m'ont attaché les poignets et les chevilles avec les sangles. Ensuite, tout le monde est sorti en m'abandonnant, les bras et les jambes en croix. J'entendais de l'eau qui suintait du mur, quelque part derrière moi. Les larmes se sont remises à couler de mes yeux sans prévenir. Je sanglotais pas. Je pleurais même pas vraiment. L'eau sortait de moi naturellement, rien que de l'eau sans rien d'autre à l'intérieur. J'aurais voulu qu'elle s'arrête jamais de couler pour que je me vide complètement, que je me dessèche comme une cosse de haricot oubliée, que tout ce qui était encore vivant en moi parte avec l'eau.

Je saurais pas dire combien de temps je suis restée étendue, épinglée comme le Jésus sur sa croix. À un moment, mon ventre a recommencé à me faire mal. Je me suis mise à me tortiller. J'ai pas appelé. Je serrais les dents. Un peu plus tard, le docteur est entré, accompagné d'une femme, pas la même que j'avais croisée à mon arrivée. Elle était elle aussi vêtue presque comme une bonne sœur, mais en vrai c'était un habit d'infirmière. Elle tenait une boîte en fer dans une main. Le docteur s'est approché de moi. La sueur me coulait partout. Tu as mal, qu'il m'a demandé. J'ai secoué la tête. Comme des crampes, n'est-ce pas. Oui, j'ai fini par dire. Depuis combien de temps. Y a pas longtemps. Quand cela a-t-il débuté, la première fois que tu as eu ce genre de douleur, je veux dire. Environ une semaine, j'ai répondu, parce que j'en pouvais plus de souffrir attachée. Le docteur a jeté un coup d'œil à l'infirmière. Elle a posé la boîte sur la table, l'a ouverte, et en a sorti une seringue. Elle l'a soulevée devant son visage en actionnant le piston. Deux ou trois petites gouttes ont jailli au bout de l'aiguille, puis elle a tendu la seringue au docteur. Il a relevé une manche de ma robe et il a appuyé son pouce dans le pli de mon coude. Il a ensuite enfoncé l'aiguille dans une veine et il a injecté tout le contenu de la seringue. Ils étaient chacun d'un côté du lit à attendre que quelque chose se passe. Je louchais pour les voir tous les deux en même temps, pendant que la douleur se diluait.

Vous pouvez la détacher, maintenant, vous la ferez manger dans un moment, a dit le docteur à l'infirmière. Elle a retiré les sangles. Une fois libérée, j'ai pas bougé. Je suis restée les bras et les jambes en croix. Je les ai regardés sortir. Quelques minutes plus tard, je me tenais toujours immobile. J'entendais plus l'eau suinter et mes yeux étaient secs. Je me sentais partir, sans m'endormir. C'était parfait. Artémis a traversé le mur. Elle s'est arrêtée au bout du lit en balançant sa grosse tête de haut en bas. Elle était toujours aussi belle. Sa robe brillait. J'ai tendu un bras en avant. Comme j'arrivais pas à la toucher, je lui ai demandé de s'approcher. Elle l'a fait. Elle a penché son cou vers moi, mais je pouvais toujours pas l'atteindre, comme si ma main passait au travers de sa tête. J'avais la sensation que c'était pas elle qui était pas réelle, que c'était moi qui l'étais plus. J'aurais voulu monter sur son dos, qu'elle m'emmène loin, qu'on disparaisse toutes les deux à travers le mur, avec mes doigts accrochés à sa crinière et le vent qui nous pousserait dans le sens de la fuite. Puis la jument s'est reculée. Son arrière-train est entré dans le mur comme si c'était rien qu'une motte de beurre. Elle a disparu entièrement, sans moi. J'ai voulu bouger pour la suivre, mais j'étais paralysée, sans volonté, sûrement à cause de ce que le docteur avait mis dans mon sang. J'ai fermé les yeux. Au début, j'ai vu plein de visages qui me regardaient, ceux de mon père, de ma mère, de mes sœurs, du maître, de la vieille, du docteur, et aussi celui d'Edmond. Ils me regardaient tous avec le même air curieux, et aussi celui de bien s'entendre. Et puis ils ont disparu, comme aspirés par où la jument avait disparu. J'ai espéré qu'elle les trouve pas sur sa route. C'est cette nuit-là que j'ai compris que ça voulait rien dire, dormir, que c'étaient rien que des petits galops plus ou moins réussis, que la vraie course qui s'arrête jamais, c'est la mort.

Elle

Elle s'était dit que le moment était venu, que si elle attendait encore elle n'aurait peut-être plus le courage. Elle n'avait pas dormi dans son lit. L'aube pointait déjà par l'unique fenêtre, qui fabriquait des ombres timides un peu partout dans la pièce. Elle regarda ses filles s'habiller en silence. Du lait chauffait dans une casserole posée sur le trépied dans la cheminée, et l'on entendait psalmodier le galet, qui faisait office d'anti-monte-lait, contre les parois en fer-blanc. Une écuelle à la main, elle s'approcha du feu, balada la pointe d'un doigt à la surface du lait, insensible à la chaleur, de la peau s'enroula autour, comme un fil de laine graisseux sur une quenouille, qu'elle versa dans l'écuelle. S'en alla ensuite remplir de lait trois bols dépareillés, identiques de taille, s'y reprenant en plusieurs fois pour faire d'égales rations, jusqu'à ce que la casserole soit vide, hormis le galet, qu'elle retira et déposa sur l'ardoise, tout près du pichet. Elle partagea le dernier morceau de pain et poussa les tranches contre les bols. S'assit à table. Les filles dépecèrent les tranches et trempèrent les morceaux dans le lait, en silence, puis burent, toujours en silence, dégradé de têtes blondes aux bouches *moustachées* de lait. De temps en temps, elles la regardaient peureusement, tout en prenant d'interminables lampées au milieu de ce grand silence malade de tous les autres. Lorsque les bols furent vidés, d'un revers de manche elles essuyèrent les traces autour de leurs bouches, presque en même temps, et elle accompagna ce geste en pensée, jusqu'à sentir leur peau de bébé sous la pulpe de son pouce. Puis elle leur dit qu'il était temps de se mettre en route. Elles relevèrent alors un même visage triste et résigné vers leur mère. La veille, elle leur avait expliqué où elle les emmènerait pour un temps. Elles n'avaient pas protesté. Pourtant, elles auraient bien souhaité et même voulu qu'elle changeât d'avis, et peut-être même qu'elle se serait laissé convaincre, elle aussi, de conserver ce semblant de famille, si seulement l'une des trois au moins avait plaidé cette cause-là, à ce moment-là. Mais voilà, nul ne peut vouloir avec ferveur ce qu'on ne lui a pas appris à désirer. Ne restait plus qu'à protéger ces trois petits maillons d'une chaîne brisée.

« Laissez tout sur la table ! dit-elle, alors que les filles s'en allaient de concert laver leur bol. Prenez vos affaires, maintenant, et mettez vos sabots, faut y aller. » Elles obéirent sans discuter, en silence encore, ce silence désormais multiplié par trois, sur lequel vinrent cogner leurs sabots, et le frottement de leurs vêtements, et plus tard la brise dans les feuillages. Tous ces bruits, qui rebondissaient sur un bouclier quatre fois forgé dans le même silence. Et, alors que tout semblait joué, le silence fut corrompu par la plus frêle des voix d'enfant, la plus innocente aussi : « Pourquoi qu'on va chez pépé et mémé ? » Il y eut un temps, et le silence se reforma dans une absolue perfection.

Elle aurait voulu s'arrêter de marcher, se tourner vers le frais miroir aux joues rosies par la fraîcheur du matin, lui expliquer les raisons de son choix. Elle n'en fit rien, par peur de trouver dans le regard transparent quelque raison de faire demi-tour, une raison qui n'aurait jamais été suffisante, mais qu'elle aurait pu considérer comme telle dans un accès de faiblesse. Sachant cela et pas davantage que cela, elle continua d'avancer sans un mot. Les filles la suivirent en laissant la question suspendue dans l'air. Au bout d'un moment, après avoir longuement réfléchi, elle prononça des mots, comme surgis de la terre ; ils pénétrèrent la plante de ses pieds, remontèrent dans ses jambes malingres et son ventre tendu qui les avait toutes portées, pour enfin parvenir dans sa bouche : « Vous serez mieux là-bas, pour l'instant. » Nul minois ne protesta, se fermant sur l'instant, tentant de s'ouvrir sur le mieux et le là-bas, ce que seul un enfant peut faire, déléguer les formes du temps au profit d'un adulte en qui il n'a d'autre choix que de placer sa confiance.

Elle aperçut bientôt le toit recouvert de chaume bruni, puis la façade grise, percée de deux meurtrières aux linteaux gercés, qui ressemblait à un visage pétrifié plaqué sur un fond époustouflant de verdure. Elle plaça une main en visière, de sorte à faire disparaître le ciel ensorcelé par le soleil. Puis elle vit son père, assis sur le banc sans dossier aux pieds calés pour compenser autant que possible les accidents du terrain, perdu dans ses pensées ; car il était midi passé, et qu'à cette heure il se tenait toujours à cet endroit pour quelques minutes de repos sans conséquence; cela, depuis qu'il était devenu vieux et qu'il l'avait compris, sans jamais l'accepter.

Il releva la tête et les regarda approcher sans bouger du banc éculé, rameuta ses épais sourcils vers le sillon vertical qui prolongeait la racine du nez, puis resserra le poing sur le pommeau lisse de son bâton et posa l'autre main ouverte par-dessus, avant d'accueillir sans heurt cette engeance besogneuse, issue du même monde, du même sang et de la même impuissance. La mère sortit bientôt de la maison en brinquebalant à cause de la douleur mortifère de ses hanches au cartilage raboté par les efforts d'une seule vie. Surprise de l'apparition, la mère s'immobilisa dans l'embrasure de la porte, tentant d'évaluer la situation, à défaut de la comprendre, sachant simplement le rôle ancestral qu'elle avait à jouer à ce moment précis, et nul autre. Elle déploya ses bras, comme il ne l'avait pas fait juste avant, avec ce supplément maternel qui attira les filles à elle, à la manière d'une poule écartant ses ailes pour rameuter ses poussins en lieu sûr; les laissant seuls, elle et lui, fille et père. Lui, toujours assis, grattant le sol de la pointe de son bâton, un acte privé de sens intrinsèque, simplement destiné à le rapprocher d'elle sans avoir à la regarder, sans avoir à parler le premier.

— Vous pouvez me les garder un peu? dit-elle.

— Bien sûr qu'on peut.

— Merci.

— Il manque Rose, on dirait, ajouta-t-il sans quitter des yeux le bâton.

Elle hésita un court instant avant de répondre.

— Faut bien que quelqu'un garde la ferme.

— Et ton homme ?

— Il est parti gagner un peu de sous ailleurs, c'est l'affaire de quelques jours.

— T'as l'air toute drôle.

— Tout va bien, je t'assure.

Il releva lentement la tête.

— Pourquoi que tes yeux disent le contraire, alors ?

— Y disent rien comme ça, mes yeux, répondit-elle nerveusement.

— C'est pas ce que je devine.

Un coq se mit à chanter et elle détourna le regard dans sa direction. Il fit basculer la pointe du bâton vers l'avant, désignant le chemin.

— Tu veux que je m'approche jusqu'à chez vous, demain ?

— T'as bien assez à faire ici, surtout maintenant que j'ai ramené les filles... t'inquiète pas pour moi.

— Toi ?

— T'inquiète pas pour nous, je veux dire.

Il soupira, ramena le bâton à sa position initiale, à la manière d'un insecte repliant une patte récalcitrante.

— C'est si compliqué de dire ce qu'y a vraiment dans ta tête, dit-il.

Elle le tança du regard, et de nouveaux traits durcirent son visage.

— Je fais comme on m'a appris,

— Des fois, on nous apprend pas bien.

— C'est trop tard pour changer ça.

Il posa le menton sur ses mains qui enserraient toujours le pommeau, lèvres scellées, parce qu'il n'était pas en mesure de répondre quoi que ce soit pour justifier ses manquements, et aussi parce qu'il ne voulait pas être le dernier à parler.

— Je m'en retourne, dit-elle.

Puis elle s'en alla, peinant à se défaire du regard de son père accroché à sa silhouette, désireuse de s'éloigner au plus vite de cette emprise invisible, de ne plus en ressentir le poids; car il lui avait au moins appris cela, que tourner le dos à un regard qu'on n'a pas satisfait est bien pire que de continuer de l'affronter.

Rose

J'avais aucun doute sur l'endroit où je me trouvais. Une prison pour les fous. On m'a seulement permis de sortir de ma chambre une fois que j'ai eu repris suffisamment de forces. Un infirmier m'a accompagnée dehors en me soutenant, à cause que j'avais pas encore bien de forces dans les jambes, et aussi à cause du soleil, de l'air frais et des médicaments qu'on me donnait et que je prenais sans résister. Une chose que j'ai comprise de suite d'instinct, c'était qu'il fallait pas résister, que sinon ça serait pire, et puis je voulais plus qu'on m'attache sur le lit. On est arrivés dans une cour entourée de murs blancs bien plus hauts que moi. Il y avait trois femmes habillées en robe grise, pareille que la mienne. Elles aussi étaient venues avec un infirmier pour les surveiller. Ils se tenaient groupés près de la porte, occupés à discuter, comme si on risquait de s'évader. Les trois femmes avaient les cheveux coupés au ras du cou. J'ai machinalement touché les miens. J'avais même pas encore réalisé qu'on me les avait coupés, et que la cicatrice de ma brûlure était bien visible. Les larmes me sont montées aux yeux. J'ai relevé la tête pour pas qu'elles coulent.

L'infirmier m'a accompagnée encore quelques mètres en me tenant juste le bras, et il m'a lâchée quand il a vu que je pouvais tenir sur mes jambes sans trop de difficulté. Il m'a regardée faire encore un moment pour être sûr que je me débrouillais, puis il a rejoint les autres infirmiers. Je me sentais toute bizarre, pas vraiment à l'aise. J'étais debout et la tête me tournait un peu. Une des femmes était assise sur un banc en pierre, les jambes écartées. Elle ramassait des petits cailloux et les faisait rouler sur le tissu tendu de sa robe. Dès qu'il y en avait un qui tombait par terre, elle rigolait en montrant ses dents pourries. Une autre faisait le tour de la cour en rasant les murs sans s'arrêter et en regardant le ciel avec la bouche en cul de poule, qu'on aurait dit qu'elle voulait gober le ciel. J'ai pas mis longtemps à comprendre que mon malaise venait pas de ces deux-là qui s'occupaient pas de moi, mais de la troisième femme. Elle me quittait pas des yeux, bien droite au milieu de la cour. Quand je me suis sentie suffisamment gaillarde pour marcher, j'ai fait les quelques pas qui me séparaient encore du mur du fond. Les infirmiers discutaient toujours près de la porte sans souci de nous. Une fois que je suis arrivée au fond de la cour, j'ai calé mon dos contre le mur et j'ai levé les yeux. C'est à ce moment-là que j'ai vu la forêt dépasser des toits. Ça m'a fait un sacré choc de la voir si proche, et de même pas savoir si je pourrais y retourner un jour. Comme je pouvais pas m'empêcher de la regarder, et que ça me faisait du mal, je me suis laissée glisser tout doucement vers le bas pour la faire disparaître. Je me suis assise. Des bouts de forêt dépassaient quand même un peu partout au-dessus du mur. Ma tête s'est remise à tourner. J'entendais un bruit de fond dans mon dos, un bruit que j'avais pas remarqué avant. Ce bruit sourd, je l'aurais reconnu entre mille autres. Une rivière coulait juste derrière le mur où j'étais appuyée. La sentir m'a fait le même effet que de voir la forêt. Tu vas payer d'une autre manière qu'en mourant, m'avait dit la vieille. Elle avait tenu parole. Ce que je réalisais pas encore, c'était qu'il y avait autre chose de plus important pour elle que de me savoir enfermée ici.

Les infirmiers étaient en train de parler entre eux. Ils ont pas remarqué que la femme qui s'était jusque-là sagement tenue au milieu de la cour s'approchait maintenant tout doucement de moi. J'étais pas bien rassurée, mais je voulais rien montrer. Et puis, il y avait rien de méchant dans son regard. Quand son ombre a fini par me toucher, ça m'a fait un drôle d'effet, comme si elle entrait dans moi, l'ombre, et qu'elle, cette femme, avait pas besoin de faire plus pour que je la comprenne, que son ombre était la seule chose dont elle pouvait me faire cadeau, même si elle en savait rien, parce que cette ombre, c'était la seule chose qu'on lui volerait jamais. Quand l'ombre m'a recouverte, j'ai ressenti une grande douceur, d'abord parce que je voyais plus les infirmiers derrière la femme, et ensuite parce qu'elle m'offrait naturellement la possibilité d'oublier les murs. Elle s'est arrêtée à un mètre de moi. J'ai remarqué la fine cicatrice qui partait du coin de son œil droit et qui descendait jusqu'au menton, comme une trace de larme séchée.

Huit, elle a dit. Qu'est-ce que vous dites, j'ai demandé. T'es là depuis huit jours, pas vrai. J'en sais rien. C'est sûr, et tu t'appelles comment. J'ai regardé longuement son visage, me disant qu'elle avait dû être jolie, mais qu'elle était maintenant trop maigre pour ça. Rose, j'ai répondu. Rose, elle a répété d'un drôle d'air. Et toi, j'ai demandé. Elle a penché la tête de côté, comme si elle avait pas compris ma demande. Tu devrais pas le garder, ce prénom, elle a dit avec un supplément de sérieux dans les yeux et dans la voix. J'en ai qu'un de prénom, pourquoi j'en changerais. Elle a redressé la tête. Son regard s'est durci, signifiant manifestement que je devais me taire et l'écouter. Un prénom, ça veut rien dire ici, faut t'en débarrasser, et vite, surtout çui-là. Sans prévenir, elle a brusquement fait demi-tour, puis elle s'est éloignée tout doucement, au même rythme qu'elle s'était approchée, mais avec plus de peine. J'aurais juré que ses jambes tremblaient sous sa robe. Son ombre a glissé sur moi en se traînant au sol à la manière d'un voile sombre et transparent. J'ai de nouveau vu les infirmiers. La femme s'est plantée au milieu de la cour, comme avant. Elle me regardait plus, comme si j'existais pas.

Depuis mon arrivée ici, c'est la même infirmière qui s'occupe de moi, sauf quand elle est en repos. Même si elle a pas l'air méchante, je me suis quand même méfiée au début. J'ai jamais eu bien de jugement pour les personnes. J'ai pas eu trop l'occasion d'apprendre. Je l'ai reniflée un bout de temps. J'ai fini par comprendre que c'était une bonne personne, là seule avec qui j'aie envie de parler ici sans crainte. Elle m'a à la bonne. Je crois aussi que je lui fais pitié. Je sais pas ce qu'on lui a raconté sur moi. J'ai jamais su vraiment quel sens donner au mot amie, mais, si j'étais libre, c'est d'une comme elle que j'aurais envie. Je lui ai demandé un jour où je me trouvais exactement. Elle m'a raconté l'histoire du monastère qui avait été récemment transformé en asile, puisqu'à un moment il fallait bien appeler les choses par leur nom. Les petites maisons carrées sont en réalité d'anciennes cellules de moines, qui ont été reconverties en chambres pour les malades. Un monastère de chartreux, j'ai de suite fait le rapprochement avec l'église et tout le religieux qu'il y a autour. J'ai remercié l'infirmière, quand elle a eu fini de me raconter. Elle m'a souri en posant une main sur mon front, pas à la manière du docteur pour vérifier que j'avais de la fièvre, non, autrement que ça. Une confiance s'est installée entre nous au fil des semaines, en cachette de tout le monde. Elle est toujours là, à s'occuper de moi. Elle s'appelle Eugénie, mais elle préfère Génie.

Un soir, avant qu'elle s'en aille, je lui ai demandé si elle pouvait me procurer du papier, de l'encre et une plume pour que je prenne le temps d'écrire tout ce que j'ai vécu. Je sais pas pourquoi j'ai eu cette idée. En vrai, ça me travaillait depuis longtemps. Tout ce que je savais, c'était que, si je le faisais pas maintenant, je le ferais jamais, et alors il resterait rien de moi, que même si c'était pas grand-chose personne d'autre que moi le raconterait. Au début, Génie a refusé, disant qu'elle avait pas le droit, que si elle se faisait attraper elle perdrait son travail et que sa famille avait besoin d'elle. Je lui ai promis que personne en saurait rien, que ce serait notre secret, que les mots, c'était la seule chose qui pouvait sortir libre de mes doigts. À force que j'insiste, elle a fini par accepter, tout étonnée qu'une pauvre fille comme moi lui demande une chose pareille.

Le lendemain, Génie me portait un premier cahier, une fiole d'encre et une plume coincée au bout d'un morceau de sureau. Je lui ai attrapé les mains et je l'ai remerciée. En me voyant tellement heureuse, elle a bien failli pleurer. Peut-être même qu'on aurait pleuré ensemble, si jamais on avait laissé traîner le moment et si elle avait rien eu de plus à faire que de rester avec moi. Je me suis mise à écrire le soir même. Depuis ce moment, je me raconte mon histoire, tout ce qui s'est déjà produit et tout ce qui m'arrive encore. Les mots passent de ma tête à ma main avec une facilité que j'aurais jamais crue possible, même ceux que je pensais pas posséder, des mots que j'ai sûrement appris aux Landes, ou bien lus dans le journal du maître, et d'autres que j'invente. Je peux pas m'arrêter quand je suis lancée. Les mots, ils me font me sentir autrement, même enfermée dans cette chambre. Ils représentent la seule liberté à laquelle j'ai droit, une liberté qu'on peut pas me retirer, puisque personne, à part Génie, sait qu'ils existent. Je me sens pas mal d'être ici. J'ai plus besoin de travailler. J'ai aussi quelqu'un à qui parler de temps en temps, et des mots à jeter sur du papier. Qu'est-ce que je pourrais demander de plus aujourd'hui.

Ça fait maintenant des semaines que je suis à l'asile. Les journées défilent toutes pareilles. Le réveil est à sept heures. J'ai plus de traitement, comme dit le docteur. On m'emmène au réfectoire pour le petit déjeuner, puis je retourne dans ma chambre. Ensuite, il y a la promenade, de onze heures à douze heures, puis le repas de midi, puis je reviens pour la sieste, puis je peux ressortir de cinq heures à six heures du soir, puis, une fois que je suis rentrée, le docteur passe vérifier que tout va bien du côté de mon ventre. Il m'a tout expliqué de ce qui allait se passer. Mon ventre, c'est tout ce qui l'intéresse. Je le laisse faire. Je m'en fous, de mon ventre, comme si ce qui pousse dedans m'appartenait pas. Le souper est à sept heures, et ensuite il y a Génie.

Ici, c'est pas la folie des autres qui me fait peur, c'est de pas pouvoir m'y réfugier moi. Dans la cour, je retrouve la femme qui m'a conseillé d'oublier mon prénom. Oublier, c'est ce qu'elle doit savoir faire de mieux, vu qu'elle fait maintenant comme si j'existais pas, à même pas me regarder et encore moins m'adresser la parole. Ça me dérange pas vraiment. En vrai, je voudrais que rien change, que ma vie se fige pour toujours dans une journée répétée jusqu'à ma mort, la même journée sans surprise. Mais voilà, quelque chose est en train de changer, quelque chose que j'ai rejeté tant que j'ai pu à l'intérieur de moi, et que je peux plus rejeter.

Hier soir, quand Génie était dans ma chambre, j'ai soulevé ma robe pour lui montrer mon ventre qui commençait vraiment à enfler. T'en connais beaucoup des filles dans mon état, ici, je lui ai demandé. Elle m'a pas répondu. Elle fixait mon ventre. C'est à cause de ça que je suis là, et pas à cause de quelque chose qui me manquerait dans la tête. J'ai pas dit à cause de lui, mais à cause de ça. En m'entendant le dire, je me suis sentie très triste et totalement impuissante. Tu penses que tu es ici à cause de l'enfant que tu portes, elle m'a demandé, comme si elle découvrait mon état. De celui qu'on me fait porter pour une autre, j'ai répondu. Elle a plissé le front toujours sans quitter mon ventre du regard, comme si c'était à lui de répondre ou plutôt à celui qui grossissait dedans. C'est à ce moment-là que je lui ai raconté comment j'étais arrivée ici. Je me suis mise à parler comme ça me venait, un peu dans le désordre. Tellement mon histoire lui a fait de l'effet, je l'ai sentie émotionnée. Elle pouvait pas rester assez longtemps pour que je lui déballe tout, peut-être que c'était trop d'un coup pour elle. Alors, je lui ai dit qu'elle pourrait lire ce que j'écrivais, si elle le voulait.

Au début, elle a tenu à conserver une distance qu'on lui avait appris à garder, mais ses résolutions ont pas tenu bien longtemps et ça l'a vite démangée de me lire. C'est devenu notre rituel du soir. Génie finit toujours son service par moi, pour pouvoir rester un peu plus longtemps. Elle regarde dehors, ferme la porte à clé, puis je lui tends le cahier à la bonne page. Elle s'assoit ensuite sur le lit et se met à lire pendant que je guette ses réactions en douce. Elle commence toujours par plisser les yeux pour se concentrer, et puis c'est parti. Mon histoire la bouscule, c'est certain. Plus d'une fois je me suis doutée qu'elle regrettait d'avoir ouvert mon cahier, quand elle s'arrête de lire et relève la tête pour reprendre son souffle, regarder ailleurs. Elle dit jamais rien. Elle veut peut-être arriver au bout avant d'en parler, sûrement qu'elle a aussi besoin de temps pour se laisser aller à y croire. Je serais dans sa tête, que j'en apprendrais pas plus sur ce qu'elle pense dans ces moments-là, à pas savoir quoi faire de mes mots. Sûr qu'elle aurait préféré pas me rencontrer, jamais connaître ma vie, mais maintenant que je la lui ai mise dans les pattes, elle a plus le choix que de faire avec. C'est tout le problème des bonnes gens, ils savent pas quoi faire du malheur des autres. S'ils pouvaient en prendre un bout en douce, ils le feraient, mais ça fonctionne pas comme ça, personne peut attraper le malheur de quelqu'un, même pas un bout, juste imaginer le mal à sa propre mesure, c'est tout. J'en ai jamais voulu à Génie d'essayer. C'est sûrement pas confortable de se sentir coupable d'une chose qu'on n'a pas commise. C'est l'idée que je me fais de la pitié, et la pitié a jamais aidé personne à se sentir mieux, surtout pas celui à qui on la destine. La preuve, je l'ai eue un soir que ça devait trop lui peser de me lire. Elle s'est mise à me parler de sa vie, de son mari et de ses deux drôles. Je l'ai vite arrêtée. J'ai posé les deux mains sur mon ventre bombé. J'ai laissé passer un grand moment avant de parler.

Faut que tu nous sortes de là, j'ai dit. Elle m'a pas répondu. Elle a fait semblant de vouloir se remettre à lire. Son silence faisait que confirmer ce que je pensais de la pitié et des limites que Génie serait jamais prête à dépasser. C'est une gentille fille, mais aussi et surtout un bon petit soldat qui enfreindra pas les règles au risque de tout perdre. Je lui en veux pas, mais j'ai eu de la peine de la voir sans réaction, même pas un mot pour dire qu'elle était désolée, beaucoup trop de silences pour dire son impuissance. Elle voulait pas me décevoir. Elle devait penser que j'étais pas en mesure d'entendre sa réponse, et que la deviner, ou penser à une autre, était moins pire que donner la vraie qu'elle avait en tête, que le doute qui continuerait de planer était un peu d'espoir qu'elle m'offrait en se taisant.

Oublie ce que je viens de te demander, j'ai dit pour la soulager de sa gêne. Elle s'est sentie obligée de parler. J'ai de suite posé une main sur sa bouche en lui souriant. Je voudrais juste que tu fasses une dernière chose pour moi, j'ai dit sans retirer ma main. Je voyais ses yeux immenses qui me redoutaient. S'il m'arrive malheur, tu voudras bien prendre mes cahiers que je cache sous le matelas, juste pour qu'ils sortent d'ici. Après, t'en feras ce qui te semblera le mieux, ça m'est égal. Je voulais qu'elle sente que je lui laissais pas le choix, sans la brusquer. Quand elle a cligné des yeux, j'ai su qu'elle ferait ce que je lui demandais, qu'elle essaierait au moins. On en reparlera plus, ça lui appartient. Ensuite, j'ai enlevé ma main, ses lèvres tremblaient. J'ai fourré mon cahier sous le matelas, et je lui ai dit de me laisser. J'avais envie d'être seule. J'avais mal au ventre. Je voulais pas qu'elle assiste à ma douleur.

Le docteur a décidé de plus me laisser sortir, même pour aller manger. Ça commence à trop se voir que je suis grosse. Il dit qu'il veut pas que mon état perturbe ses autres patientes. Il a chargé Génie de m'expliquer le chemin que la délivrance prend, puisqu'elle prend le chemin qu'elle a déjà emprunté deux fois sans trop de problèmes, elle m'a raconté. En même temps qu'elle parlait, je me foutais de ses explications, vu que c'était pas vraiment de moi qu'elle parlait, mais de mon ventre. Mon ventre, il est plus à moi depuis que le maître me l'a pris, et aussi et surtout, je refuse l'idée qu'il y a fourré quelque chose qui lui appartient encore,

236

même maintenant qu'il est mort, quelque chose que je peux pas nommer, que me prendre mon ventre suffit, qu'y faire grandir cette chose, je peux pas le concevoir, parce que je suis incapable de concevoir la chair et même l'idée de la chair. Et pourtant, j'en parle.

Ma main tremble en écrivant. Ce soir, le docteur est entré à la même heure que d'habitude, sauf qu'il était pas accompagné par Génie, ni par une autre infirmière. C'était la vieille qui était avec lui. Elle m'a paru différente de la dernière fois que je l'avais vue, tellement desséchée, que la peau de son visage semblait directement collée sur l'os par endroits, et qu'elle gondolait à d'autres, comme si la colle avait manqué. Elle m'a regardée d'un œil sévère, puis elle est vite passée à mon ventre, qui gondolait pas du tout sous ma peau, lui. Le docteur a relevé ma robe. Il m'a demandé d'écarter les jambes. J'avais l'habitude en temps normal, mais là j'étais gênée que la vieille assiste à ça. J'ai quand même obéi en fermant les yeux. Je voulais que ça se termine au plus vite. Le doigt du docteur s'est posé sur ma fente et il l'a enfoncé tout doucement. Au bout d'un moment, il a dit que le col était en train de se dilater. Je savais pas à qui il parlait. J'ai rouvert les yeux pendant qu'il inspectait toujours mon entrejambe d'un air satisfait. Puis il a retiré son doigt. J'ai de suite redescendu ma robe. La vieille s'est mise à compter lentement sur ses doigts. Elle s'est arrêtée à huit. Il fallait pas être bien maligne pour savoir ce qu'elle comptait. Le docteur est allé se laver les mains dans la bassine. Il s'est ensuite essuyé les mains avec un mouchoir propre qu'il a sorti d'une poche de pantalon, et il s'est de nouveau approché de moi.

Tu as déjà eu des contractions, il m'a demandé. Des quoi, j'ai dit en faisant semblant de pas comprendre. Génie avait déjà utilisé ce mot qu'elle m'avait expliqué. Des contractions, il a répété, comme si tu recevais des coups dans le ventre, à intervalles plus ou moins réguliers. Je le regardais lui, jamais la vieille. Non, j'ai encore rien senti d'aussi fort que ça. Ses yeux étaient posés sur mon visage, quelque part où y avait pas mes yeux. Surtout, tu nous préviens, lorsque cela t'arrive, il en va de votre santé à tous les deux. Ce tous les deux me rongeait les tripes, comme si c'était de l'eau bouillante qui les baignait. D'accord, j'ai dit en essayant d'être aussi convaincante que possible pour me débarrasser d'eux. Puis ils sont sortis.

En vrai, ça fait plusieurs nuits que je sens le genre de douleur qu'il parle, mais il est pas imaginable que je partage avec eux, ni avec personne, ce qui se passe dans moi. La nuit dernière, j'ai bien cru que c'était le moment qu'il sorte. Je peux plus faire autrement que d'accepter que le quelque chose dans mon ventre se transforme en quelqu'un, un petit quelqu'un que je veux mettre au monde toute seule, pour après décider seule de ce que j'en ferai. Mettre bas, c'est à la portée d'une vache, d'une brebis, de n'importe quel animal, pourquoi j'y arriverais pas, vu que je me considère pas plus qu'une bête, je me dis pour me rassurer. Et même si j'y arrive pas, je mourrai, comme des fois les animaux. Ça s'arrêtera alors pour moi et sûrement pour le quelqu'un aussi. La belle affaire. Il y a bien longtemps que je suis convaincue que personne est maître de son destin, et les gens de rien encore moins que les autres. Le destin, ma mère en parlait souvent comme d'un démon qui aurait mangé à sa table tous les jours. En vrai, elle savait pas de quoi elle parlait, vu que le destin, c'est rien de ce qu'on aperçoit tant qu'on est vivant, c'est rien qu'une idée pas fiable.

Ça fait longtemps que je repousse le moment d'écrire. Jusque-là, j'ai pas eu la force, ni le courage. Il est venu deux jours après leur visite, au milieu de la nuit. Je crois que je l'ai voulu tellement fort que c'est arrivé. Quand j'ai senti que c'était le moment, je me suis agrippée aux sangles en serrant les dents, et j'ai laissé faire. J'ai commencé à me vider de partout. J'avais honte, même s'il y avait que moi pour assister à ça. Je crois pas que j'ai crié. L'idée d'y laisser ma peau m'a pas effleurée un seul instant, tellement j'étais à ma douleur et à m'efforcer de la contenir. Je saurais pas dire si ça a duré longtemps. Quand on est habitué à la souffrance, on fait plus facilement avec, on sait comment s'y prendre pour la refouler. Et puis j'ai senti sa tête. Je l'ai à peine aidé à sortir avec mes mains, qu'il était là en entier, tout poisseux, couvert des saloperies qu'il avait entraînées avec lui, avec le cordon qui le reliait encore à moi. J'avais déjà vu mon père faire pour des veaux et des agneaux, avec son couteau. Comme j'en avais pas, j'ai coupé le cordon entre mes dents, et puis j'ai fait un nœud, pour que plus rien en dégouline. C'était comme si j'avais toujours su ce qu'il fallait faire, dans l'ordre où il fallait le faire. Ensuite, je l'ai posé sur mon ventre. Il s'est mis à se trémousser comme une larve en train de patiner dans de la graisse. Il a miaulé deux ou trois fois, pas bien fort. Ça aussi devait être fait. Je réalisais pas encore qu'il était sorti vivant de moi vivante. C'est quand je l'ai remonté plus haut pour le coincer entre mes mamelles que j'ai réalisé qui il était vraiment, bien plus que ce que j'avais voulu croire avant qu'il soit là. Il s'est mis à s'exciter comme s'il avait senti quelque chose et qu'il avait toujours su où le trouver sans pouvoir s'en approcher tout seul. Je l'ai juste un tout petit peu aidé. Avec sa tête, il a bousculé un de mes tétés. Sa bouche s'est collée dessus comme une ventouse, et il s'est mis à se goinfrer. J'ai eu mal, et j'ai aimé cette douleur. Je pleurais en le caressant. Pas de douleur. C'était trop d'émotion à garder encore dans moi. Il existait vraiment, et il venait de moi. J'ai fait glisser une main pour le tâter entre les jambes. J'ai trouvé ce qui pendouillait comme une petite limace. J'avais fabriqué un garçon. J'avais donné naissance à mon fils toute seule. Il était là en train de me boire. Quand il a eu fini de téter, on est restés enveloppés dans une même chaleur, et on s'est endormis tous les deux.

Génie est entrée le matin. On dormait encore. Elle a cru qu'on était morts. Elle est partie en panique chercher le docteur. Quand ils sont revenus, on était réveillés, et mon garçon tirait à nouveau goulument sur mon tété. J'avais rien nettoyé des souillures. Le docteur portait une blouse. Il a demandé à Génie d'aller chercher de l'eau chaude. Pendant son absence, il nous a observés en caressant sa cicatrice, visiblement pas un brin attendri par le spectacle. Mon bébé avait fini de téter quand Génie est revenue avec l'eau. Le docteur a dit qu'il fallait lui faire subir quelques tests pour vérifier que tout était normal. J'ai fait un geste pour le retenir sur mon ventre. Le docteur a dit que c'était pour son bien. J'ai pas insisté. Génie a attrapé délicatement mon bébé et l'a tendu au docteur, qui s'est mis de suite à le tâter. Pendant ce temps, il m'a demandé comment s'était passé l'accouchement, si l'enfant avait pleuré. J'ai répondu oui, repensant au miaulement, qui devait ressembler à un cri de bébé, vu que j'en avais jamais entendu d'autre. Il m'a même pas demandé comment j'avais fait pour couper le cordon. Génie quittait pas mon bébé des yeux, puis le docteur le lui a donné pour qu'elle s'occupe de le laver. Il a retiré sa blouse, trempé ses mains dans la bassine et les a secouées au-dessus sans les essuyer. Il a dit qu'il repasserait plus tard, qu'il fallait remettre de l'ordre dans cette chambre. Il a pas parlé de nettoyer, mais bien de remettre de l'ordre.

Génie s'est mise à laver mon bébé. Elle lui parlait comme si j'existais pas. Je me suis redressée, j'ai basculé mes jambes par côté pour essayer de me lever. La tête s'est mise à me tourner une fois que mes pieds ont touché par terre, alors j'ai dû rester assise sur le lit en la regardant faire. Il est beau, qu'elle a dit sans toujours se soucier de moi. Elle faisait ça naturellement, laver mon bébé, comme si c'était le sien. J'avais envie de pleurer, à pas pouvoir m'approcher plus pour le prendre dans mes bras et le laver moi-même, à juste pouvoir la regarder faire. Une fois qu'elle a eu terminé, elle l'a replacé entre mes bras, et je pouvais pas m'empêcher de pleurer en le berçant et en lui parlant tout bas de choses que je lui promettais.

Le docteur est revenu un peu après, avec sa mallette à la main. Il avait pas l'air content que je me sois pas encore nettoyée. Faut dire qu'il s'était pas absenté bien longtemps. Il a replié le drap du lit pour trouver un coin avec pas de sang ni rien de dégoûtant dessus, puis il m'a demandé de lui donner le bébé, le temps de quelques soins nécessaires à sa bonne santé, il a dit. J'ai fini par le lui tendre, même si j'en avais pas vraiment envie. Il l'a attrapé comme quelque chose de banal qui aurait pu être un simple objet, sans le regarder vraiment, sans le considérer. Il a ordonné à Génie de m'aider à faire ma toilette. Pendant que je me lavais, je quittais pas mon bébé des yeux. Le docteur a recoupé proprement le cordon. Mon bébé s'est mis à se tortiller en faisant de drôles de bruits avec sa bouche. J'ai crié de faire attention, mais le docteur était tout à son affaire de docteur, pas un brin sensible aux grimaces, ni à ce que je pouvais lui dire, juste préoccupé par désinfecter et faire un joli pansement à l'endroit où j'étais encore accrochée à mon bébé quelques heures en arrière. Quand il a eu terminé, il m'a même pas proposé de le reprendre. Il l'a redonné à Génie pour qu'elle l'endorme dans ses bras. Puis il m'a dit de m'allonger sur le lit. J'ai attendu que mon bébé soit bien calme, et j'ai fait ce que le docteur me demandait. Il m'a auscultée à mon tour, vite fait. Ensuite, il a rangé ses instruments dans sa mallette tout en donnant des instructions à Génie. Une fois qu'il a été dehors, Génie m'a aidée à me lever et à m'asseoir sur la chaise pour que je prenne mon bébé, puis elle s'est mise à changer les draps. Elle nous a laissés à contre-cœur ce soir-là. Elle a plusieurs fois caressé la tête de mon petit avant de sortir. Plus tard encore, un infirmier est venu déposer un berceau près du lit. Avant de s'en aller, il m'a regardée comme si j'étais une moins que rien, sûrement pas comme une mère.

Dans les jours qui ont suivi, je pensais à rien d'autre qu'à mon bébé. Tant qu'il était dans mon ventre, j'avais souvent imaginé le moyen de m'en débarrasser, de le détruire. Maintenant qu'il était là, il représentait une seule vie dans laquelle on était tous les deux. L'écouter respirer, le regarder dormir, le nourrir, c'était la seule chose qui comptait. Je pensais plus à la Rose d'avant lui, ni à celle qui l'avait porté, ni à aucune autre d'ailleurs. Il y en avait maintenant une nouvelle qui vivait au rythme de ce petit qui était devenu mon bébé du jour au lendemain, et qui avait pas encore de nom, parce qu'à ça non plus j'y avais pas pensé. On aurait pu rester enfermés pour toujours dans cette petite cellule de moine, du moment qu'on était ensemble. Ça m'aurait convenu sans problème de vivre pour quelqu'un que j'aimais par instinct, comme si j'avais toujours eu cet amour en moi, un amour comme ça, que j'aurais jamais pu donner à quelqu'un d'autre que lui, quelque chose d'aussi entier que cet amour sans idée de retour.

Six jours. On m'a laissé mon bébé pendant six jours. Six jours, lui et moi. Mon bébé rien qu'à moi. C'était loin de faire la vie que je voulais avec lui. Rien que six petits jours. Le septième après la naissance, ils sont tous entrés dans le silence. Il y avait le docteur, deux infirmiers, et la vieille. Elle s'est approchée de suite du berceau sans me regarder. Elle a posé ses mains sur le montant en fixant mon petit. Elle pinçait ses lèvres et son petit menton tremblait. Je l'avais jamais vue émue de la sorte. Le docteur lui a dit qu'elle pouvait le prendre, si elle le souhaitait. Je me tenais prête à bondir, si jamais elle le faisait, mais elle a pas osé. Je crois pas qu'elle s'en est rendu compte, et c'est plutôt autre chose qui la troublait en dedans qui l'en a empêchée. Le docteur a fait un signe de tête. Un des infirmiers est venu se placer devant moi à la manière d'un soldat prêt à se battre. Le docteur s'est approché de la vieille. Il s'est penché sur le berceau et il a attrapé mon petit qui dormait. J'ai senti mon cœur qui cherchait à sortir de ma poitrine. J'ai voulu sauter sur le docteur, mais l'infirmier m'a plaquée sur le lit, et le deuxième a commencé à m'attacher avec les sangles, sans que je puisse rien faire contre eux. Le docteur s'est dirigé en premier vers la porte, avec mon bébé dans les bras. La vieille l'a suivi. En passant près du lit, elle s'est arrêtée, en me regardant pour la première fois. Merci, qu'elle m'a dit en se forçant à sourire. Je me suis mise à me débattre et à crier comme une folle. J'ai vu la porte se refermer derrière eux. J'ai continué de crier en appelant tous les démons à me venir en aide, et même quand j'ai plus eu de voix je criais encore. Je criais comme la folle que j'étais pas et que je voulais devenir puisque je pouvais même pas mourir. Ces cris, ils m'ont plus jamais quittée, même dans le silence de ma bouche, ils continueront à être criés vers l'intérieur jusqu'à ma mort. J'ai plus jamais revu mon bébé.

Elle

Elle se souvenait que, lorsqu'elle était enfant, son père lui avait appris à reconnaître les oiseaux à leur chant. Son cœur se mit à saigner, pendant qu'elle marchait et qu'ils allaient invisibles dans le feuillage. Elle ne pouvait s'empêcher d'identifier les chants distincts, qu'elle aurait tant voulu fondre en une seule voix conçue par une volonté sans armes. Les volatiles l'accompagnèrent pourtant, toujours invisibles, car elle ne releva la tête à aucun moment, ni même n'y songea, trop lourde, trop implacablement lourde.

Elle rejoignit la triste chaumière construite en son temps par Onésime pour y ranger leur vie calfatée au fil des saisons par les traces de présences enfantines dans le but inavoué de se croire préservés des drames. Et chaque pierre qu'elle voyait était accompagnée du geste de l'avoir placée avec précision, une science héritée d'autres mains que celles d'Onésime, ces mains ancestrales qui avaient inlassablement guidé celles de son homme pour bâtir des murs solides. Cette maison, aujourd'hui vide, dans laquelle elle ne pouvait se résoudre à pénétrer.

Elle poussa la basse porte, simplement cela, se tint debout dans l'embrasure, le front posé sur le linteau, comme si elle eût voulu que tout disparût sur-le-champ, meubles et objets, tels qu'au premier jour de l'achèvement, quand Onésime avait dû la pousser à l'intérieur, son ventre déjà habité par une Rose en devenir. Cette hésitation soudaine qui l'avait saisie, comme si le fait de passer le seuil revenait à dissoudre son avenir particulier dans un grand futur commun qui lui échapperait tôt ou tard, cette peur qu'une femme seule peut avoir, de n'être rien de plus qu'une maison emplie d'ombres héritées. Onésime ne savait alors rien de cela. Il n'en sut jamais rien, lui qui offrait ce nid avec fierté. Puis, la voyant hésiter, cette fierté se transforma en une forme de honte de n'avoir pas fait plus, imaginant ce qu'elle pouvait ressentir de déception, puisqu'elle ne parlait pas et lui non plus. Bien après, ne sachant rien de ce qu'elle attendait vraiment, il fabriqua quelques meubles, construisit de ses mains devenues insensibles aux coups et au frottement des outils une étable, un enclos à cochons et d'autres petites choses sans conséquence. Espérant un fils. Sa mère n'arrêtait pas de rabâcher qu'un ventre pointu cachait une fille à naître, et celui de sa femme était rond comme la pleine lune. La Rose vint au printemps. Cela le chagrina sur le moment, mais dès qu'il eut pris l'enfant dans ses bras elle devint sa fille, au moins pour un temps.

— Tu es déçu, lui dit-elle en le voyant soucieux.

Il reposa l'enfant endormi dans le berceau fabriqué lui aussi de ses mains, puis le fit aller et venir avec un seul doigt.

— Dis pas de bêtises.

— Elle est belle, pas vrai ?

246

— Ça pouvait pas être autrement.

La petite s'agita, se remit à chougner. Onésime présenta le bout de son auriculaire à ses lèvres. Il lui sourit.

— Je crois bien qu'elle a encore faim.

— Donne-la-moi, dit-elle, sur un ton presque obséquieux, pendant qu'elle faisait passer un bras par le col de sa chemise de nuit de sorte à libérer un sein lourd et gonflé, parcouru d'une veine biscornue ressemblant à un éclair né d'une planète brune perdue dans un ciel laiteux.

Il lui tendit la petite, qui saisit le téton sur lequel demeurerait à jamais l'empreinte des lèvres de Rose et de toutes les autres à venir.

— Elle est sacrément goulue, dit-il ému.

— On fera un petit, la prochaine fois.

— Je te fais confiance pour ça.

En cet instant, emmêlée dans un passé déguisé en bonheur, le front toujours collé au linteau, elle ne pensait plus qu'à cela, à cette promesse qu'elle avait faite alors qu'il ne lui demandait rien, cette promesse qu'elle n'avait pas su tenir ; car pour tout dire, leurs malheurs prenaient naissance là, dans son incapacité renouvelée à mettre un fils au monde. Tout ce qui avait précisément conduit à leur perte. Si seulement elle avait tenu sa promesse, Onésime n'aurait pas vendu Rose, et ils seraient réunis dans cette maison, le cœur à l'ouvrage ; certes peinant, mais gorgés d'espoir, sans même le savoir. C'était entièrement sa faute, une faute qu'elle avait cru rejeter sur Onésime. Mais en vérité, elle s'était menti.

Elle poussa la porte en grand, regarda les bols sur la table. Une guêpe allait et venait de l'un à l'autre, redécollant de plus en plus lourdement après chaque arrêt, puis s'en alla se cogner contre une vitre et atterrit sur un petit-bois écaillé, insecte malhabile, se déplaçant lentement, comme un ivrogne sur une étroite passerelle. Elle n'entra pas. Repartit sans fermer la porte, contourna la maison, descendit par le couderc, enjamba une rangée de navets d'où émergeait le manche d'une houe délimitant la zone sarclée de ce qu'il restait à travailler. Elle se rendit à l'étang du Mas, pas même chancelante, pas même hésitante ; n'entendait plus les oiseaux chanter tout autour d'elle, et cela sans effort. Arrivée sur la berge, elle se déchaussa, releva le bas de sa robe à deux mains, puis entra dans l'eau froide. S'avança, faisant d'abord traîner ses pieds sur le fond sablonneux, puis les extirpant de la vase qui s'épaississait au fur et à mesure qu'elle s'enfonçait dans l'étang. Lorsque l'eau lui arriva à la taille, elle vit une hirondelle raser l'eau en la frôlant, et cette présence la fit sortir instantanément de sa torpeur. Elle lâcha le pan de sa robe, qui se déploya à la surface, comme une fleur de coquelicot épanouie, laissa flotter ses paumes sur l'onde frissonnante, s'enfonçant toujours, et plus son visage se rapprochait de l'eau, mieux elle entendait le bruit des vaguelettes issues de son propre mouvement, comme si un couturier était en train d'ajuster un vêtement liquide sur son corps pendant qu'elle cheminait vers un invisible autel sans croix. Puis elle s'immobilisa, comme enterrée jusqu'au menton, attendant que l'eau se taise, que les particules de vase se dispersent, que l'hirondelle la frôle de nouveau.

Rose

La seule chose qui me rattache à la vie, c'est de continuer à écrire, ou plutôt à écrier, même si je crois pas que ce mot existe il me convient. Au moins, les mots, eux, ils me laissent pas tomber. Je les respire, les mots-monstres et tous les autres. Ils décident pour moi. Je désire pourtant pas être sauvée.

Le docteur passe plus me voir depuis que la vieille m'a enlevé mon bébé pour l'emmener au château. Elle a ce qu'elle voulait. Je lui sers plus à rien. Génie m'a montré comment me traire pour calmer la douleur. Tout à l'heure, je l'ai suppliée d'aller chercher le docteur pour lui parler. Elle y est allée de suite et, quand elle a été de retour, j'ai vu à sa mine qu'il viendrait pas. Je demande pas la lune, je voudrais juste avoir des nouvelles de mon petit. J'ai même pas eu le temps de lui donner un nom. J'y ai même pas pensé pendant les six jours où il a été rien qu'à moi. J'ai pensé à rien d'autre qu'à lui. Aujourd'hui, c'est comme s'il avait existé que six jours. Je peux pas le baptiser maintenant qu'il est plus là. C'est trop tard. Pas pouvoir mettre un nom sur son propre enfant, c'est une douleur de plus.

Ça fait neuf jours qu'il est né. Je peux pas m'empêcher de compter. Ce matin, on m'a autorisée à retourner dans la cour. La grande femme brune était toujours plantée au même endroit. Quelque chose avait pourtant changé. Elle m'ignorait plus, elle me suivait des yeux, comme si j'étais redevenue visible. Elle s'est retournée vers les infirmiers qui discutaient, puis s'est approchée de moi, comme le premier jour qu'on s'était rencontrées, et elle s'est arrêtée. Il y avait pas de soleil et pas d'ombre non plus. Elle s'est mise à lisser ses cheveux derrière ses oreilles en me fixant. Je m'attendais à tout. Je me foutais de ce qu'elle pourrait faire ou dire.

Cent soixante-dix-sept, elle a dit. Quoi, j'ai demandé. Cent soixante-dix-sept, en jours c'est le temps qu'on t'a pas vue dans la cour, en heures, ça fait quatre mille deux cent quarante-huit, elle a encore dit, comme si c'était une information fondamentale. J'imagine que t'as pas mieux à faire que de compter le temps où j'étais pas là, j'ai dit en voulant me débarrasser d'elle, vu que j'avais envie de parler à personne. Elle a arrêté de caresser ses cheveux, a rassemblé ses mains en coupe et s'est mise à les balancer doucement d'un côté et de l'autre d'un air triste. Ils te l'ont pris, pas vrai. J'ai alors cru qu'on serrait de nouveau un nœud coulant autour de ma gorge. Qu'est-ce que tu racontes, j'ai demandé. Elle a arrêté de balader ses mains. Le petit, ils te l'ont enlevé, c'est pour ça que t'es de retour avec nous. Tais-toi, j'ai dit. J'en pouvais plus qu'elle me parle de mon bébé et j'étais incapable de bouger pour m'éloigner. Je suis pas idiote, tu sais, qu'elle a dit. Il y avait plus un brin d'arrogance dans son regard, ni dans sa voix. Elle semblait sincère, mais j'en avais rien à faire de sa sincérité. L'air commençait à me manquer sérieusement. Et alors, ça change quoi, que t'aies raison ou pas. Elle s'est approchée encore plus près de moi, presque à me toucher. J'ai levé la tête. Quatre mille trois cent vingt en jours, cent trois mille six cent quatre-vingts en heures, si tu préfères, elle a dit, comme si elle me confiait un secret. J'ai pas envie de jouer. Personne te demande de jouer. Alors quoi encore. Elle s'est retournée vers les gardiens. C'est le nombre de jours et d'heures que j'ai passés ici, qu'elle m'a dit en élevant un peu la voix. Qu'est-ce que tu veux que ça me fasse. J'avais l'impression d'être embringuée malgré moi dans un jeu dont je connaissais pas les règles. Elle s'est penchée vers moi. Tu comprends pas où je veux en venir. Non, je comprends rien, et je m'en fiche du temps que t'es ici. Ça peut plus durer, elle a dit. La tristesse s'est agrippée sur son visage. Je m'en suis un peu voulu de la traiter comme ça. Tout le monde pense ça, j'imagine, j'ai dit en essayant de rester à distance de l'émotion qui me gagnait. Justement, je vais faire en sorte que ça dure plus. T'as l'intention de partir, j'ai demandé en me moquant. Elle a souri de toutes ses dents jaunies comme celles d'une souris. Personne pourra m'en empêcher, elle a dit. Et t'as pas peur que je te dénonce, maintenant que je sais ce que tu comptes faire, tu me connais même pas. Elle a pris un air étonné. Pourquoi tu ferais une chose pareille après ce qu'ils t'ont fait subir. T'as raison, je dirai rien. C'est pas la première fois que je m'échappe, tu sais, j'ai trouvé le moyen. T'es pourtant bien toujours là à ce que je vois. Elle a encore souri, mais la tristesse la quittait pas. Tu veux que je te raconte comment je m'y prends, elle a dit. Oui, je suis curieuse de ça. Elle a avalé une grande goulée d'air avant de parler. Quarante-quatre secondes, c'est pile ce qu'y faut que je compte dans ma tête pour que ça arrive, faut juste que je sois toute seule et qu'y ait pas de bruit autour de moi, quarante-quatre, et je m'échappe, je retourne chez moi, il a pas bougé, il se trouve exactement où je l'ai laissé, couché dans son petit lit en bois, y a aussi mon homme qui vient de rentrer dans la maison, il fait toujours la même tête quand il me voit avec le marteau à la main, il comprend pas sur le coup, ou il veut pas comprendre, il s'approche du petit lit, il regarde dedans et puis tout change au bout des quarante-quatre secondes, à ce moment précis le petit dort comme un bienheureux, et y a pas de sang sur le marteau qui vient de me servir à planter un clou pour suspendre une tresse d'ail à une poutre et à rien d'autre, parce que tout se déroule maintenant dans ce passé d'avant le marteau et le sang, parce que je décide qu'y aura plus jamais de quarante-cinquième seconde, parce qu'à quarante-quatre, y a que l'image de ce qui est pas arrivé, ce qui est jamais arrivé. Elle s'est brusquement arrêtée de parler. Ses yeux fouillaient les miens pour savoir si je la croyais. Je sais pas ce qu'elle y a lu, mais elle a continué. Ils ont dit que j'étais folle, mais c'était pas plus vrai à l'époque que maintenant, parce que mon petit il allait mourir de toute façon, et que nous on allait finir par mourir avec lui d'une autre manière, il respirait juste, il avait une saloperie dans son corps qui l'empêchait de bouger et de parler, il respirait juste, bon Dieu, c'est pas juste de respirer pour rien, personne pouvait lui venir en aide pour le guérir, personne, à part moi. Elle s'est de nouveau tue. Elle cherchait plus à percer mon regard. Elle voulait simplement vérifier que je perdais pas le fil. Puis elle a repris. J'imagine que pas vouloir laisser souffrir quelqu'un qu'on aime, c'est être fou, aller contre la souffrance que Dieu aurait décidé de nous faire subir. Ici, y a que des gens bloqués sur une souffrance qu'ils ont jamais acceptée, c'est la seule vérité, c'est pour ça qu'ils se réfugient de l'autre côté de cette souffrance, dans un temps qui file à l'envers, alors crois pas que je suis folle, petiote, si je l'avais été un jour, mon petit serait encore vivant et il respirerait encore, il respirerait juste comme avant, pour rien, alors tu vois, le marteau, il a jamais quitté ma main, il pèse toujours dedans, il la quittera plus, sauf que ce sera toujours rien qu'un marteau fait pour enfoncer des clous et pas pour une autre raison, à quarante-quatre, c'est rien que ce marteau-là. Elle attendait apparemment une réaction de ma part. Je comprends, j'ai dit. Je mentais pas, en vrai je la comprenais. Elle a balayé la cour du regard en faisant un grand geste de la main en même temps. C'est quand le bruit revient que je me mets à douter et que je fais semblant. Je vois bien que toi non plus t'es pas folle, que tu peux pas décider de le devenir, faut que toi aussi tu trouves un moyen de t'échapper, un moyen à toi, parce que personne t'aidera ici, moi, c'est compter qui m'aide. J'ai repensé à Artémis que j'avais vu passer à travers le mur, et que j'avais pas le pouvoir de faire revenir quand je voulais. Pour moi, c'est le moment où je suis montée sur son dos qui représente l'arrêt du temps, une vision qui se place avant le grand basculement, ce moment où j'ai imaginé que la vie pouvait valoir le coup d'être vécue. On dirait bien que t'as une idée de comment t'y prendre, ou bien que t'en cherches une en ce moment même, elle a dit en me regardant gamberger. C'était sûr que j'étais pas prête à ce moment-là. J'ai plus pensé à la jument. Je pensais à mon bébé qu'on m'avait volé. Je le reverrai jamais, j'ai dit avec une boule coincée dans ma gorge. Tu lui avais pas donné de nom, au moins. J'ai pas eu le temps. C'est mieux. Je peux même pas lui parler dans ma tête avec un nom, j'ai dit en sentant les larmes monter. Ça peut que t'aider de pas l'avoir fait, crois-moi. Je me suis mise à frapper mon ventre. J'aurais dû le tuer tant qu'il était là. Dis-toi que tu l'as vraiment fait. Des larmes coulaient maintenant de mes yeux. Laisse-moi tranquille, maintenant, j'en peux plus, j'ai dit. Elle s'est redressée et s'est mise à frotter les mains sur ses hanches, de haut en bas, de plus en plus vite. J'ai commencé à compter machinalement. Ma main à couper qu'elle s'est arrêtée à quarante-quatre. Puis elle a regardé ses mains, comme si on venait de les lui coller au bout des bras, et qu'elle savait maintenant pas quoi en faire. Je me suis doutée de ce qu'elle voulait y voir apparaître : ce marteau qu'elle avait l'air de chercher. J'ai voulu me convaincre qu'elle était vraiment folle. Une première larme a coulé de chacun de ses grands yeux, suivie d'autres. Elle s'est mise à frapper son visage de ses poings serrés en répétant le même mot au milieu des sanglots. Sa bouche était tellement pâteuse, que je comprenais pas bien ce qu'elle disait, quelque chose comme mon. Les infirmiers sont arrivés en courant, ils lui ont attrapé les bras pour qu'elle arrête de se faire du mal. Ils s'y sont pris à deux. Elle criait toujours quand ils l'ont emmenée. Ensuite, le silence est revenu, et j'ai fermé les yeux pour que personne me voie pleurer.

Ce soir, quand Génie est entrée dans ma chambre, elle avait l'air épuisée, préoccupée par quelque chose. Je voulais pas savoir. J'avais qu'une idée en tête. J'ai sorti de sous mon matelas les deux cahiers que j'avais remplis et je les ai posés sur le lit. Je lui ai demandé de s'asseoir un moment à côté de moi. Elle l'a fait, même si je voyais qu'elle en avait pas vraiment envie. Elle m'a regardée tristement, comme si elle cherchait à m'empêcher de parler, ou plutôt à s'empêcher de m'entendre. J'ai presque fini mon deuxième cahier, j'ai dit. Ses yeux sont passés de moi aux cahiers. Je t'en porterai un autre demain, elle a dit. Je me suis forcée à sourire. Je crois bien que j'ai plus grand-chose à écrire qui vaille la peine. Arrête de dire des bêtises, je t'en porterai un tout neuf demain, c'est promis. J'ai continué à sourire, j'avais pas l'intention de la brusquer. D'accord, j'ai dit. Elle s'est levée. Je peux te demander une dernière chose avant que tu partes, j'ai dit. Je t'écoute, elle m'a répondu toute fébrile. Tu vois la grande brune toute maigre avec une cicatrice sur la joue. Tu veux parler de la compteuse, elle a dit surprise. Tu l'appelles comme ça. Tout le monde l'appelle comme ça. Pourquoi elle est enfermée ici. Génie a pris un temps. Je suis pas sûre que ce soit le moment. S'il te plaît, je voudrais savoir. Pourquoi. S'il te plaît, m'en demande pas plus. Elle a soupiré. Une sale histoire, elle a dit. Y a que ça dans ma vie, des sales histoires, alors une de plus ou de moins. Elle a tué son fils. Avec un marteau, c'est ça. Comment tu le sais. Elle me l'a dit. Elle parle à personne d'habitude. Son gamin était malade, pas vrai. Qu'est-ce qu'elle t'a raconté d'autre. C'est tout. Sa voix s'est craquelée quand elle s'est remise à parler. Le gamin était atteint d'une maladie de naissance qui le paralysait, elle passait ses journées à s'occuper de lui, pendant que son mari travaillait jusqu'à pas d'heure, parce qu'il fuyait la réalité, ont raconté des gens, elle a dit qu'elle avait tué son fils pour le délivrer de son mal, qu'il y avait pas d'autre solution, elle a été jugée irresponsable de ses actes, c'est pour ça qu'elle a échappé à la peine de mort et qu'elle est ici. Génie avait les yeux tout rouges. On dirait que son histoire te touche sacrément vu comme t'en parles, j'ai dit. Gamines, on était voisines, toujours fourrées ensemble, forcément ça crée des liens, on s'est perdues de vue quand elle s'est mariée avec un type d'un autre village, ils travaillaient tous les deux dans une grande propriété, j'en ai jamais su plus. Génie s'est perdue un moment dans ses pensées, avant de continuer. J'avais l'impression que ça lui faisait du bien, maintenant qu'elle s'était mise à parler. Le procès a fait pas mal de bruit à l'époque, il y avait les gens pour elle et les autres contre, et puis ça s'est tassé. À part la compteuse, elle s'appelle comment en vrai, j'ai demandé. C'est drôle. Qu'est-ce qui est drôle. Rose, elle s'appelle Rose, comme toi. Rose, j'ai répété, comme si je parlais d'une étrangère. Je comprenais mieux sa réaction quand je lui avais dit mon prénom, et qu'elle m'avait demandé de m'en débarrasser. Et son fils, il s'appelait comment. Quelle importance. De la curiosité, j'ai pas souvent l'occasion d'en avoir, tu crois pas. Génie a réfléchi un moment. Je crois pas qu'il ait jamais été baptisé, elle m'a répondu, comme si elle était étonnée de sa propre réponse. Pourquoi tu t'intéresses autant à elle, elle a demandé. J'en sais rien, je la trouve spéciale, pas comme les autres. C'est tout, Génie a fait. J'avais pas envie de lui en dire plus. Et son mari, qu'est-ce qu'il est devenu. Je crois qu'il travaille toujours à la propriété où ils étaient employés, depuis que sa femme est enfermée il est jamais venu la voir à ma connaissance. La compteuse, je pouvais pas la nommer autrement, sûrement pas Rose, même dans ma tête. Sa voix a alors surgi de ma mémoire, ce cri qu'elle avait lancé dans la cour. Je me demande encore ce qu'il signifiait, si elle appelait son fils mort, ou bien n'importe qui pour qu'il vienne l'achever à coups de marteau. Quelque chose ne va pas, m'a demandé Génie. J'ai pas répondu. J'avais plus de salive dans la bouche. Je voulais maintenant qu'elle s'en aille au plus vite.

Une fois que Génie a été partie, j'ai rangé mes cahiers sous le matelas et je me suis assise par terre. J'ai pas eu besoin de fermer les yeux. Il faisait déjà noir, et l'obscurité suffisait à repousser les murs. J'ai alors imaginé ce que pouvait être la grande obscurité d'avant ma naissance, une éternité qui avait pris fin au moment où j'étais sortie du ventre de ma mère, et aussi une autre éternité qui allait naître après ma mort, et qui aurait pas de fin, celle-là. J'étais coincé entre ces deux éternités, à penser à la folie que c'était de sortir quelqu'un d'une éternité paisible pour le rendre conscient de la prochaine, tout ce temps passé à pas comprendre pourquoi on est au monde tous autant qu'on est, pourquoi on tient tant à la vie, à essayer de toujours repousser le grand mur de la mort, alors qu'il suffirait peut-être bien de l'escalader, ou de passer à travers pour plus se poser de questions. Parce que vivre, c'est précisément être coincé entre deux éternités, la première qu'on n'a jamais eu à choisir et la deuxième qui est l'œuvre de Dieu, à ce qu'on dit. Mais Dieu, si on a le malheur de pas le croiser en cours de route, on peut pas se faire à l'idée du rien d'après, à l'idée du destin qui ferait de nous des brindilles dans un courant plus ou moins fort, je me disais. Comme je l'avais pas encore croisé, ce fichu Dieu, j'ai prié la jument de revenir. J'ai même fermé les yeux par-dessus la nuit en l'appelant. Elle est pas venue. C'est ma mère qui s'est pointée à travers le mur, avec mes sœurs, et elles me voyaient même pas. Elles ont traversé la pièce comme si de rien n'était, et elles ont disparu. Edmond est arrivé juste après. Il s'est planté devant moi, baladant ses yeux dans la pièce, pas pressé de s'en aller, comme si lui il me cherchait mais qu'il me voyait pas non plus. Cet homme qui aurait pu me sauver, mais qui l'avait pas fait, qui traînerait jusqu'à sa mort ce qu'il avait pas fait, j'avais aucun doute là-dessus. Tout ce que mon père avait déclenché en me vendant au maître de forges était délimité par ma rencontre avec l'Edmond qui m'avait fait monter sur le dos de la jument et par la naissance de mon bébé, deux sentiments emmêlés qu'on m'avait jamais donné l'occasion de démêler, deux sentiments qui nouaient mon ventre et mon cœur. La mort du maître, j'y pensais même plus. Je regrettais juste qu'il ait pas souffert plus longtemps, et que la vieille soit pas morte avec lui. Peut-être qu'alors, Edmond serait venu me chercher avec mon petit, et qu'on serait repartis sur le dos de la jument en longeant le bord de la rivière pour racheter ce qui a pas de prix. Tout ce qui s'était pas passé, je pouvais pas m'empêcher de penser que ça aurait pu être, sans me douter un seul instant que je me trompais sur presque tout.

Elle

Il l'observa des pieds à la tête un long moment, et plus il la regardait, plus son visage devenait grave.

— T'es trempée comme une soupe, on dirait.

Elle réalisa alors seulement que ses vêtements n'avaient pas séché, qu'elle n'avait même pas pris le temps de se changer. Elle se sentait idiote.

— J'ai glissé dans un fossé en revenant, dit-elle.

— Il devait être sacrément profond ce fossé.

— Oui, sacrément.

Il se mit à tapoter le bout d'une de ses chaussures de la pointe de son bâton.

— Et t'as réussi à pas mouiller tes souliers, ma fille.

Elle ne répondit rien sur le coup, se raccrochant à ce «ma fille» qu'elle ne lui avait plus entendu prononcer depuis qu'elle avait quitté la ferme au bras d'Onésime; ce «ma fille», qu'il avait précisément ajouté, pour qu'elle ne considérât pas cela comme une question et qu'elle ne lui répondît surtout pas, ainsi que tout homme sain d'esprit l'eût fait face à la vérité d'une femme, mais pas sa fille, ce que les hommes font parfois et même souvent : poser des questions sans but, alors que les femmes ne font jamais rien pour ne rien recevoir en retour, qu'elles ont besoin de savoir où elles vont, toujours.

— Je suis revenue les chercher, dit-elle.

Il résista au «pourquoi», pour ne pas obliger sa fille à mentir. Il la savait préparée à cela.

— Déjà.

— Je sais pas ce qui m'a pris.

— T'avais peut-être pas bien ta tête, hier.

Les filles sortirent en trombe de la maison, heureuses de découvrir leur mère, comme si elle les eût quittées depuis des semaines; sans même se soucier de la robe trempée, ni des chaussures sèches; sans se soucier de ce qui avait bien pu se passer entre le moment où elle était partie et celui où elle était réapparue dans son habit crotté. La vieille femme sortit à son tour, quelques pas pénibles, avant de s'arrêter, comme au milieu de nulle part. Elle vit le petit essaim agglutiné autour de la mère, puis regarda son mari, et la peur creusa la fosse entre ses yeux. Ses lèvres tremblaient à peine.

— Viens un moment à l'intérieur, dit la vieille femme, mais personne ne l'écouta.

— Pourquoi t'es revenue, maman? demanda Rachel.

Elle ébouriffa la tignasse.

— T'es pas contente de me voir?

— Si, si, je suis bien contente.

— Tellement je pensais à vous, que je me suis cassé la figure dans un fossé, dit-elle en regardant sa mère.

La vieille femme amorça un mouvement du buste, prête à retourner dans la maison. Elle demeura ainsi un instant, se tenant de profil.

— Je vais te donner de quoi manger pour ce soir, t'auras le temps de rien d'ici là.

— Pas la peine, faut qu'on parte avant la nuit.

— Rentre un moment ! dit la vieille femme en haussant le ton.

— D'accord.

La vieille femme leva le menton vers son mari, sans le regarder.

— Reste avec les filles.

À aucun moment la vieille femme n'avait parlé sur un ton péremptoire. Chaque mot semblait trempé dans une autorité naturelle qui ne souffrait aucune contradiction. Une fois à l'intérieur avec sa fille, la vieille femme sortit un torchon propre d'un placard, le déplia sur la table, près d'une grosse ardoise luisante de graisse, puis s'en alla chercher une cocotte en fonte posée sur le trépied dans la cheminée et la déposa sur l'ardoise en faisant un « ahan ! ». À l'aide d'une écumoire en fer-blanc, la vieille femme s'escrima à pêcher cinq morceaux de pommes de terre râpées et amalgamées dans un bouillon glaireux, prenant soin de bien les égoutter avant de les ranger méticuleusement sur le linge.

— T'auras assez de cinq farcis durs, ou j'en ajoute un autre ?

— Ça nous suffit largement, je trancherai un peu de jambon pour aller avec.

La vieille femme replia le torchon en faisant légèrement pression dessus avec ses mains, et le linge s'imbiba de jus à cet endroit.

— Ils sont tout frais d'hier.

— Je te rapporterai le torchon propre la prochaine fois.

— Ça presse pas.

La vieille femme replaça le couvercle sur la cocotte, posa l'écumoire à l'envers par-dessus, puis attrapa les anses de la cocotte, « ahan ! » ; et retourna la poser sur le trépied. Elle la regarda faire sans proposer son aide. Elle la connaissait par cœur.

— Comment t'as fait ton compte pour t'arranger comme ça ?

— C'est idiot, je me suis trop pressée.

— Pressée de repartir, pressée de revenir.

Elle ne dit rien. La vieille femme revint à la table, noua les quatre extrémités du linge et le tendit à sa fille.

— De ce que je me rappelle, t'as toujours été dégourdie, pourtant.

Elle attrapa le linge empli de farcis durs.

— Il suffit que d'un moment.

La vieille femme lâcha le linge sans bouger.

— Les moments comme ça, faut les chasser.

— Je vais me tailler un bon bâton, comme papa.

— Fais comme tu veux, mais te laisse plus glisser, au risque de faire une bêtise que t'aurais jamais l'occasion de regretter.

— Ça m'arrivera plus…

— Y a qu'une chose que je veux jamais avoir à faire dans ce qui me reste de vie, une seule que je supporterai pas…

La vieille femme s'interrompit, saisit le poignet libre de sa fille, le serra en le secouant nerveusement. Sa voix ne trembla pas :

— Devoir un jour emmener ma fille au cimetière, avant que j'y sois rendue, ça, je pourrais jamais le supporter.

— C'était rien qu'un stupide accident, tout va bien maintenant…

— Une mère, c'est fabriqué pour s'inquiéter, y a rien à faire contre.

Rose

Je pense aux Landes, là où c'était chez moi il y a longtemps, dans une autre vie. À quoi bon pas vouloir rejoindre cette fichue éternité qui me tend les bras. Tout ce qui faisait de moi quelqu'un, même pas bien important, m'a été retiré. À quoi bon continuer de vivre quand il y a plus d'espoir dans rien, quand on est devenu un fantôme qui sait qu'il en est un. Ma mère et mes sœurs ont dû se faire une raison depuis le temps. Elles ont même sûrement quitté la ferme, vu qu'il y a des travaux trop durs pour des femmes, à moins que ma mère ait trouvé un autre homme, mais ça m'étonnerait d'elle. Je la crois pas capable de faire une chose pareille. Ça me fait de la peine de les imaginer parties des Landes, d'abord parce que c'était chez nous, et aussi, parce que la dernière chose qui pourrait faire qu'elles pensent encore de temps en temps à moi se trouve là-bas. Un rocher où j'ai gravé mes initiales avec une pointe à chevron. J'y ai amené mes sœurs, une après l'autre, graver les leurs avec la même pointe à chevron. On est à côté les unes des autres pour toujours. Un toujours à notre mesure. C'est sûrement idiot de graver des lettres sur un rocher que des gens regarderont des fois en passant, en se demandant qui étaient les gens derrière les initiales. Et peut-être même qu'ils les verront pas, parce que de la mousse les aura recouvertes, que c'est sûrement déjà fait. Rien plus qu'un caillou couvert de mousse, que la terre avalera tôt ou tard, ou que quelqu'un déterrera un jour pour en faire un bout de mur. Alors, il y aura plus la moindre trace visible de mon passage. Parce que, dans la maison, il reste rien de moi, pas une empreinte de pied, ni de doigt, rien qui puisse faire que quelqu'un se souvienne. C'est terrible de me dire qu'il y a rien qui me rappelle dehors, à part ces initiales dans la pierre, contre celles de mes sœurs. En vrai, j'existe pour personne. Il y a que ce qu'on partage qui existe vraiment, ce qu'on représente pour les autres, même si c'est que ça, parce qu'un simple souvenir vaut rien, qu'il se déforme toujours, se plie de façon à être rangé dans un coin. Les souvenirs, surtout les bons, c'est rien que de la douleur qu'on engrange sans le savoir. Finalement, ces initiales, j'aurais préféré jamais les avoir gravées. Les savoir au bord d'un chemin, c'est une grande tristesse, la marque d'une terrible impuissance. Je connais pas de mots plus forts. Il doit bien en exister au moins un, mais, si je l'apprenais, je l'utiliserais pas, vu que je pourrais pas lui donner le sens et la force que je voudrais. C'est toujours ce qui se passe avec les mots nouveaux, il faut les apprivoiser avant de s'en servir, faut les faire grandir, comme on sème une graine, et faut bien s'en occuper encore après, pas les abandonner au bord d'un chemin en se disant qu'ils se débrouilleront tout seuls, si on veut récolter ce qu'ils ont en germe.

Je sens bien que j'ai fini de vider mon sac de mots, qu'il m'en a manqué pour vraiment dire les choses comme je les ressentais au moment où je les ressentais, que des fois ceux que j'utilise collent pas exactement, que j'aurais besoin d'en connaître d'autres, plus savants, des mots avec plus de choses dedans. Les mots, j'ai appris à les aimer tous, les simples et les compliqués que je lisais dans le journal du maître, ceux que je comprends pas toujours et que j'aime quand même, juste parce qu'ils sonnent bien. La musique qui en sort souvent est capable de m'emmener ailleurs, de me faire voyager en faisant taire ce qu'ils ont dans le ventre, pour faire place à quelque chose de supérieur qui est du rêve. Je les appelle les mots magiciens : utopie, radieux, jovial, maladrerie, miscellanées, mitre, méridien, pyracantha, mausolée, billevesée, iota, ire, parangon, godelureau, mauresque, jurisprudence, confiteor, et tellement d'autres que j'ai retenus sans effort, pourtant sans connaître leur sens. Ils me semblent plus légers à porter que ceux qui disent. Ils sont de la nourriture pour ce qui s'envolera de mon corps quand je serai morte, ma musique à moi. C'est peut-être ce qu'on appelle une âme. Ces mots, je voudrais les emporter jusqu'au bout, gravés dans les feuilles de mon cahier, bien mieux que des initiales sur un rocher. J'ai la mémoire de ces mots qui fabriquent un monde rien qu'à moi, et qui d'habitude suffisent à me transporter loin d'ici, loin de mes souvenirs aux Landes, loin de mon petit perdu. D'habitude.

Aujourd'hui, il y a rien à faire, ces mots me servent à rien, ils sont vides, pas capables de contenir ce que je voudrais y mettre. En vrai, aujourd'hui, les mots sont rien. Ils ont aucun pouvoir, plus aucun.

Je me souviens de mon père en train d'attraper un cahier dans le bahut, ce qu'il faisait une fois par semaine, toujours le samedi soir. C'était un petit cahier avec le mot comptes écrit dessus en gros. Il savait pas bien écrire, mais ça, il savait l'écrire, et puis compter, aussi. Il buvait pas bien non plus d'habitude, mais ces soirs-là, il sortait la bouteille de gnôle pour faire mieux passer les comptes, le rapport entre le gagné et le dépensé, qu'il m'avait expliqué un jour. C'était jamais glorieux, à voir sa tête quand il arrivait aux chiffres du bas. Plus la bouteille se vidait vite, moins la semaine avait été bonne, la seule variation. Il y avait pas de meilleur baromètre pour dire le temps aux Landes. En y réfléchissant, j'ai jamais vu la bouteille faire long feu. Je le regardais en coin, avec ses yeux qui disparaissaient petit à petit, jamais complètement, comme si la gnôle remontait exactement à cet endroit et pas plus haut. C'était pas un violent, mon père. Même quand il avait trop bu, il l'était pas. Aujourd'hui, je regrette qu'il y ait pas eu plus de violence en lui. Peut-être qu'alors il aurait pu davantage résister au maître, et qu'il serait encore vivant. Mais à quoi bon penser à ce qu'on peut pas changer. Fichue maladie. À quoi bon faire des comptes sur un cahier, si c'est pour faire des soustractions toute sa vie.

Je repense aussi à la compteuse. J'arrive pas à l'appeler autrement. Je repense à son conseil de pas donner de nom aux gens qu'on est censé aimer, ou au pire de le leur retirer à temps s'ils en ont déjà un, qu'il faudrait juste revoir les scènes de vie avant que les malheurs arrivent, que c'est la seule façon de changer les choses dans sa tête en arrêtant le temps sur les moments bloqués sur ce qui a pas encore eu lieu, pour qu'autre chose existe. La compteuse qui tient un marteau dans une main et un clou dans l'autre, ou moi qui m'enfuis dans les bois avec mes sœurs pour faire des couronnes en feuilles de châtaignier, pendant que mon père me cherche pour m'emmener au village, et me vendre. J'ai pas son expérience, à la compteuse. Je finis toujours par suivre mon père. Le seul moment où j'arrive à fixer le temps, c'est quand je suis sur le dos de la jument, puis que j'en redescends et que je me retrouve dans les bras d'Edmond. Je me souviens même pas comment il me regardait, ni même s'il me regardait vraiment, quand j'étais encore vierge. Si seulement il m'avait regardée plus longuement, j'aurais soutenu son regard pour qu'il comprenne que j'étais prête à me laisser posséder par lui pour plus jamais être dépossédé par quelqu'un d'autre. Pourquoi je pense à ce moment. Tout est flou. En vrai, je sais même plus ce qui s'est passé. Ce moment où le temps bascule, c'est comme un tourbillon dans lequel je veux pas entrer, dans lequel j'ai jamais voulu entrer. Parce que, même après toutes ces années, je suis certaine qu'il y avait une sorte d'envie pas mesurable, un désir fou dans ce regard qu'Edmond se forçait à pas m'offrir. Il y avait sûrement pas un brin de pitié dans ses yeux. La pitié, aujourd'hui, c'est la seule chose que j'inspire aux gens qui ont un peu de considération pour moi. Les gens, c'est un bien grand mot pour parler seulement de Génie. Quand on en est rendu là, c'est qu'on est déjà mort, qu'on est rien plus qu'une histoire impossible à changer, et pas une personne humaine. Inspirer la pitié à quelqu'un, c'est faire naître une souffrance pas vécue dans un cœur pas préparé à la recevoir, mais qui voudrait pourtant bien en prendre une part, sans en être vraiment capable. La pitié, c'est le pire des sentiments qu'on peut inspirer aux autres. La pitié, c'est la défaite du cœur. J'ai jamais éprouvé de pitié, pas même pour mon père quand il s'est fait tabasser à mort et puis brûler. Tout ce que j'éprouvais à ce moment-là, c'était de la haine pour l'homme qui le massacrait en me laissant regarder, en voulant que je regarde. J'éprouve pas plus de pitié pour ma mère et mes sœurs aujourd'hui ; juste de la peine et elle est infinie. J'habite plus leur monde. Si je sortais de l'asile maintenant, je pourrais pas retourner vivre avec elles, je saurais peut-être même plus le chemin qui mène aux Landes. Si par miracle j'arrivais à m'échapper de cette cellule où des moines ont prié en croyant au salut des âmes, j'irais directement au château pour reprendre mon bébé, même si pour ça je devais tuer la vieille de mes mains.

Elle

Lorsque son père vint la voir aux Landes, elle ne put faire autrement que de tout lui raconter. Une fois qu'elle eut terminé, il demeura un moment dans la maison, occupé à réfléchir, assis sur un coin du banc. Il tenta de parler, mais rien ne vint. Il continua de se taire pendant de longues minutes encore, réfléchissant toujours, laissant ainsi le temps nécessaire à quelques mots de remonter dans sa gorge, comme sur une corde huilée, pas ceux qu'il aurait souhaités, les seuls dont il était capable.

— Faut plus que tu restes seule ici.

— Je suis pas seule. Je veux être là quand ils reviendront.

— Ils sauront où vous trouver.

Elle enfonça son regard dans celui de son père.

— Je partirai pas.

Il se mordit la lèvre.

— Et si y en a aucun qui revient.

— C'est à moi seule de décider.

— Et pour la ferme?

— On se débrouillera.

Il hocha la tête, se tourna de côté pour se relever, saisissant dans le même temps son bâton posé contre

la table. Une fois debout, songeur, il hocha de nouveau la tête et regarda sa fille, toujours assise. Elle lui
rendit son regard, comme s'il se fût simplement agi
d'une jolie chose dont elle n'avait que faire. Rien de
plus.

Le printemps arriva en retard, saison femelle, saison
de l'avènement, saison des puissances souterraines
offertes gracieusement au monde du dessus; mais
cela, c'était avant l'effondrement. Elle ne considére-
rait désormais jamais plus cette saison comme telle,
car ce printemps-là se situait à l'opposé de l'automne,
et n'était que mensonge. Comme on se réveille dans
l'oubli, on s'endort dans les souvenirs.

Durant toute une année, qu'il fasse beau temps,
qu'il vente, qu'il pleuve ou qu'il neige, elle remontait
chaque soir le chemin jusqu'au premier embranchement; puis se tenait là, observant d'un côté, puis de
l'autre, croyant encore un peu au retour de Rose et
plus du tout à celui d'Onésime, et cela depuis longtemps. Parfois, le temps d'un instant, elle devinait
une silhouette née de sa mémoire, la voyait grandir
et s'évanouir dans la chaleur ou dans le froid, croyant
l'avoir effrayée. Au tout début, il lui arriva de courir
vers l'apparition, s'arrêtant à bout de souffle, cherchant des traces au sol. Elle en trouva quelques-unes,
parfois, jamais celles de sa fille. Au début. Ensuite,
lorsque l'apparition revint, elle ne courut plus au-
devant d'elle. L'espoir avait disparu.

Même quand elle eut apprivoisé le désespoir, elle
ne dérogea nullement à sa mission, et retourna au
même endroit, sans plus l'attendre, comme on se rend

sur une tombe en pensant se rapprocher ainsi mieux de l'âme chérie, précisément le bout de ce chemin par où sa fille avait disparu, et plus tard son mari. Elle édifia ainsi patiemment sa souffrance, jusqu'à ce qu'elle décide de ne plus arpenter le chemin. La ferme lui convint alors tout aussi bien qu'ailleurs, cette ferme dans laquelle se tenait aussi la silhouette vaporeuse de sa fille, maintenant en berne sur le mur de ses souvenirs et plus dans sa mémoire ; une expérience qu'elle fit le premier soir où elle ne remonta pas le chemin, ne quitta pas la cour, ne regarda même pas au loin, scrutant simplement à l'intérieur d'elle toutes les parois noircies d'ombres souveraines qui ne s'estomperaient jamais.

Quand l'année toucha à son terme, se sentant emplie de toutes les ombres qu'elle pouvait contenir, et pas une de plus, elle écrivit un mot à l'intention de Rose, avec une plume d'aile de canard épointée et trempée dans un peu de son sang. Elle déposa ensuite la lettre sur la table, contre le pichet, puis sortit et barra la porte, abandonnant les meubles vides sur lesquels plus rien ne trônait, si ce n'étaient quelques traces dépourvues de poussière. Les filles la regardaient, le visage recouvert d'une même peine. Elles quittèrent la ferme ensemble, poussant de conserve un troupeau constitué de deux vaches, quatre chèvres, une truie, un verrat, quelques poules et lapins encagés et posés sur le plateau d'une charrette tirée par une vache, avec dessus, aussi, des matelas, des sacs de vêtements et de linge, et toute la vaisselle que la famille possédait, et rien de plus. Assis sur la dalle du puits, le chien de berger regarda un moment son monde quitter la ferme, puis se leva en humant l'air. Lorsqu'il pensa que tout était en ordre pour le départ, qu'il ne manquait personne, il se mit à trottiner, rejoignit la triste procession, la contourna par la droite, sans même aboyer, effleurant à peine la terre du chemin, avant de revenir se placer à l'arrière de la charrette, sinuant entre les corps fragiles, posant enfin sur eux un regard attendri et protecteur.

Elle retrouva son père, debout près du banc, car il n'était pas midi. La rosée imprégnait la pointe de ses sabots, que l'on aurait dits fabriqués dans des bois différents. Certes tordu en maints endroits et le visage creusé autour d'une moustache blanche simplement salie autour des lèvres, il était encore alerte pour un âge que personne n'aurait songé à lui donner, appuyé sur son inséparable bâton. Ce père, qui avait aussi été enfant, une enfance remisée dans un coffre fermé à clé. Il se redressa autant que possible à l'approche des quatre formes ; en cet instant plus père que grand-père, s'obligeant à montrer quelque assurance puisée à l'aune d'un héritage forcé, au moins cela, espérant surtout qu'elle ne serait pas en mesure de faire la différence entre ce qu'il s'évertuait à montrer et ce qu'il contenait en réalité ; et elles non plus. Homme obstiné, il avait évité au mieux de se poser les questions encombrantes tout au long de sa vie, car il pensait depuis toujours que les questions font reculer ; et si, par malheur, il s'en invitait quelqu'une dans sa caboche, il lui suffisait de se retourner pour avancer d'une autre façon, vers autre chose que ce qu'il avait prévu et que le sort lui refusait. Surtout marcher droit devant. De toute son existence, il n'avait jamais vu un

oiseau reculer. Seuls les animaux terrestres s'y résol-
vaient en maintes occasions, à croire que le contact
avec la terre posait déjà la question de savoir s'il était
vain ou non de s'en arracher entre deux pas. Et pourtant, il ravivait chaque matin le feu éteint la veille,
tout ce que l'on attendait d'un homme fait, parce qu'il
savait au fond de lui que seuls les hommes sont des
animaux terrestres, et les femmes et les enfants, des
oiseaux.

Rose

Le docteur est revenu me voir des semaines après mon accouchement, peut-être des mois, je sais plus bien. Il m'a fait allonger pour m'ausculter, sans rien dire. Génie était là. Quand il a eu fini, j'ai demandé à lui parler seule à seul. Il a dû lire dans mes yeux que j'allais pas le laisser repartir aussi facilement, alors il a demandé à Génie de sortir. On s'est retrouvés tous les deux. Il s'est assis sur le lit, tout au fond. Comment va mon petit. Il fixait la porte droit devant lui. Comment te sens-tu, qu'il a demandé à la porte. Comme elle avait pas l'air de vouloir lui répondre, il a reposé la question en se tournant vers moi, cette fois. Je me suis assise, dos calé aux barreaux et j'ai replié mes jambes contre ma poitrine. Comment va mon bébé, j'ai répété. Il a soupiré. Tu n'as pas à t'en faire pour lui, il a dit. C'est pas ce que je vous demande. Tu n'en sauras pas plus. Je le sentais un peu énervé que je lâche pas le morceau. Qu'est-ce que vous avez à craindre de moi. Sa grand-mère s'en occupe parfaitement, c'est tout ce que je peux te dire. Un docteur, c'est pourtant censé faire du bien aux gens. Il a caressé la petite boursouflure dans son cou qui dépassait de son col. Comment vous pouvez permettre qu'on enlève un enfant à sa mère. Tu ne serais pas capable de t'en occuper correctement, qu'il m'a dit. Je l'ai mis au monde sans l'aide de personne, et je serais pas capable de m'en occuper. Le sujet est clos, il a dit froidement, mais ça prenait plus avec moi. Il le sera jamais, vous le savez bien. Il a posé ses deux mains à plat sur ses cuisses. Comment tu te sens, il a redemandé. Comme si vous en aviez quelque chose à faire de comment je me sens. Tu es ma patiente. Arrêtez de vous ficher de moi, y a personne pour nous entendre. Un petit sourire rusé s'est dessiné sur son visage. Je dois admettre que tu es particulièrement robuste. Robuste, j'ai ricané, c'est un mot pour le dehors du corps, et vous avez fait ce qu'y fallait pour vider le dedans, on dirait bien que c'est ça votre métier, finalement. Il a haussé les épaules, puis il a retiré ses lunettes, a essuyé les verres avec un petit mouchoir. Il a frotté un sacré moment. De temps en temps, il s'arrêtait pour regarder au travers, et comme ça devait pas lui convenir, il recommençait, jusqu'à ce qu'il repose les lunettes sur son nez en arrangeant les branches derrière ses oreilles. Il a de nouveau fixé la porte, puis s'est tourné vers moi en me reluquant de ces petits yeux vicieux qui voulaient tout dire de ce que je représentais pour lui, quelque chose comme une espèce d'animal avec une patte fracassée. J'étais peut-être qu'une bestiole blessée, mais j'avais mal nulle part, et le docteur il m'impressionnait pas. Plus rien avait de l'importance pour moi, surtout pas lui. Il s'est de nouveau mis à passer un doigt pile sur la cicatrice. Il vous a marqué, vous aussi, pas vrai, j'ai dit. Il a vite retiré son doigt. J'ai vu que j'avais touché un point sensible, que j'étais peut-être pas loin de la vérité. Vous êtes aussi leur esclave, comme moi, j'ai insisté. Son dos s'est raidi, comme s'il se calait sur un mur qui existait pas. Il est parfois des frontières que l'on franchit sans s'en apercevoir, qu'il a dit à la manière d'un curé. Vous parlez de qui, avec votre histoire de frontière, sûrement pas de moi en tout cas. Il m'a pas répondu. Je regardais plus ses yeux. Il faisait que mentir avec. Je me suis mise à fixer sa bouche pour pas louper ce qui en sortirait. Il a changé de sujet. Mon métier est d'accompagner les gens comme toi, a dit sa bouche. J'ai tourné doucement la tête vers la porte. On est rien que nous deux, vous voyez bien, c'est pas la peine de raconter des salades, vous risquez quoi. Je ne peux rien faire de plus. En vrai, ce qui vous embête, c'est que j'ai encore ma tête, malgré tout ce que j'ai subi, que je résiste, c'est ça qui vous chagrine. Il était très calme. N'insiste pas, il a dit. J'ai vu mon père mourir sous mes yeux, je me suis fait prendre par le maître pour lui faire un héritier, on m'a volé mon petit, et j'en passe, vous savez tout ça et vous avez jamais levé le petit doigt, tout docteur que vous êtes. Il est parfois des actes auxquels on est contraint pour un intérêt supérieur. Un intérêt supérieur à celui d'une mère pour son petit, j'ai demandé pour le pousser un peu plus loin. Son regard est revenu se coller à la porte. Tu ne sais rien. Je demande qu'à savoir. J'ai cru un instant qu'il se laisserait aller, mais il s'est vite ravisé. Ton enfant aura un bien meilleur avenir que celui que tu aurais pu lui donner, il a dit en souriant bizarrement à la porte. Je me suis mise à trembler en repensant à mon petit que j'avais eu dans mon ventre pendant des mois, que j'avais mis au monde et que j'avais eu avec moi six jours. Ce petit, je l'ai aimé dès que je l'ai vu tout dégoulinant de saleté, je l'aimerai toujours, mais j'ai que pu le lui montrer une seule semaine dans toute une vie. Vous êtes rien qu'une ordure, j'ai craché. Qu'est-ce que j'avais à perdre. Je me suis jetée les poings devant. Le docteur s'est levé d'un bond avant que je le touche, et je me suis affalée sur le lit, vide de forces. Je me suis mise à pleurer, et il m'a regardée en continuant d'enfoncer le clou. Il sera ton fils jusqu'à ta mort, mais tu ne seras jamais une mère pour lui, plus jamais. Une ordure et un monstre, voilà ce que vous êtes. Au contraire, j'ai préservé un enfant de la misère. J'ai laissé filer les larmes qui m'encombraient trop pour parler, puis j'ai tourné la tête vers lui. Un gamin sans un père, ni une vraie mère, juste élevé par une vieille folle, y a des misères pires que celle que vous parlez, j'ai dit. Nous avons agi pour le bien de cet enfant. Vous savez même pas ce que c'est, le bien, un jour, vous serez jugé pour ce que vous avez fait, j'ai dit en le montrant du doigt. Un tic nerveux a soulevé un coin de sa bouche, il a encore touché sa cicatrice. Je n'ai pas peur d'être jugé par qui que ce soit, je suis un homme de science. Ça, je dois reconnaître que vous savez rudement bien mentir, mais peut-être que ça suffira pas toujours, j'ai dit nerveusement. Il m'a pas répondu. Il a regardé sa montre en soupirant. Il a rajusté son veston, puis il s'est reculé vers la porte sans me quitter de ses petits yeux réduits à des fentes. Au moment d'ouvrir, il a arrêté son geste. Tu devrais mourir, maintenant ça ne sert plus à rien de t'obstiner, il a dit, comme s'il me demandait un service. Mourir, j'ai répété machinalement. J'ai pas eu le temps de réagir. Il est sorti de suite après, et la clé a tourné dans la serrure. Je suis restée allongée. Les bruits du dehors passaient à travers les murs, à moins que je les aie imaginés. J'entendais la girouette bousculée par les courants d'air, affolée de pas savoir la direction à montrer dans cette vallée de malheur, là où le vent en finit pas de tourbillonner, descendre, remonter et disparaître comme par enchantement. Je me suis assise en repensant aux derniers mots du docteur. Il restait encore la marque où il s'était assis au fond du lit. J'ai tiré sur le drap pour la faire disparaître, pendant que ses paroles résonnaient dans ma tête. Tu devrais mourir maintenant. Il avait sûrement cru m'achever avec.

La mort, j'y pense souvent, comme à la vessie d'un poisson qui grossirait jusqu'à prendre toute la place pour finir par éclater. Alors, les paroles du docteur, elles m'ont pas vraiment fait mal, elles m'ont à peine effleurée en vrai. Je vais pas lui faire ce plaisir. Ça sera à moi de décider seule de quand mourir, et pas lui. Mon dernier pouvoir, le seul. Le moment est pas encore venu de me laisser aller. J'ai plus l'intention de brusquer les choses, quitte à respirer plus longtemps que prévu. Quand ce sera temps de partir, je le sentirai, je résisterai plus, je me laisserai gentiment glisser hors de ma peau. Je ferai comme il faut, mais c'est pas lui qui décidera. Jamais. Il paraît que quand on s'en va, quelque chose s'envole, quelque chose de pas bien gros et pas bien lourd, mais quelque chose d'autrement essentiel que ce qui est détruit. J'espère pas m'en rendre compte, que ça se déroule un peu

comme dans un rêve, avec l'espoir d'aller complètement ailleurs, que la lumière qui s'éteint mène à une
autre lumière dans quoi on s'enfonce tranquillement.
Il me semble que j'ai gagné ce droit, que je l'ai payé
avec mon sang, avec mon ventre, avec tout mon corps,
et aussi avec mon cœur. Mais c'est pas tout de suite
que je vais m'en aller. Je me le jure.

Depuis que j'ai décidé de pas me forcer à mourir,
j'ai l'impression d'avoir retiré mes mains de sur une
source qui demandait qu'à jaillir. Quelque chose s'est
libéré en moi. Quelque chose que je dois enfin écrire
comme ça me vient. Ce qui coule maintenant. Ma
main a plus qu'à obéir. Je comprends rien à ce qui
se passe. J'écris. Tout ce que je croyais qui était pas
et qui était en vrai, tout ce que je croyais et qui était
pas le vrai. C'était là, ça a toujours été là, ce que j'ai
recouvert avec le malheur qui a suivi, et aussi l'idée
de la mort. Le grand tourbillon m'a enfin rattrapée.
Je le laisse m'envelopper. Une fois dedans, tout
change. Je devrais penser à mon père, à ma mère, à
mes sœurs, mais c'est pas à eux que je pense en vrai,
c'est à Edmond, à ses épaules, à ses mains autour de
ma taille, à son regard dans mon regard, qui est plus
qu'un regard à lire. L'histoire change. Elle en finit pas
de couler. Je fais rien pour, elle file entre mes doigts.
Elle devient ce qu'elle a toujours été. La véritable histoire, celle à laquelle j'ai pas voulu croire, jamais voulu
croire. Tout me revient dans le tourbillon. C'est facile.
À l'intérieur, on est tous les deux, Edmond et moi.
On peut enfin dire les mots qui comptent et faire les
gestes qui comptent, en plus des regards. Et finalement, y en a pas besoin de beaucoup, des mots, et des

gestes importants, ceux qui se laissent aller sans résistance. Je me suis jamais sentie aussi vivante. Si j'ai tenu bon jusqu'à maintenant, c'est sûrement pour revenir à cet instant que je m'étais volé sans le savoir. Edmond me tient en l'air. Il me dit qu'il peut me porter éternellement. Je lui souris. Le dos collé au flanc d'Artémis, je réponds que c'est tout ce que je souhaite, que j'en suis certaine. Et puis il me fait descendre. J'ai pas la sensation de toucher le sol. Je sais que mes pieds le toucheront plus jamais de la même façon, et je le dois à cet homme qui penche son visage sur le mien. Je vois même pas ses yeux. Je sais ce qu'ils disent. Edmond m'embrasse, je l'embrasse et on s'embrasse. J'ai jamais fait ça avant. C'est simple. Il me semble que j'ai toujours su, et tout ce qui suit aussi, je l'ai toujours su, toujours voulu. On est serrés l'un contre l'autre, comme si on voulait broyer nos deux cœurs pour qu'il en reste qu'un seul, et on le sait même pas quand ça arrive, on se pose même pas la question tellement c'est l'évidence. Nos bouches réunies pour la première fois, c'est comme le premier vol d'oies sauvages au printemps avant que le ciel se remplisse d'oiseaux qui s'en vont là où ils doivent aller depuis toujours, là où il y a du soleil. L'écurie, c'est rien d'autre qu'un pays de ce genre où il fait beau et chaud. En vrai, ce pays, on sait qu'on l'a atteint quand les bouches suffisent plus. Edmond m'allonge sur la paille. Artémis bouge pas, j'entends sa respiration au début, et puis je l'entends plus. Tout ce que fait ensuite Edmond, je le fais aussi, avec l'assurance d'un de ces oiseaux qui sait où se termine le voyage, cette paille dorée à l'odeur de brûlé. Je sens même pas son poids sur moi. Je sens plus que son odeur, ses mains, ses lèvres, sa peau. Je le ressens, lui. J'ai jamais été aussi heureuse, aussi sûre de savoir ce que je veux, ce que je suis, puisqu'il m'en donne l'occasion. Je le pense si fort que je le lui dis en vrai. Il me répond que lui aussi est heureux, ou peut-être que je l'imagine, que c'est rien qu'un écho dans son souffle. En tout cas, ses yeux et ses gestes mentent pas. Il retire ce qui le gêne pour qu'on soit encore plus près, tellement près, qu'on sait même plus ce qui appartient à l'autre. C'est simple. Et puis, quelque chose me déchire doucement, quelque chose que j'accepte dans mon corps comme si c'était une partie de moi qui me manquait, et que je le savais pas avant ce moment-là où la fille que j'étais devient une femme. J'ai pas mal. J'ai confiance. Le temps est ailleurs. Edmond s'arrête pour me regarder. Je pleure de bonheur. Il recommence à bouger, d'abord lentement, puis de plus en plus vite, puis il se raidit comme un bout de bois, et se détend, plusieurs fois de suite. Je sais qu'il m'offre quelque chose. Je le reçois, même si je sais rien de ce qu'il m'offre en vrai. Je sais même pas quoi lui offrir en retour, à part la lumière qui jaillit en sens inverse de lui par mes yeux grands ouverts, ma manière de le remercier pour tout ce que j'ai cru pas être la réalité, jusqu'à ce que je me retrouve dans le tourbillon, que je le retrouve, qu'on se retrouve, la seule réalité, celle d'hier, celle d'aujourd'hui, celle de demain, celle de toujours, celle de cette vie et celle d'après cette vie.

Je sais pas pourquoi je suis retournée dans le tourbillon avec Edmond, ni à quoi ça sert d'être de nouveau réunis, de savoir le vrai, mais il me semble que c'est l'essentiel de ma vie. On regarde le monde tourner, et pas nous. Le temps s'est arrêté dans le tourbillon. Le temps, c'est rien que de la soustraction depuis qu'on naît, comme sur le cahier de mon père, et on n'en a même pas conscience tant qu'on est qu'une enfant. Une enfant qui bascule dans la femme, c'est ce que je suis redevenue dans le tourbillon, une enfant qui regarde la femme posséder le temps, une femme qui s'aventurera jamais plus loin que la vérité du tourbillon. Ce moment où tout aurait pu commencer, si le moment qui a suivi avait pas tout détruit.

Gabriel

Je restai prostré de longues minutes après avoir terminé de recopier le journal de Rose, un doigt posé sous le dernier mot écrit de sa main : « détruit », mon sang figé dans mes veines et dans mon cœur, comme chaque fois que je le lisais. Je me mis à gratter la feuille avec l'ongle, sans raison, comme pour enlever une croûte sur une cicatrice, ne réussissant qu'à faire baver l'encre. J'appuyai alors l'extrémité de mon doigt de toutes mes forces pour effacer le mot. Des hordes barbares chargeaient dans ma tête. La pulpe blanchie par la pression. Il me fallut du temps avant de réaliser que je ne rêvais pas. La sensation d'un relief sous le papier, une infime excroissance. Puis la sensation finit par disparaître, et lorsque je retirai mon doigt je découvris une trace exsangue et rectiligne incrustée sur ma peau. Ce que j'avais cru être le dernier mot écrit par Rose. Ce que je n'avais jamais remarqué avant cette ultime lecture. Deux pages plus loin, il y avait une feuille arrachée, pliée en deux, soigneusement coincée dans le cahier. Je l'ouvris. Il s'agissait bien de l'écriture de Rose, mais elle avait un peu changé, plus hésitante, plus lâche, comme si sa main épuisée avait abandonné les mots sur le papier, pour les laisser mourir en paix. Ses véritables derniers mots.

Rose

Quatorze ans que je suis enfermée dans l'asile.

Quatorze ans que je m'étais juré de plus écrire.

La compteuse est morte dans la nuit, c'est ce qui m'a fait changer d'avis.

Génie m'a annoncé la nouvelle ce matin. Elle avait pleuré juste avant. Elle voulait pas parler plus. Je lui ai pas posé de questions. Elle est repartie de suite. J'imagine qu'elle venait de retourner en enfance, et que ça lui faisait pas du bien.

Des semaines que je voyais plus la compteuse dans la cour. En vrai, je sentais qu'il s'en passait de drôles avec elle, sans vouloir croire le pire. J'ai eu beaucoup de peine sur le coup, mais en vrai je suis soulagée qu'elle ait enfin trouvé le moyen de s'évader vraiment. Là où elle est rendue à cette heure, elle a plus besoin de compter, vu qu'elle est arrivée au bout de son compte. Ça change quelque chose qu'elle soit morte. Je sais pas vraiment pourquoi, mais je sais quoi. Peut-être parce qu'elle s'appelait Rose, elle aussi, qu'il y avait une part de moi que je reconnaissais dans cette femme, en plus de son prénom. Je sais pas si elle a décidé seule de partir, si elle a trouvé un moyen et la force pour le faire. Je veux surtout pas savoir. Elle m'ouvre la voie. Je veux juste la suivre maintenant. J'ai plus rien à dire, à défendre, à espérer. Il y a plus lieu de résister. Je l'entends dans ma tête.

Quatorze ans.

Cinq mille cent dix jours.

Cent vingt-deux mille six cent quarante heures.

Quatorze ans que je tiens le coup. J'aurais pas cru durer aussi longtemps. Il faut reconnaître que le corps c'est une mécanique qu'on peut pas arrêter facilement, à moins qu'on veuille se damner, et moi j'ai jamais voulu prendre ce risque. J'ai trop souffert dans cette vie pour risquer de tout perdre dans celle d'après, si jamais elle existe ailleurs et autrement. On sait jamais.

N'empêche, j'ai tenu tout ce temps sans virer folle, rien qu'en m'enfermant dans le tourbillon. Ça doit en boucher un coin au docteur, lui qui pensait que j'allais mourir parce qu'il me le demandait, juste parce que ça l'arrangeait. Seulement voilà, il y a qu'en tuant les gens qu'on peut décider du moment de leur mort. Je crois bien que c'est la seule limite qu'il a pas osé franchir, une frontière comme il disait. Tuer quelqu'un de ses propres mains, voilà une chose qu'il a jamais dû faire, sûrement un restant de ce qu'on lui a appris aux écoles pour docteurs.

Quatorze ans.

Mon petit aurait quatorze ans aujourd'hui.

Il doit bien les avoir quelque part, mais je suis pas avec lui pour le regarder les avoir.

Le temps a passé vite. En vrai, ça dure pas bien longtemps, une journée qui se répète pour rien. Je préfère la nuit. Quand j'en ai pas assez, je garde les yeux fermés une partie du jour. Tout se ralentit dans l'obscurité, vu qu'il y a rien qui indique le temps si on n'a pas de pendule, et il y en a pas dans ma chambre, juste la cloche qui sonne dehors, mais je l'ai perdu depuis longtemps ce compte-là. C'est pour ça que j'aime la nuit, parce que le temps peut s'accrocher nulle part. La nuit, la porte est grande ouverte aux bruits. Je m'endors toujours avec le même sifflement continu qu'au début je prenais pour du silence et qui est pas non plus du bruit. M'est avis que ce que j'entends, c'est la respiration de l'âme en train de trier le vécu pour fabriquer des souvenirs qu'on n'a même des fois jamais vécus, mais qu'on finit par admettre comme des vérités. Le corps a pas son mot à dire dans ces moments-là, je crois même qu'il sait pas que l'âme existe, sinon, depuis le temps, il aurait trouvé un moyen de lui faire arrêter de respirer pour se sentir un peu plus vivant. L'âme, c'est pas ce qui reste quand on est mort, c'est ce qui s'en va quand il reste plus rien à ranger. Et moi, pendant les quatorze années qui viennent de s'écouler, j'ai apprivoisé mon âme. Elle est devenue mon amie de la nuit, le cœur immobile du tourbillon qui bat au ralenti, comme le mien, comme celui de mon petit il y a quatorze ans. Des fois, le jour, je peux pas m'empêcher d'imaginer à quoi il ressemble aujourd'hui, ce qu'il fait. La nuit, jamais. La nuit, il change pas, il est mon petit à moi, avec moi, encore relié à moi, tout dégoulinant de moi. Mon petit, sorti de mon ventre, il y a quatorze ans.

Peut-être qu'on a des pouvoirs et qu'on le sait pas si on y réfléchit pas, si on fait pas attention aux signes.

Hier au soir, je me suis pas endormie avec le sifflement coincé entre les oreilles. Il y avait rien que le silence, un silence terrible, vide de bruit, vide de sommeil, vide de mon âme qui jusque-là m'avait toujours épargné l'anniversaire de mon petit. Si j'avais dû devenir folle, ça aurait été cette nuit, et ça serait d'ailleurs peut-être arrivé si je m'étais pas mise à compter les années, les jours, les heures, pour la première fois, sans raison. La raison, je la comprends maintenant que je suis rendue au bout de ma route par la grâce d'une autre qui me libère des jours à venir. Mon âme est enfin prête à suivre cette femme que j'ai jamais pu aider à vivre mieux, et qui, en mourant, va m'aider à partir.

Je reviendrai pas sur ma décision. J'écrirai plus une ligne après ce soir. Je voudrais pas me reprocher de pas avoir su m'arrêter à temps. Peut-être bien que je vais la garder pour moi, cette feuille, j'en sais rien encore. J'ai jusqu'à ce soir pour décider, parce que ce soir je vais faire un cadeau empoisonné à Génie. Elle a jamais voulu prendre mes cahiers, mais tout à l'heure, je vais pas lui laisser le choix de pas les emporter. Elle en fera bien ce qu'elle voudra. Ça me regardera plus. Tout ce que j'aurai à faire, c'est de retourner dans le tourbillon de la nuit pour plus jamais en sortir, d'aller retrouver la compteuse, et surtout mon petit.

Edmond

Bon Dieu.

Alors, ça y est, t'es partie de l'autre côté.

T'en as jamais été bien loin en vérité.

Je t'en veux pas, tu sais.

Je t'en ai même jamais voulu de ce que t'as fait.

J'ai pas eu le temps de te le dire avant qu'ils t'enferment.

J'ai jamais pu trouver les mots, même pas les penser.

Je crois que je comprends pourquoi tu l'as fait.

Je dirais pas que c'est du courage que t'as eu.

Bon Dieu, non.

C'est autre chose.

Des fois, on fait ce qu'il faut faire, juste parce que c'est ce qui doit être fait pour que la barque continue d'avancer, avec moins de gens dedans.

C'est la barque qui est importante, pas les passagers, faut croire.

Avant que tu meures, j'osais pas te parler dans ma tête, mais je pensais souvent à toi.

Au début, à toi avec le marteau dans la main, à ton regard sans un brin de lumière dedans.

Je me souviens de tes yeux grands ouverts, comme si c'était hier, tellement grands que j'avais pas l'impression que c'étaient des yeux, mais des trous.

Tout ça, c'est du passé.

Maintenant que t'es libre, c'est plus cette femme que je vois.

Celle à qui je parle, c'est une autre, qui a pas des trous noirs à la place des yeux, qui a pas non plus de marteau dans la main, qui jette du feu quand elle me regarde.

Je sais pas laquelle des deux me fait le plus de mal.

Mais c'est la dernière que je veux garder.

Bon Dieu.

Tu sais, j'ai tout essayé pour te revoir, même d'escalader les murs.

Je me suis fait prendre.

Ils m'ont toujours empêché.

Je les ai maudits pour ça.

Ils disaient qu'ils te feraient du mal, si j'insistais encore.

J'aurais jamais dû les écouter.

Ils m'ont toujours fait comprendre que j'étais personne.

Y a rien de pire.

Quand on est personne, on obéit.

Pour elle, j'étais moins qu'un de ses verres en cristal, et pour lui, moins qu'un de ses chiens, en définitive, juste une erreur à haïr.

Et, bon Dieu, j'ai fini par le croire.

Même quand la petite est arrivée, j'ai pas été capable de devenir meilleur.

J'en avais pourtant l'occasion.

Je suis resté l'erreur qu'ils avaient fabriquée.

J'ai jamais eu le courage d'en finir, après.

Même quand la petite est morte, j'ai pas eu ce courage.

Maintenant, je suis vraiment seul.

Il va bien falloir que je trouve le courage.

Toute ma vie j'ai failli être un homme.

Gabriel

Je ne dormis pas de la nuit, réfléchissant à ce que j'allais faire. Je réveillai le sacristain à l'aube, afin qu'il m'aide à préparer l'attelage. Mon empressement le surprit. Il me demanda où je voulais qu'il me conduise. Je répondis que je lui indiquerais la route au fur et à mesure, ne sachant pas encore à quel endroit j'irais en premier lieu, au domaine des Forges, ou à l'asile.

Nous quittâmes le presbytère en prenant la direction de la forêt. Après quelques minutes, nous nous enfonçâmes sous les frondaisons. Je ne sais si ce fut l'air me fouettant le visage, les cahots de la voiture, ou bien mon propre jugement qui cheminait, mais je sus alors à qui je devais d'abord parler. Lorsque j'aperçus la flèche de la chapelle de l'ancien monastère, je résistai sans mal à la tentation de m'y rendre. Je détournai le regard et nous dépassâmes l'asile. Le temps viendrait. Il fallait encore faire une dizaine de kilomètres pour rejoindre le domaine des Forges, là où, je l'espérais, habitait encore Edmond, à n'en pas douter, l'homme du cimetière ; car, outre le docteur, lui seul était en mesure d'éclaircir les zones d'ombre qui subsistaient dans le journal de Rose.

Par le passé, je n'avais guère eu l'occasion de m'aventurer aussi loin, ayant suffisamment à faire dans ma paroisse. Nous arrivâmes bientôt à l'embranchement près de la rivière, tel que le décrivait Rose. Un chemin montait à main droite en direction de la forge, et un autre sur la gauche devait déboucher au domaine. D'un geste du bras, j'indiquai la droite à Charles. Je suppose que j'avais encore besoin de me convaincre que tout cela était réel, avant de rencontrer Edmond. Nous empruntâmes le sentier pentu qui allait en s'étrécissant, puis rejoignîmes l'entrée de la forge. Il y avait un portail, dont l'un des battants était dégondé dans sa partie supérieure, et le squelette rouillé d'une enseigne gisait au sol. Je demandai au sacristain de m'attendre là. Je descendis, puis pénétrai dans une vaste cour envahie de hautes herbes, délimitée pour une moitié par un haut mur d'enceinte délabré, et pour l'autre par un bâtiment en L. L'endroit était d'autant plus sinistre que je savais qu'un homme y avait été mis à mort de sang-froid. La lourde porte donnant sur la forge était fermée. Il me fallut utiliser une barre de fer rouillée qui traînait sur le sol pour parvenir à la faire coulisser sur son rail. Il n'y avait plus un seul outil à l'intérieur, rien qui pût attester l'utilité du lieu, hormis l'immense établi, le foyer, et le soufflet dont il ne subsistait que les parties métalliques tordues, comme si on s'était acharné dessus. La forge avait visiblement été pillée. Je me demandai alors pourquoi les voleurs avaient pris soin de refermer la porte, à moins que ce ne fût quelqu'un d'autre qui l'eût refermée, plus tard. Cette question, a priori sans véritable objet, me taraudait pourtant. Je restai un long moment devant le foyer, à fabriquer les images d'un drame : Rose marquée au fer, attachée au pied de l'établi, pendant que le maître de forges réduisait le corps de son père en poussière à coups de marteau. Une odeur immonde flottait alentour, véhiculée jusqu'à mes narines par la vision que je venais d'avoir. Mes mains tremblaient, et je dus sortir en hâte.

Je rejoignis la voiture, montai sur le siège, sans un mot. Charles me jeta un coup d'œil interrogateur. Je ne réussis qu'à faire un signe de la tête et nous nous éloignâmes de ce lieu maudit en prenant la direction du domaine. Passé la grille ouverte qui donnait sur un parc à l'abandon, nous découvrîmes une imposante bâtisse à la façade recouverte de lierre et bordée de ronces gigantesques : le château. Des ardoises avaient glissé du toit et s'étaient écrasées sur les marches de l'escalier. Plus personne ne vivait ici depuis longtemps. Les lieux étaient fidèles à la description que Rose en faisait dans son journal. Je l'imaginais à la merci du maître et de sa mère, me demandant aussi ce que la vieille dame était devenue. L'atmosphère pesante semblait même atteindre Charles, qui triturait nerveusement les rênes en fixant les bâtiments annexes. Je descendis de voiture, marchai vers le château, puis gravis les marches qui menaient à la porte d'entrée. Elle était fermée à clé. Je fis le tour de la bâtisse, me frayant un passage entre les broussailles et les ronces pour tenter de trouver une issue qui ne fût pas condamnée. Contrairement au château, les dépendances étaient encore visitées, à en juger par les accès dégagés et les herbes piétinées. Une écurie, bien sûr. J'hésitai un instant devant la porte fermée au verrou, puis entrai. L'odeur des chevaux était encore prégnante. Je crus que mon imagination me jouait à nouveau des tours lorsque j'entendis un ébrouement, mais je ne rêvais pas. Il y avait bien un cheval, qui m'observait majestueusement depuis l'une des stalles, son râtelier empli de fourrage frais. J'eus alors la sensation que le temps était aboli, que j'entrais dans le tourbillon avec Rose, que je n'avais d'autre choix que de suivre ce mouvement, avec l'impression d'étouffer une fois à l'intérieur, comme si je violais un passé qui ne m'appartenait en rien. Je ne sus combien dura la catharsis, mais, lorsque je recouvrai mes esprits, j'eus la certitude de ne pas m'être trompé en me rendant au domaine. Le cheval ne pouvait appartenir qu'à un seul homme.

L'allée se poursuivait entre le pignon de la maison et les dépendances, puis évoluait en un simple chemin de terre battue au bout de quelques mètres. Tout en longeant un jardin cultivé, j'aperçus un filet de fumée s'élever dans le ciel rougi par le soleil matinal. Je continuai de descendre. J'arrivai bientôt en vue d'une maison basse au toit de chaume bruni. L'homme rencontré au cimetière se tenait debout sur le palier. Il me regarda approcher, sans bouger. On aurait dit qu'il m'attendait. Lorsque je fus suffisamment près, je découvris plus de curiosité que de contrariété dans son regard. Les prémices d'un sourire se figèrent au coin de sa bouche, comme s'il voulait se donner une contenance. Je n'avais aucun doute quant à son identité.

— On dirait que vous vous êtes perdu, curé.

— Vous le pensez vraiment ?

— J'ai autre chose à faire que penser.

— Vous êtes Edmond, n'est-ce pas ?

Le rictus disparut instantanément au coin de sa bouche.

— Qu'est-ce que vous me voulez ?

— Je sais que c'est votre femme que j'ai enterrée l'autre jour.

Tout son corps se raidit. Il serra les poings et la mâchoire pour maîtriser l'emportement qui le guettait.

— J'ai pas envie de vous écouter.

— Je ne vous veux aucun mal, je suis simplement là pour vous parler de Rose.

Son regard était empli de doute, mais il ne prit pas le risque de parler.

— Rose, la jeune fille qui travaillait pour le maître de forges, ajoutai-je.

Il gifla l'air d'un revers de main.

— Mensonge, vous avez pas pu la connaître.

— Je ne l'ai jamais rencontrée, c'est vrai, mais je connais en partie son histoire, elle l'a écrite dans un journal.

— Je vous crois pas…

— Vous êtes le demi-frère de l'ancien maître de forges, empoisonné par Rose avec de la mort-aux-rats. Cette même Rose, que vous avez fait monter sur le dos d'une jument nommée Artémis, dans l'écurie. Vous appeliez la mère de Charles la «reine mère», dois-je continuer ?

Ses épaules s'affaissèrent, on aurait dit qu'il s'enfonçait dans la terre.

— Le docteur, c'est lui qui vous envoie pour me faire virer fou, hein, c'est lui ?

— Non, ce n'est pas lui, je ne vous mens pas.

— Bon Dieu, mais qu'est-ce que vous voulez à la fin ?

— Je suis aussi au courant pour l'enfant de Rose… Qu'est-il devenu ?

— L'enfant, répéta-t-il hagard.

Son buste pivota légèrement, mais ses pieds ne bougèrent pas, comme si une demi-part de lui eût voulu entrer à l'intérieur de la maison, et que l'autre en fût incapable.

— Vous savez vraiment rien de plus ?

— Non, le journal de Rose se termine lorsqu'on lui retire son enfant.

Edmond hésita encore un instant, puis, s'apercevant probablement qu'il n'avait plus à se méfier de moi, il se mit à parler. J'eus alors la sensation d'extirper des aveux d'un cercueil.

— C'était des mois après qu'ils ont emmené Rose à l'asile. Un matin, je suis monté au château, comme d'habitude. Quand je suis entré dans la cuisine, y avait cette femme que je connaissais pas. Elle a pas eu le temps de me dire qui elle était. J'ai entendu des voix au-dessus de ma tête. Je me suis précipité à l'étage. La reine mère et le docteur étaient dans la chambre de Charles, autour d'un berceau et dedans y avait un bébé qui s'agitait en couinant drôlement. L'héritier de Charles, le fils de Rose, qu'ils m'ont dit. Je savais plus où j'en étais. J'ai demandé comment allait Rose. Le docteur m'a dit qu'il me répondrait plus tard, mais qu'il fallait d'abord que je l'aide à mettre Marie dans son cercueil.

Edmond se tut brusquement, comme sous le coup d'une révélation.

— Bon Dieu, je savais bien qu'y avait quelque chose qui collait pas, vous me mentez depuis le début, curé.

— Non, je ne vous mens pas, je vous l'ai dit…

— Après l'enterrement de Marie, le docteur m'a avoué que Rose avait pas survécu à l'accouchement, et vous me dites que le journal s'arrête quand on lui retire l'enfant. Comment vous expliquez ça ?

— Ce n'est pas moi qui vous ai menti, Rose n'est jamais morte en mettant son enfant au monde.

Il recula. Son dos buta contre le mur. Son corps tout entier n'était qu'un tremblement.

— Elle serait vivante alors, dit-il.

— Je n'en sais rien, mais il est possible qu'elle soit encore enfermée à l'asile.

Il posa sur moi un regard plein de détresse.

— On peut pas rester sans rien faire, curé.

— Notre chance, c'est que le docteur ne se doute encore de rien.

Il se redressa en écrasant le vide entre ses doigts.

— Lui, je le tuerai.

— Je vais d'abord me rendre à l'asile pour m'assurer que Rose est encore en vie, nous aviserons après.

— Il va vous embobiner, il est malin.

Il leva les bras, regardant ses deux poings serrés.

— Bon Dieu, je vais le tuer… je trouverai un moyen, mais je vais le tuer.

— Faites-moi confiance, pour le moment, nous n'avons pas le choix.

Edmond ne protesta pas. Il savait que je représentais le seul espoir de revoir Rose.

— Vous ne m'avez toujours pas dit ce qu'était devenu l'enfant.

300

Il me regarda, desserra les poings, et se mit à parler, comme s'il était soulagé d'enfin raconter ce qu'il n'avait jamais dit à personne.

— J'ai toujours eu interdiction de l'approcher. La reine mère et la nourrice le couvaient tout le temps. D'après le docteur, il était atteint d'une maladie de la peau. Même quand il a su marcher, il avait pas le droit de sortir jouer devant la maison sans surveillance, toujours à l'ombre et couvert comme en plein hiver. Des fois, je restais de longs moments à l'observer en cachette. Ça me chamboulait de le regarder, parce que plus il grandissait, plus il ressemblait à Rose. Elles l'ont élevé jusqu'à l'accident.

Il s'interrompit, avala de la salive. Ce fut alors comme si un grand serpent, que je n'avais pas senti approcher, resserrait brutalement ses anneaux sur ma poitrine.

— Quel accident, parlez, je vous en conjure.

— Un jour, il a réussi à leur échapper. C'est la nourrice qui m'a tout raconté après, étant donné que pendant ce temps je m'occupais encore de la forge. Je sais pas trop comment un gamin tout chétif a pu ouvrir la porte de l'écurie, mais il y est arrivé. Quand la vieille a entendu le chambard que faisaient les chevaux, et qu'elle trouvait le petit nulle part dans la maison, elle s'est précipitée là-bas. Elle est entrée la première. Le gamin était allongé dans la stalle et le cheval était comme fou. La vieille a cru qu'il était gravement blessé, alors elle s'est portée à son secours sans réfléchir, et le cheval l'a envoyée valdinguer contre le mur d'un coup de sabot. La nourrice est montée me prévenir qu'il était arrivé un grand malheur. J'ai couru jusqu'à l'écurie. La vieille était couchée sur le ventre, les cheveux tout poisseux de sang. Le petit bougeait pas sur la paille. Je suis vite entré calmer le cheval, et je l'ai fait sortir pour l'attacher.

Edmond se tut, balançant sa tête de droite à gauche.

— Continuez, demandai-je, la peur au ventre.

— La vieille était déjà morte, le crâne fendu en deux, mais le petit respirait calmement. Il semblait endormi. Il avait une jambe qui faisait un drôle d'angle, alors j'ai pas pris le risque de le remuer. J'ai dit à la nourrice de rester là à le surveiller, pendant que j'allais chercher du secours. J'ai galopé jusqu'à l'asile pour ramener le docteur. Quand on est revenus, le petit était réveillé, il grimaçait, sans se plaindre. La nourrice s'est écartée. Le docteur s'est agenouillé pour ausculter le gamin. Il a dit que sa jambe droite était sûrement cassée, que sa vie était pas en danger, mais qu'il fallait le transporter à l'hôpital. Je l'ai aidé à fabriquer une attelle avec des liteaux et de la ficelle. De tout le temps qu'on a immobilisé sa jambe entre les bouts de bois, le petit a même pas crié. J'ai trouvé ça bizarre qu'il supporte autant la douleur. Ensuite, c'est moi qui l'ai porté dans mes bras jusqu'à la voiture du docteur, et puis ils sont partis.

Tout en parlant Edmond regardait ses mains ouvertes, comme si l'enfant allait apparaître à l'intérieur par miracle, ou bien comme s'il ressentait encore le petit corps peser dedans.

— Qu'est-il devenu ensuite ? demandai-je, maintenant soulagé de savoir que l'enfant en avait réchappé.

— Le docteur s'est pointé quelques jours après l'accident pour me dire qu'il se rétablissait doucement.

J'ai jamais revu le gamin au château, ni ailleurs non plus, la vieille était morte.

— Vous savez où il a été emmené ?

— Le docteur avait l'intention de le placer dans une autre famille, étant donné qu'il en avait plus de vraie pour s'occuper de lui. J'ai demandé ce qu'allait devenir le domaine, il m'a répondu que je pouvais rester, en attendant. Quand j'ai demandé en attendant quoi, il a souri bizarrement. J'ai senti qu'il me cachait quelque chose. J'ai eu beau essayer de le cuisiner, il a rien voulu me dire de plus.

— Que vous aurait-il caché ?

— Je vous le dis, j'en sais rien.

— Je ne comprends pas pourquoi le docteur leur obéit depuis le début, qu'a-t-il à y gagner ?

— Tout ce que je sais, c'est que Charles lui aurait sauvé la vie en étranglant à mains nues un chien-loup, quand ils étaient gamins. Je veux bien croire que Charles en était capable, même à cet âge-là. Il en rigolait souvent devant le docteur, sûrement pour lui rappeler sa dette. L'autre, ça le faisait jamais rire. Il a encore la marque sur son cou.

Rose avait vu juste, en remarquant la cicatrice du docteur, lorsqu'elle lui avait demandé si le maître l'avait marqué lui aussi. C'était précisément ce qu'il avait fait, d'une autre manière que pour elle. Pour autant, j'avais du mal à croire que l'explication d'Edmond suffise à faire du docteur l'âme damnée de la famille des Forges. Edmond ne me quittait pas de ses yeux, réduits à deux rondelles claires évidées en leur centre.

— Vous me trouvez lâche, curé.

— Je ne vous juge pas.

— J'imagine que d'autres s'en chargeront.

Edmond était désemparé, pitoyable, en train de batailler avec sa conscience.

— J'ai jamais rien fait dans ma vie dont je pourrais être fier, ajouta-t-il.

— Pourquoi êtes-vous resté?

Il hésita un instant, puis, comme s'il venait de trouver la réponse à une question qu'il ne s'était jamais posée, il dit :

— Je pensais qu'il reviendrait un jour, c'est chez lui, ici.

Je m'apprêtais à partir, quand il tendit une main vers moi.

— Curé?

— Oui.

— Rose, elle parle de moi, alors, dans son journal !

J'hésitai un court instant avant de répondre.

— Elle vous aimait.

Les mots étaient sortis de ma bouche sans vraiment y réfléchir. Les yeux d'Edmond ressemblaient désormais à des crachats sur une vitre sale, et ils clignaient à intervalles réguliers. Je n'aurais su dire s'il cherchait à en faire surgir quelque chose, ou si au contraire il voulait empêcher ce quelque chose d'en sortir tant que j'étais devant lui. Sa pomme d'Adam monta et descendit le long de son cou, puis son regard se figea, suppliant.

L'enfant

Bois veiné, perclus de cicatrices d'épines, sur lequel s'agitent des fourmis en quête de miellat. Feuilles malades, tachetées de noir, feutrées de blanc, le vert dissous. Odeur des premières roses, si rares désormais. Une décennie que plus personne ne taille le vieux rosier grimpant qui lézarde la façade de l'écurie, que celui qui le pourrait encore y a renoncé.

D'abord, il reste à distance de la petite maison perdue tout au bout du chemin, ne la voit pas, ne la devine même pas. Se laisse envahir par les odeurs et les ombres, bien avant les murs du château en route pour la ruine. Il ne comprend pas ce qui se passe. Il n'a rien oublié des odeurs qui se déploient dans l'air, ces odeurs qui ne cessent d'alimenter le courant violent de sa mémoire, avec les couleurs aussi, qui s'amènent en grande pompe, comme lorsque, emmuré dans la grande bâtisse, il en percevait toutes les harmonies et imaginait les senteurs sous le seul regard du père mort figé sur la toile, en l'absence de l'image d'une mère dont personne ne lui a parlé, et à laquelle il n'a jamais cru. L'enfant qu'il fut, toujours habillé de long lorsqu'on lui permettait de sortir, si rarement, et toujours accompagné, surtout quand le soleil donnait ; et cela, disait la vieille dame, pour ne pas brûler sa peau fragile. Gueule d'ange, pensait-elle en le regardant s'amuser de la fuite d'un insecte. Et elle se mentait alors, recherchant une ressemblance physique avec son propre fils, ou à défaut quelque attitude donnant l'illusion d'une véritable filiation, tentant aussi d'effacer ce qui ne pourrait jamais s'effacer : la marque de la disgrâce, si elle venait à être révélée au grand jour. Gueule d'ange. Le portrait craché de sa mère.

Les ruines disparues. Il marche dans l'allée, se dirige vers l'écurie. Voit l'enfant, ou plutôt une projection dérisoire expulsée de profondeurs qu'il n'a jamais osé sonder, autre chose que celles d'un lac froid et inhabité. Entre dans l'écurie, où il ne reste qu'un seul cheval qui semble l'attendre. Ouvre la porte de la stalle, s'approche lentement de l'animal, puis se tient face à lui et caresse longuement le chanfrein pour qu'il s'imprègne de son odeur, l'accepte, la reconnaisse. Il s'en va ensuite décrocher le licou suspendu à la grille, et le passe autour de l'encolure du cheval. Ne bouge pas. Debout, se laisse encore respirer, tenant la bride, ne cherchant alors plus rien qui ne fût déjà dans son souvenir, laissant venir et apparaître. Puis il sort, guidant le cheval, qui le suit au pas.

Tenant toujours fermement la bride, non par peur de la lâcher ; animé du simple désir de ne pas être tenté de rejoindre l'enfant, et d'ainsi arrêter sa marche, d'empêcher ce qui doit être. Ce qui est. L'enfant n'en finit pas de s'éloigner, n'en finit pas de disparaître, n'en finit pas d'être ce qu'il a toujours été, cet enfant qui entre dans l'écurie, qu'il a reconnu sans le connaître, qu'il s'apprête à connaître enfin, au milieu des ombres et des odeurs printanières.

Tenant la bride. Se retournant simplement vers la façade du château sur laquelle se crampone une forêt de verdure recouvrant même les volets à claire-voie, dont certains, dégondés, laissent entrevoir un peu de bois sec ressemblant à des fragments de peau morte.

Tenant la bride.

L'enfant sent les présences, d'abord celle de la vieille dame qu'il doit appeler grand-mère en toute circonstance, et aussi celle de Suzanne, la nourrice. Elles n'ont pas encore remarqué son absence, car la maîtresse des lieux est en train de sermonner la servante pour une histoire de draps mal empilés dans une armoire. Il est trop tard lorsqu'elles s'aperçoivent de la disparition. Le pire déferle sous la chevelure de cendre.

Tenant toujours la bride.

L'enfant a disparu. Elles courent, dévalent les marches au-dehors. La vieille femme, en tête, crie le prénom de l'enfant. L'enfant, déjà couché sur la paille, les yeux fermés, nullement inconscient, jouant magistralement le dernier acte de la scène finale.

Tenant toujours la bride. Lui, qui ne joue rien en cet instant vécu. N'est plus l'enfant. Écoute les cris se rapprocher. Et ce n'est pas une onde de choc. Autre chose, de plus violent, de plus frontal, comme si les sensations perçues venaient de recréer l'enfant d'avant l'accident qu'il ne peut empêcher, n'y songeant même pas. Car on ne change pas un destin comme on change de route, ou bien comme on s'arrête pour n'en prendre aucune, simplement ne pas continuer. Le cheval trépigne près de lui. Allongé sur le sol, il ne voit rien, entend tout : les cris de la vieille dame, les hennissements, les claquements des sabots ; souriant. Jusqu'à ce bruit sourd, comme un pichet en terre cuite se brisant sur un sol dur. Quand la vieille se tait, il y a d'autres cris, qui s'estompent, puis disparaissent au loin.

Tenant la bride.

Moment de la libération. Les yeux clos, l'enfant remercie l'animal en silence, sans concevoir encore la mort de la vieille dame qu'il n'aura plus à nommer autrement ; remercie également le ciel et les puissances invoquées, promettant de leur léguer son existence terrestre, de les servir, de leur vouer une reconnaissance infaillible et éternelle qui ne sera jamais un effort, dans une extase bénie.

Plus jamais l'enfant.

Tenant la bride.

Lui parvient le son d'une cavalcade maîtrisée. Pas de cris, quelques mots : *doux, tout doux*. Bruit de sabots qui s'éloignent, puis de pas qui se rapprochent. Il ouvre les yeux. L'homme se penche, s'agenouille, retire sa veste et la roule pour la placer sous la tête de l'enfant mort, sous sa propre tête. Devenu vivant. Petit homme, déjà. Les rayons du soleil bondissent par la porte ouverte, perforent l'écurie, la stalle, dissolvant le tissu de la chemise de l'homme, qui n'est pas l'homme au regard fiévreux peint sur la toile ; pour qu'apparaisse en transparence la marque en haut du bras, ressemblant à la feuille crantée d'un chêne américain. La même marque qui se déploie sur sa peau juvénile, dissimulée sous l'épais chandail. De l'enfant

mort à l'homme. Muet. Ce qu'il a cru rêver et qui sur-
git en ce jour dans l'immobilité de son corps accroché
à la bride, cette trace qui relie l'enfant à l'homme, lui
à lui, fils né d'aucune femme, et non un autre. Tout ce
qu'il devient. Tout ce qu'il est.

Il retourne à la voiture, griffonne quelques mots sur
son ardoise, puis s'en va se cacher derrière l'écurie.

Tenant la bride.

Cheval complice.

Il entend bientôt les appels insistants de Gabriel.
Ne répond pas, attend que la voiture reparte, puis
qu'elle s'éloigne.

Il sort enfin de sa cachette.

Tenant la bride.

Regard désormais fourbi en direction de la bicoque
invisible enchâssée dans la combe au bout du chemin,
là où se trouve la vérité, là où il doit se rendre seul,
sans pour autant renier le monde de l'esprit sain ; car
il sait désormais qu'il lui faudra bien accepter son
humaine destinée, avant de prétendre à l'infini d'une
seconde.

Gabriel

J'aperçus la voiture, toujours garée dans l'allée du parc, mais nulle trace de Charles. Je l'appelai, sans résultat. La porte de l'écurie était ouverte. Je me précipitai à l'intérieur. Le cheval avait disparu. Je ressortis, appelant encore. Puis je rejoignis la voiture. L'ardoise était posée en évidence sur le siège. Ne m'attendez pas, je rentrerai seul. Charles était donc parti à cheval, sans raison apparente, lui qui ne m'avait jamais fait faux bond, qui n'avait même jamais pris la moindre décision sans mon accord. Je n'avais pas le temps de conjecturer, le temps pressait. Il m'expliquerait plus tard la cause de son départ précipité.

Je lançai le cheval dans l'allée, oubliant bien vite la défection du sacristain. Je ne pensais plus qu'à Rose. J'arrivai à l'asile, sans même avoir réfléchi à ce que j'allais dire, quelle stratégie j'allais mettre en œuvre face au docteur.

Le gardien m'accueillit avec étonnement.

— Bonjour, mon père.

— Bonjour, j'aimerais m'entretenir avec le directeur, s'il vous plaît.

— Personne m'a prévenu.

— C'est un cas de force majeure.

— C'est que je peux pas quitter mon poste comme ça.

— Je connais le chemin.

Le gardien se tenait toujours en travers du passage. Il hésita, regarda par-dessus mon épaule le cheval couvert d'écume après la folle course que je venais de lui imposer.

— Et si ça me retombe dessus ?

— Ne vous inquiétez pas, j'expliquerai au docteur… c'est une question de vie ou de mort.

Le gardien jeta encore un coup d'œil alentour.

— Si c'est vraiment une question comme vous dites, mais dites bien au docteur que j'ai fait mon travail comme il faut.

— D'accord.

Le gardien déverrouilla la porte et repoussa un des battants. Je le remerciai, avant de pénétrer en hâte dans l'enceinte de l'ancien monastère. C'était toujours la même sensation qui m'envahissait, celle d'effectuer un voyage dans le temps, de me retrouver en un lieu où les hommes et les femmes se cachaient de lui, et ce jour-là encore, malgré les circonstances particulières. J'empruntai l'allée, longeant la chapelle à droite et les anciennes cellules de moines à gauche. Je croisai une infirmière. Elle inclina la tête à mon passage. Je parvins bientôt à l'aile nord du bâtiment contigu à la chapelle, qui tenait lieu d'infirmerie, là où se trouvait le bureau du docteur. Deux hommes discutaient sur les marches. Je leur dis que j'avais rendez-vous. Ils me saluèrent, puis me laissèrent monter l'escalier sans poser de questions. Je pénétrai dans le bâtiment, suivis le couloir sur une vingtaine de mètres, avant de frapper à la porte. Me parvint le son rauque d'une voix. J'ouvris la porte. Le docteur était plongé dans l'étude d'un dossier. Il ne daigna pas lever les yeux. Je refermai la porte derrière moi, puis m'avançai vers le bureau.

— Bonjour, dis-je.

Il ne répondit pas, décolla à contrecœur son regard du dossier, plissant les yeux, tout en m'observant avec insistance. Si jamais un éclair de surprise parcourut son regard, même un court instant, je ne pus le saisir. Cet homme faisait décidément preuve d'une maîtrise hors du commun.

— Quelqu'un serait-il mort sans que j'en sois averti ? dit-il avec un sourire forcé.

— Un curé a parfois des choses à dire aux vivants.

— Vous piquez ma curiosité.

Il colla son dos au fauteuil, et se mit à gratter l'extrémité de la cicatrice. On aurait dit qu'il essayait de percer à l'avance ce que j'avais en tête. Il n'y avait plus lieu de tergiverser.

— Rose, vous vous rappelez, n'est-ce pas ?

Pendant quelques secondes, ses doigts se figèrent sur la cicatrice. Puis il joignit les mains, dressant les index, comme s'il s'agissait d'une mire et que j'étais la cible à atteindre.

— Bien sûr, vous teniez tant à faire graver sa pierre tombale.

— Ce n'est pas d'elle que je vous parle.

Il tenta de masquer sa confusion en faisant mine de fouiller sa mémoire.

— C'est un prénom relativement courant, dit-il.

— Je suis certain que vous n'êtes pas homme à oublier quoi que ce soit, ni qui que ce soit.

Il plaqua vivement les mains sur son bureau dans un geste d'énervement.

— J'ai beaucoup de travail, je vous prierai d'en venir vite au fait.

— La bonne de l'ancien maître de forges.

Il s'enfonça imperceptiblement dans son fauteuil. Il venait d'encaisser le coup sans presque rien laisser paraître.

— Je la voyais parfois en effet, lors de mes visites au domaine.

— Comment se fait-il qu'un homme aussi accaparé par son métier ait le temps de visiter des patients en dehors de l'asile ?

— Charles était mon ami, sa femme était très malade. Un cas très préoccupant…

— Mener une grossesse à son terme dans ces conditions devait être particulièrement délicat.

Le docteur se leva brusquement à cette évocation, puis se dirigea vers la fenêtre, et se mit à regarder au-dehors, les mains derrière le dos.

— Elle n'a d'ailleurs pas survécu à l'accouchement… un grand malheur, dit-il d'une voix atone.

— À l'époque, votre ami venait tout juste de mourir soudainement, à ce que j'ai appris, et elle ensuite, quel immense drame, en effet, insistai-je.

— Je dois reconnaître que Dieu n'a pas été tendre avec eux.

— Je croyais que le Seigneur vous importait peu.

Il se retourna vivement vers moi.

— J'essaie de penser à votre manière, dit-il.

— Ne vous défendez pas, voilà bien de quoi ébranler les fondements d'un homme de science, dis-je en prenant un air contrit.

— Au moins, Charles n'aura pas eu à assister à la mort de sa femme.

— Elle devait aussi l'aimer beaucoup.

— Évidemment…

— Quitter Paris pour venir s'installer ici, après leur mariage, voilà une bien belle preuve d'amour.

— Où voulez-vous en venir ?

Je laissai passer un moment, sans répondre à sa question.

— De quoi est mort votre ami, au juste ?

— Une occlusion foudroyante.

— Et sa mère qui meurt quelques années plus tard, c'est terrible.

— Un stupide accident.

— Qu'est devenu l'enfant après cette suite tragique ?

Le docteur inspira longuement avant de me répondre.

— Il a été placé, étant donné qu'il n'avait pas d'autre famille.

— Où cela ?

— Ce n'est pas mon travail.

— J'imagine qu'il va revenir un jour hériter du domaine, lorsqu'il sera en âge.

— Tout a été liquidé depuis longtemps. Charles et sa mère n'avaient plus que des dettes, à cause de mauvais placements.

— Le domaine a donc été vendu, il a pourtant l'air d'être à l'abandon.

Il marqua une hésitation avant de poursuivre :

— C'est moi qui l'ai acheté à l'époque, pour ne pas qu'il tombe en des mains étrangères. Je savais qu'il n'y avait aucun bénéfice à en tirer. Tout ceci est de notoriété publique. Je ne comprends pas pourquoi ces vieilles histoires vous intéressent tant.

— Vous avez raison, j'ai failli oublier la principale cause de ma visite, cette jeune fille, comment déjà ? Rose, n'est-ce pas… Elle a bien été admise dans votre établissement, à ma connaissance ?

Il sembla se concentrer pour faire une nouvelle fois appel à sa mémoire, mais en vérité, je savais qu'il pesait préalablement chaque mot qu'il allait dire :

— C'est la mère de Charles qui m'a alerté sur son cas, peu après la mort de son fils.

— Son cas ?

— Elle était sujette à des crises de démence incontrôlables, aussi, j'ai dû me résoudre à cette extrémité, car elle était devenue dangereuse pour son entourage et aussi pour elle-même.

La comédie avait assez duré.

— Ce n'est plus la peine de mentir.

— Vous mettez en doute mon diagnostic ? dit-il d'un air offusqué.

— C'est à cause de l'enfant qu'elle portait que Rose a été internée.

Il ne put masquer sa stupeur, ni répondre quoi que ce soit à mon affirmation.

— Cet enfant, fruit des viols répétés commis par votre ami sur sa bonne, et vous l'avez couvert au nom de je ne sais quel lien sordide qui vous unissait.

— Sortez immédiatement !

Je ne bougeai pas d'un pouce, cherchant son regard fuyant, et il ne put se soustraire au mien.

— Il semblerait que vous ayez trop longtemps sous-estimé les voies du Seigneur, docteur.

Il assena un violent coup de poing sur le plateau. Quelques dossiers empilés dégringolèrent.

— C'en est trop, je vous demande de partir sur-le-champ.

Je ne bougeai toujours pas, conservant mon calme. Le moment était crucial.

— Rose a relaté son histoire dans un journal, que j'ai en ma possession.

— Un journal, Rose, vous voulez rire.

Je laissai planer un silence. Je n'avais aucune intention de divulguer mes sources et d'ainsi mettre en cause l'infirmière qui m'avait confié les cahiers.

— Comment serais-je au courant de tout ?

— Ce ne sont que des inventions.

— Edmond m'a tout confirmé.

— Lui, jamais il n'aurait fait une chose pareille...

— Il n'a plus rien à perdre, maintenant que sa femme est morte.

— Qu'est-ce que vous voulez ?

— Voir Rose.

Je vis les traits se tendre sur son visage, pendant qu'il me défiait du regard, me jaugeait.

— C'est impossible, et pour peu que ce journal existe vraiment, que valent les mots d'une bonne, de surcroît folle, face à ceux d'un honorable médecin reconnu par ses pairs ?

— Qu'avez-vous à craindre de moi, alors ?

— Vous n'avez aucun droit de la voir.

J'eus alors la certitude que Rose vivait encore.

— Edmond est prêt à témoigner contre vous, si vous vous obstinez.

— Témoigner, vous plaisantez, il n'a aucune preuve, dit-il sur un ton méprisant.

Je savais qu'il avait raison. J'avais pensé le manœuvrer pour l'amener à se repentir, ou tout au moins éveiller quelque remords. Il n'était décidément pas cette sorte d'homme. Ma seule chance était de continuer de le pousser dans ses retranchements.

— Pourquoi leur obéir encore, maintenant qu'ils sont tous morts ?

— Taisez-vous !

— Je sais que le maître de forges vous a sauvé des griffes d'un chien, est-ce la seule raison pour laquelle vous continuez à être son larbin ?

— Vous ne savez rien, dit-il en portant une main à sa cicatrice.

— À moins qu'il n'y ait autre chose que vous n'osez avouer.

— On avoue ses fautes, et moi, je n'en ai commis aucune. J'ai toujours œuvré pour le bien de cet établissement pour soigner des gens, faire progresser une science balbutiante. Croyez-vous que la volonté du Saint-Esprit y suffise ?

— Est-ce à dire que l'argent est aussi la cause de votre attachement aveugle ?

Une brèche sembla s'ouvrir dans son regard.

— Croyez ce que vous voulez, ça m'est bien égal. Cet asile est toute ma vie, dit-il.

— Au point de vous rendre complice des pires abjections ?

Il ne réagit pas.

— C'est le moment de vous racheter un peu, il est encore temps.

Ses yeux s'obscurcirent alors, et je vis la brèche se refermer instantanément.

— Les remords accablent les hommes faibles. Personne ne peut changer le passé, personne, dit-il.

— Et cet enfant qui ne connaîtra jamais son histoire, cela aussi vous est égal ?

— C'est certainement ce qui peut lui arriver de mieux.

À bout d'arguments, submergé par la colère, ce fut la première fois de ma vie que j'eus à regretter d'être un homme d'Église. Si tel n'avait pas été le cas, j'aurais alors brandi une arme, n'importe quoi, pour le menacer, le forcer à me conduire jusqu'à Rose. Mes mots avaient été mes seules armes, et ils n'avaient pas suffi.

— Je vous demande d'écouter votre conscience, rien de plus, dis-je en dernier recours.

— Le paradis ne m'a jamais fait rêver. J'imagine que l'on doit s'y ennuyer ferme.

Le docteur se leva, s'avança vers la porte, et l'ouvrit en grand. Je me retournai sans bouger.

— Sortez, j'ai du travail ! dit-il.

J'avais perdu tout espoir de voir Rose. Je traversai la pièce, passai le seuil, retenant la porte pour l'empêcher de la refermer.

— Face à la mort, aucun mensonge n'est plus puissant que Dieu, dis-je froidement en me souvenant des paroles d'Edmond : *Je le tuerai.*

Il esquissa un sourire absent.

— En êtes-vous si sûr ? Venant d'un homme qui a fait profession du mensonge, cela ne me touche pas, dit-il en repoussant la porte.

L'homme

Il se trouvait quelque part plus loin que les aiguilles de ma montre.

Corps porté par les ombres qui dessinent son corps, et les odeurs lui donnent vie. Il caresse le cheval, puis se met en marche. Jeune homme et animal accotés, progressant lentement sur le chemin, sans hésitation. Lui, dont les élans de l'enfance ne l'ont pas encore entièrement déserté, quelques bourgeons prêts à débourrer, entourés d'une fine couche de gel. Et le printemps est enfin là.

À l'époque, je m'attendais à plus rien dans ma vie.

Il ne sait pas la distance déjà parcourue. Il progresse, sans se retourner. S'arrête enfin face à la petite maison au toit de chaume. Le cheval renâcle bruyamment, s'ébroue et puis s'apaise.

Ça faisait longtemps que je me racontais plus d'histoires.

Planté dans l'ombre de la maison, l'homme cherche d'évidence à dénicher une signification à ce qu'il voit, après ce qui vient de lui être révélé par le serviteur de Dieu. Il observe le jeune homme, sachant lui-même, et pour une obscure raison, que les mots ne devront en aucun cas venir de lui, ou bien qu'il n'y aura pas de mots.

J'avais renoncé à partir. Et puis, je serais allé où, d'abord ?

Le jeune homme lâche la bride, qui se tend par simple effet de pesanteur. Les deux extrémités pendent désormais de part et d'autre de la tête du cheval, comme des barbillons démesurés. L'homme s'avance, émerge de l'ombre, et s'arrête une fois la frontière passée. Son visage est une froide fournaise, ce visage qui n'a pas beaucoup vieilli. Et le jeune homme aussi s'avance un peu plus, de sorte qu'ils ne sont plus séparés l'un de l'autre que par quatre ou cinq mètres, et peut-être bien encore un gouffre.

Le soleil était en train de chasser la gelée blanche.

Le jeune homme déplie un bras, comme s'il s'apprêtait à désigner quelque chose. Se met à rouler la manche de sa chemise jusqu'au pli du coude et plus haut encore, là où quelques muscles ont poussé, là où s'étale la marque rougeoyante en forme de feuille, qui, elle, n'a jamais grandi depuis l'enfance.

Comment j'aurais pu deviner ?

Il laisse retomber son bras le long du corps. Ne bouge plus, regard posé ailleurs que sur les yeux de l'homme, posé sur sa figure, pourtant : front, nez, menton ; peu importe, pourvu que ce ne soient pas les yeux. Puis il recule, tend l'autre bras en arrière. La main trouve d'instinct la bride. La saisit. Cela pourrait finir ainsi, maintenant, si seulement il se retournait et s'en allait. Mais il est trop tard, et ils le savent tous les deux. Maintenant qu'ils sont un, par la marque commune qui imprègne leur chair. L'homme sans âge ne voit désormais plus que cette marque qu'il avait fini par oublier, à force de regards dressés à fuir les miroirs, les vitres et les flaques. Il n'a, ils n'ont toujours pas de mots, pas un seul, pas même ce mot qui les brûle, qui n'est pas le même mot, et signifie pourtant la même chose.

Comment j'aurais pu imaginer ?

Plus tard, lorsqu'ils seront enfin entrés dans la maison, ils ne pourront toujours pas prononcer le mot, ni même l'écrire, pas ce jour-là ; deux yeux sur un rhizome nourris d'une même sève, que le printemps s'apprête à leur révéler. Peut-être même qu'ils feront tout pour ne pas croire qu'un tel mot pût exister, durant quelques minutes, sans le penser une seule seconde. Ils auront beau déployer toute leur volonté, ils finiront par comprendre que l'on ne décide pas de ne pas savoir, malgré les regrets attroupés. Ne tenant rien l'un et l'autre dans leurs mains, mais ressentant chacun le poids considérable de la marque doublement considérable, sachant qu'il faudra bien plus de temps qu'ils n'en pourront jamais disposer pour devenir l'un pour l'autre ce qu'ils n'ont jamais cessé d'être.

Edmond

C'était après la visite du curé.

Les oiseaux chantaient pas comme d'habitude.

Je l'ai vu arriver de nulle part, tirant Janus par la bride, avec son sac en bandoulière.

On les aurait dits tombés d'un ciel d'orage.

La lumière s'amusait à les faire danser tous les deux.

Il tenait la bride tout près de la bouche du cheval, de la façon qui fait qu'on sent bien les caresses sur la main.

À chaque mouvement de tête, son bras suivait sans résister.

Ils faisaient qu'un.

Ce genre de lien.

Il disait rien.

Il me regardait comme s'il me voyait pas vraiment, comme s'il était capable de voir à travers moi.

Il a lâché la bride.

Il voulait sûrement me laisser une chance de faire le chemin tout seul.

J'ai pas pu bouger.

Il a fait quelques pas vers moi, et le cheval s'est avancé d'autant.

Ils se sont arrêtés.

Il a lentement retroussé la manche de sa chemise jusqu'en haut du bras, et j'ai vu apparaître la marque sur sa peau.

Bon Dieu.

J'ai senti une brûlure au même endroit.

J'ai posé une main dessus, pour essayer de la refroidir.

Je savais pas encore quoi faire de ça.

Mon ventre était une fourmilière.

Bon Dieu, lui.

Il a tendu le bras en arrière pour attraper la bride, sans même regarder.

J'ai eu peur qu'il reparte.

Il a fait gentiment volter le cheval, et il est allé l'attacher à un piquet de clôture, sous le cerisier, en enroulant la bride sans faire de nœud.

Ce genre de lien.

Il a pris tout son temps.

Mon crâne était un entonnoir rempli de questions.

Je suis entré dans la maison.

Je savais qu'il me suivrait.

Mes jambes étaient le contraire de lourdes, non pas qu'elles étaient devenues légères d'un coup, mais j'avais l'impression qu'elles flottaient dans un élément qui en annulait le poids.

Il a pas refermé la porte derrière lui.

Je me suis assis à la table.

Il s'est assis en face de moi, et s'est penché de côté.

Il a sorti une ardoise, une craie et un chiffon de sa besace, et les a posés sur la table.

J'ai compris que j'entendrais jamais le son de sa voix.

Il est resté là sans rien faire, le regard planté sur les objets, les doigts recroquevillés, mais pas entièrement, comme s'il tenait un verre dans chaque main.

Ses yeux brillaient quand il les a relevés.

Il était là pour apprendre sa véritable histoire.

Alors, c'est ce que j'ai fait, je lui ai tout raconté depuis le début, tout ce que je savais, ce que j'avais cru, et ce que le curé m'avait dit.

Je lui ai juré que je pensais qu'il était le propre fils de Charles, que j'avais jamais vu la marque sur son bras avant aujourd'hui, qu'après son accident, je savais pas ce qu'il était devenu, que j'avais essayé, mais qu'on avait rien voulu me dire.

J'ai juré pour qu'il me croie.

Si seulement j'avais su.

Si seulement j'avais pas mis autant de terre sur ce qui s'était passé dans l'écurie avec Rose.

Si seulement.

De tout le temps que je parlais, il regardait la craie dans sa main, jamais moi.

Quand j'ai eu terminé, il s'est tourné vers la porte ouverte.

Les branches du cerisier se baladaient sur le bleu du ciel, et le cheval broutait une touffe de fétuque.

Je sais pas pourquoi je m'en souviens.

Il a pris une longue respiration.

Puis il s'est mis à écrire.

La craie s'est brisée entre ses doigts.

Je pouvais lire le mot «mère» à l'envers, avec le «e» qui pendait comme un serpent accroché par la queue à une branche.

Sa mère.

Bon Dieu.

Je lui ai encore parlé de Rose, j'ai même inventé ce que je savais pas pour la rendre encore plus belle.

Il s'est remis à écrire.

Il m'a expliqué l'enchaînement de hasards qu'il avait fallu pour me retrouver.

Bon Dieu.

J'ai donné un nom au hasard, ce jour-là.

Quand il a eu fini, il a rassemblé ses mains l'une sur l'autre.

J'ai pas pu faire autrement que de me laisser prendre dans l'étau de ses yeux.

Je crois pas qu'il voulait me faire payer.

Il a frotté ses doigts et de la poussière de craie s'est envolée dans un petit nuage.

J'ai pensé que c'était plus que ça qui s'envolait.

J'ai voulu le croire.

Bon Dieu.

Ce genre de lien.

Dehors, les oiseaux s'étaient remis à chanter.

On savait pas quoi faire de ça.

Alors, on a attendu.

Gabriel

Nous n'avons rien à espérer du passé. Ce sont les hommes seuls qui ont eu l'audace d'inventer le temps, d'en faire des cloisons pour leur vie. Pas un seul ne peut vivre assez longtemps pour se croire exister, pas un seul n'est en mesure de saisir la vie quand elle le traverse, et je suis trop lucide pour ne pas désespérer de n'y être jamais parvenu. Seul le passé nous travaille le corps. Il finit toujours par remonter à la surface, comme un bouchon en liège privé de lest. Les légendes qui l'encombrent sont le fruit de grandes passions, de grands rêves, et d'incommensurables souffrances ; tout cela et rien de plus que cela. Les légendes, elles vieillissent, se délitent avec nous, se recomposent avec d'autres, à l'infini.

J'ai vieilli, moi aussi, au-delà même de ce que j'aurais pu imaginer. À quoi bon ? Après toutes ces années, je suis simplement parvenu à admettre qu'il est vain de combattre le mal, que vouloir le défier à mains nues, c'est déjà se croire un peu l'égal de Dieu. Alors, je demande pardon au Seigneur. J'ai essayé de retirer l'épée fichée dans son enclume, dans le but d'annuler la magie. Oui, j'ai essayé, et je ne renie pourtant rien.

Bien sûr, je sais que la foi ne peut infléchir la vérité, mais je me console en me disant qu'elle peut au moins amender les cœurs et fertiliser les consciences. Changer le cours de cette histoire et aucune autre, voilà bien une chose à laquelle je n'avais jamais songé avant Rose. Mes prières ont toujours été destinées à préserver les humains du malheur, jamais à modifier le passé à ma convenance. Et malgré tout, devant la première page du journal de cette malheureuse dont il m'incombe de porter le secret, je me prends à douter du pouvoir de Dieu à forger les destins sans quelque préférence.

Dieu qui enlève les péchés du monde, prends pitié, et fais que je ne succombe pas à la tentation d'une vacuité spirituelle, qui me délivrerait des souffrances d'une autre. Délivre-moi du doute qui comprime en cet instant ma propre âme consacrée. Délivre-moi de tout mal, de sa brûlure, pour le restant de ma vie et les siècles des siècles. Amen.

Je ne dors plus guère depuis longtemps, désormais insensible à la nuit qui guide les hommes vers le repos en temps normal. Quel que soit le degré d'obscurité, elle est toujours trop sombre pour que mon esprit accepte de s'y abandonner. Désormais, je sens la grande nuit approcher, le grand repos, une raison supplémentaire de fuir toutes les formes d'oubli. On n'éteint pas une bougie déjà éteinte ; et moi, je ne veux rien perdre de la dernière flamme qui s'en ira épouser l'air.

Malgré le temps passé, je me souviens parfaitement d'eux attablés dans la chaumière, après ma visite à l'asile, et moi qui ne comprenais rien encore, ressassant ma défaite. La pièce était balayée par des rafales d'émotions, dont nul ne songeait à se protéger. J'observais Charles, cherchant à identifier ce qui d'évidence avait changé en lui, quelque lueur qui aurait voyagé dans son regard pour se poser enfin dans un écrin dédié. Edmond s'empressa de me raconter l'incroyable vérité. Ce jour-là, il n'utilisa pas le mot fils. J'espère qu'il en a eu maintes fois l'occasion depuis. Lorsqu'il eut terminé, Edmond me demanda ce que j'avais appris à l'asile. Le docteur n'avait rien voulu entendre, mais au moins Rose était en vie. Un long silence suivit, pendant lequel je me demandai comment Charles avait été nommé sacristain si près de chez lui. À l'évidence, il n'y avait rien de miraculeux, le docteur avait probablement tout manigancé, de sorte à surveiller ses faits et gestes. Il n'était pas homme à laisser quoi que ce soit au hasard, depuis l'achat du domaine, certainement pour une bouchée de pain, graissant quelques pattes au passage, et ainsi continuer de financer l'asile. Je n'en dis rien. Puis, comme s'il était habité par une farouche détermination, Charles saisit la craie et se mit à dessiner des formes sur l'ardoise. Edmond et moi le regardâmes faire, incrédules, pensant que sa raison venait de se noyer sous le flot des révélations. Il n'en était rien. Nous ne tardâmes pas à découvrir ce qu'il avait en tête.

Aujourd'hui, je tiens l'histoire de Rose dans mes mains, sans comprendre pourquoi j'en suis le détenteur depuis quarante-quatre ans, sous le sceau d'un secret que je m'inflige. J'ai le sentiment d'avoir fait un long voyage en sa compagnie, d'avoir traversé les mêmes paysages qui se refermaient derrière elle, comme la construction simultanée d'une muraille infranchissable. Je ne sais toujours pas d'où elle venait en réalité, mais qui elle était, sûrement. Je ne l'ai jamais rencontrée, ni même aperçue ; et pourtant, il n'y a pas un jour qui passe sans que je pense à elle.

Au moment de quitter mon service, Charles refusa d'abord d'emporter le journal. J'imagine que pour écrire une nouvelle histoire, il pensait qu'il lui fallait en effacer une autre, afin qu'il ne demeurât aucun arriéré, maintenant que son corps était empli de ses origines. Je réussis néanmoins à le convaincre. Il me remercia ensuite de tout ce que j'avais fait, ajoutant que l'on ne se reverrait probablement jamais, qu'il était heureux de m'avoir connu et servi. Je ne dirai rien de ce que je lui répondis, je garde cette grande émotion au fond de moi, et le geste qui en témoigna enfin.

Le jour se lève. Je regarde la croix d'autel posée sur l'étagère, là où elle trône en dehors des offices. Me viennent en mémoire ces mots de l'Évangile selon saint Marc : *Jésus commence à leur apprendre que le fils de l'homme doit beaucoup souffrir, qu'il doit être tué, s'il veut ressusciter*. Il n'y a rien à ajouter. Il est temps de rendre un dernier hommage à qui de droit, le seul dont je suis encore capable. J'emporte le journal que j'ai soigneusement recopié. Mes mains se mettent à trembler, une des lois auxquelles ne peut se soustraire un vieillard, comme si les dernières hésitations du corps n'étaient que le crépitement de l'âme en chemin. Il est temps de partir.

Je suis déjà loin du village, lorsque j'entends les sept coups sonnés par Victor, mon nouveau sacristain, de trente ans mon cadet. Porté par mes vieilles jambes fatiguées d'avoir tant foulé ce territoire, je dépasse la première écluse du canal des moines, puis m'enfonce dans la forêt en suivant le maigre cours d'eau aux berges empierrées, construit il y a plusieurs siècles pour alimenter le monastère, là où on emmurait la foi hier, et aujourd'hui la folie ; comme si l'une et l'autre ne pouvaient être comprises du reste de l'humanité, ni même appréhendées ; comme si tout ce qui dépasse la raison se devait d'être caché aux yeux des autres hommes, quelle qu'en soit l'expression. Et moi, mortel serviteur, suis-je suffisamment armé pour ne pas laisser le doute continuer d'embraser mes questions par d'humaines réponses ? Faut-il encore du temps pour m'armer un peu mieux ? Ou tout cela n'est-il qu'une illusion dans mes pauvres mains de pénitent, et certitude dans celles du Seigneur ? Je suis bien trop vieux pour tout perdre aujourd'hui.

Le canal domine un canyon abrupt creusé par un ruisseau qui tranche la forêt en deux. Ses eaux sauvages contrastent avec le filet domestiqué du canal, qui s'écoule sur un lit de sable où marchent à reculons quelques écrevisses peureuses ; deux rythmes liquides, deux voix distinctes, une même naissance ; tels deux enfants issus des mêmes parents, aux caractères pourtant si différents. Je marche un moment sous un couvert de charmes, de hêtres et de chênes, notables des grands bois ; atteignant bientôt une lisière de frênes et de sureaux, avant de déboucher dans une prairie formant une pointe herbeuse coincée au cœur de la forêt qui plonge vers la vallée. Je me dis qu'à l'instar des humains la nature aussi peut exprimer sa propre folie, la rejoindre en quelque manière.

Je continue de longer sur une centaine de mètres le canal désormais presque entièrement masqué par de hautes fougères aigles aux jeunes pousses en forme de crosse d'évêque. J'aperçois au loin la flèche de la chapelle émerger de la canopée, perdue dans des lambeaux de brume, ressemblant à une gigantesque dague au pommeau orné d'une rosace plantée dans le ciel croupi de l'histoire. À bout de forces, je m'assois sur une pierre plate, tout près de l'entrée du souterrain déblayé par Charles et Edmond afin de délivrer Rose, et condamné depuis.

Je sais qu'ils y sont parvenus. Ne sais rien de plus. Je pense à la stupeur du docteur en découvrant la chambre vide, et me prends à sourire à cette idée. Je les imagine tous trois, fuyant main dans la main, heureux quelque part, peut-être près d'un océan, d'une mer, en pleine montagne, ou n'importe où ailleurs, reclus des souffrances du passé. Je l'espère de tout mon cœur.

La nouvelle de l'évasion n'a jamais transpiré de l'asile. Je ne sais comment le docteur s'y est pris. Peut-être qu'un cercueil vide a quitté l'asile peu après. En tout cas, je n'en eus nullement connaissance et le docteur ne fit plus jamais appel à moi, ni ne chercha à me revoir. Il devait bien se douter pourtant de mon implication, mais une rencontre l'aurait confronté à son propre échec, du moins je le pense encore. Il est mort depuis longtemps et le domaine des Forges a regagné la forêt.

Je demeure immobile, ainsi abrité par leur bonheur auquel je veux croire. Je respire calmement, écoutant les sons venus du monastère, qui parcourent les veines sous la surface, comme si un pieux maçon vêtu de bure me parlait au creux d'un autre millénaire. Le lieu et le temps se trouvent réunis. Ne cesseront de l'être, jusqu'à la fin ; cette grande fin que j'appelle de tous mes vœux. Mais avant de plonger dans l'abîme, je gratte la couche meuble du sous-bois avec mes mains, creuse la terre sur quelques centimètres, puis j'enterre le journal de Rose et efface les traces. Il est temps maintenant de rejoindre le Seigneur, dans le silence des hommes.

REMERCIEMENTS

Merci à Léon-Marc Lévy pour sa bienveillance, son intransigeance et son acuité à saisir les voix.

Merci à Pierre Demarty de m'avoir accompagné lors de la traversée de ce printemps.

Le Livre de Poche s'engage pour l'environnement en réduisant l'empreinte carbone de ses livres. Celle de cet exemplaire est de : 250 g éq. CO_2 Rendez-vous sur www.livredepoche-durable.fr

PAPIER À BASE DE FIBRES CERTIFIÉES

Composition réalisée par Lumina Datamatics, Inc.

Achevé d'imprimer en décembre 2020 en Italie par
Grafica Veneta S.p.A. Trebaseleghe (PD)
Dépôt légal 1re publication : août 2020
Édition 05 – décembre 2020
LIBRAIRIE GÉNÉRALE FRANÇAISE
21, rue du Montparnasse – 75298 Paris Cedex 06

88/4029/3